Henri Bouillard

BLONDEL
ET LE
CHRISTIANISME

Editions du Seuil

BLONDEL
ET LE CHRISTIANISME

HENRI BOUILLARD

BLONDEL
ET LE CHRISTIANISME

ÉDITIONS DU SEUIL

27, *rue Jacob, Paris* VIe

IMPRIMI POTEST. LYON, LE 15 JANVIER 1961
BLAISE ARMINJON, S. J. PRAEP. PROV. GALL. MED.

IMPRIMATUR. PARIS, LE 3 FÉVRIER 1961
J. HOTTOT, V. G.

PRÉFACE

Peut-être ne faut-il pas trop se fier à ses souvenirs d'enfance ou même de jeunesse. Peut-être ne nous a-t-on jamais enseigné telle conception étrange qui s'est glissée en notre esprit. Toujours est-il que l'auteur de ces pages, comme plusieurs hommes de sa génération, a longtemps retenu, du catéchisme ou des cours d' " instruction religieuse ", cette idée qui le déconcertait de plus en plus : les mystères du christianisme sont des vérités incompréhensibles que Dieu nous impose de croire pour éprouver notre obéissance. Lorsque, par-dessus le marché, des leçons d'apologétique lui parurent vouloir justifier cette notion, il y trouva plus de motifs de doute que de raisons de croire.

Dans cette perplexité, il entreprit un jour de lire L'Action de Maurice Blondel. C'était aux environs de 1930, à l'époque où de jeunes étudiants se cotisaient pour faire polycopier le livre introuvable. Bien des choses lui échappèrent à cette première lecture. Il y découvrit du moins que le christianisme a un sens, qu'il répond au vœu de l'esprit, que l'obéissance de la foi ne s'attache pas à l'arbitraire, bref, qu'on peut croire sans déraisonner.

Ni la doctrine ni la vie chrétiennes ne lui parurent pour autant descendre au niveau d'un simple humanisme. Tout au contraire, Blondel lui apprenait à voir que l'Évangile perdrait son sens s'il n'était le témoignage d'un don surnaturel, et que l'homme ne peut s'ouvrir à Dieu sans une nouvelle naissance.

Depuis lors, il a eu plusieurs fois l'occasion de relire L'Action, en même temps qu'il prenait connaissance des autres ouvrages de Blondel. Il n'en a jamais fait son bréviaire. D'autres pensées lui semblaient mieux répondre à certaines exigences philosophiques. Et pour comprendre l'Évangile, il ne pouvait ignorer les ressources qu'offre l'ensemble de la tradition chrétienne. Il a toujours gardé cependant une profonde gratitude pour celui qui, à chaque lecture, lui apportait des suggestions précieuses.

BLONDEL ET LE CHRISTIANISME

Beaucoup d'hommes, naguère, ont fait la même expérience et éprouvé les mêmes sentiments. Mais cela n'appartient-il pas à un passé qui disparaît ? L'œuvre de Blondel peut-elle encore intéresser les générations nouvelles ? Ne nous touche-t-elle pas nous-mêmes moins directement qu'autrefois ?

Depuis qu'a paru la thèse célèbre de 1893, deux guerres ont bouleversé le monde ; l'avènement du communisme, les transformations sociales, le progrès technique, l'aspiration des peuples colonisés à l'indépendance et à la prospérité, ont changé sa figure et imposé aux hommes de nouveaux problèmes. Les sciences humaines, psychologie, sociologie, se sont développées. Tout cela sollicite aujourd'hui l'attention du philosophe et du théologien. S'intéressera-t-on encore à une œuvre qui (sauf à la fin et de façon marginale) n'a pu tenir compte de ces changements, et dont le style même, éloquent et moralisateur, a vieilli ?

Une pensée vigoureuse et profonde, qui a touché un problème essentiel et permanent, ne meurt jamais. Même dans un monde transformé et un nouvel univers de l'esprit, elle peut toujours être reprise. En ce qui concerne le sens de la vie humaine, notamment le rapport de la pensée ou de l'action aux exigences et aux promesses du christianisme, la philosophie blondélienne a si bien touché le point crucial, qu'elle peut encore nous éclairer aujourd'hui.

A certains égards, il est plus facile de la bien entendre maintenant qu'autrefois. Le recul du temps aide à discerner l'essentiel de l'accessoire, sur lequel on s'est souvent trop braqué. Il exorcise l'effet de fascination ou d'horreur, pareillement magique, qui s'attachait à quelques formules. Les études hégéliennes, la phénoménologie husserlienne, la philosophie de l'existence, le renouveau des études bibliques et patristiques, et même une meilleure connaissance du thomisme, ont familiarisé les esprits avec telle ou telle idée qui avait d'abord déconcerté. Enfin, les querelles anciennes étant apaisées, on peut mettre en valeur la pensée blondélienne sans être un partisan, et exprimer des réserves sans être un adversaire. On peut s'y instruire sans faire profession de blondélisme.

Il nous a donc semblé utile de publier, à l'occasion du centenaire de la naissance de Blondel, le résultat d'une nouvelle étude de ses écrits les plus remarquables. Après avoir présenté au lecteur une vue d'ensemble de son œuvre, nous nous attacherons principalement à L'Action de 1893 et à la Lettre de 1896, sans négliger pourtant d'indiquer, le cas échéant, la direction des développements ultérieurs. Trois points ont retenu notre attention : la genèse de l'idée de surnaturel, le rôle de l'option religieuse dans l'affirmation ontologique, le caractère propre de la philosophie blondélienne. Trois perspectives différentes sur un même rapport : l'ouverture de la philosophie au christianisme. Mais, précisons-le, ce ne sont pas les thèmes chrétiens développés par Blondel qui nous ont occupé, c'est l'aspect proprement philosophique du mouvement de pensée par lequel il y conduit l'esprit.

Notre interprétation se fonde, comme il convient, sur l'analyse et la confrontation des textes eux-mêmes. Un examen plus serré, là où ils ont donné lieu à des exégèses différentes, nous a parfois conduit à des précisions nouvelles. Cependant, nous aurions tort de ne pas avouer notre dette envers les nombreux interprètes qui se sont appliqués déjà à tirer au clair une pensée difficile. Sans parler des plus anciens (l'abbé J. Wehrlé, le P. Auguste Valensin, Paul Archambault, etc.), mentionnons : Jacques Paliard, Pierre Lachièze-Rey, Jeanne Mercier, le Père Henri de Lubac, Jean Trouillard, — et plus encore ceux dont la contribution plus importante concerne directement notre sujet : le Père Yves de Montcheuil, Henry Duméry, les PP. Albert Cartier et Pierre Henrici. Nous ne les avons pas toujours suivis : comment l'aurions-nous fait, quand ils divergent entre eux ? Nous aurons plusieurs fois l'occasion de dire pourquoi nous n'avons pu accueillir telle ou telle interprétation. Mais cela même que nous écartons (en toute amitié pour les auteurs) nous aura stimulé autant que le reste à une analyse plus serrée de la pensée blondélienne.

Nous devons une reconnaissance particulière à M. Charles Blondel, à Mᵐᵉ Charles Flory, à M. André Blondel, qui nous ont permis de lire et d'utiliser les notes et les manuscrits inédits de leur père, soigneusement conservés dans l'hôtel où il a vécu à Aix-en-Provence. Guidé par sa secrétaire, Mˡˡᵉ Panis, à qui va pareillement notre gratitude, nous avons découvert là des indications précieuses sur la genèse et le développement de la pensée blondélienne. Nous avons pu éclaircir ainsi plusieurs points qui jusqu'alors nous étaient restés obscurs. Et surtout peut-être, à lire des notes et des lettres où le philosophe a livré son âme, nous avons mieux saisi l'esprit qui animait son effort. Puisse notre ouvrage en laisser voir quelque chose au lecteur.

I

L'ŒUVRE DE MAURICE BLONDEL

" Tout effort philosophique ne fait que traduire une idée et une intention primitives et permanentes qui sembleraient pouvoir tenir en un mot et que les livres accumulés n'épuisent pas[1]. " En énonçant cette observation générale, Maurice Blondel se trouvait caractériser justement son œuvre personnelle. Au cours de sa carrière exceptionnellement longue, depuis la thèse célèbre de 1893 sur *L'Action* jusqu'au monumental testament que composent *La Pensée, L'Être et les êtres, L'Action, La Philosophie et l'Esprit chrétien,* publiés de 1934 à 1946, une même intention fondamentale l'a toujours animé : élaborer une philosophie qui, dans son mouvement autonome, s'ouvrît spontanément au christianisme. A l'époque où il atteignait l'âge de la réflexion, la vie publique était dominée en France par l'idée laïque, façonnée sous l'influence de Comte, de Taine, de Renouvier. Quelques années plus tard, la séparation de l'Église et de l'État manifesterait dans les institutions politiques une rupture qui s'introduisait depuis longtemps dans les idées et les mœurs : celle de la réalité humaine et de la réalité chrétienne. Il était entendu, le plus souvent, qu'une philosophie n'était telle que " séparée " du christianisme, totalement indépendante de lui et l'ignorant. Beaucoup vantaient la philosophie " spiritualiste "; mais l'idée d'une " philosophie chrétienne " eût semblé à la plupart aussi étrange que celle d'une physique chrétienne. Ce fut l'originalité de Blondel que de vouloir rétablir les communications, non pas en élaborant une apologétique qui eût exposé aux philosophes les titres de créance du christianisme (il serait ainsi resté à l'extérieur du problème), mais en construisant une philosophie qui, par la logique de son mouvement rationnel, se portât d'elle-même au-devant du christianisme et, sans imposer la foi,

1. M. BLONDEL, *Le " Vinculum substantiale " d'après Leibniz...,* Paris, 1930, p. 116.

posât inévitablement le problème chrétien. Il entendait revendiquer pour la philosophie toute une part de son domaine qu'elle avait délaissée, élargir sa compétence indûment restreinte, aboutir ainsi " à imposer à toutes les intelligences allant jusqu'au bout de leur raison le problème religieux en sa teneur la plus précise, sous l'aspect et avec les exigences du surnaturel chrétien[1] ". Voilà l'intention primitive et permanente qui anime son effort et lui donne sa marque distinctive.

Ni apologiste, ni théologien, au sens ordinaire de ces termes, il se trouvait traiter avec une rare profondeur le problème central que posait alors la pensée incroyante à la pensée chrétienne, que théologiens et apologistes n'avaient pas encore saisi en toute son acuité, mais ne pouvaient éviter. Aussi son œuvre a-t-elle eu parmi eux un retentissement considérable. Ceux même qui lui sont restés le plus étrangers ne parlent plus aujourd'hui comme si elle n'avait pas existé. Aucune autre, semble-t-il, n'a exercé une influence aussi profonde sur la théologie française au cours de la première moitié du XXe siècle. Aucune autre, peut-être, à cette époque, n'a autant aidé les philosophes chrétiens à accorder en eux-mêmes leur réflexion et leur foi.

Il convient de présenter d'abord une vue d'ensemble de cette œuvre. Le but principal d'une telle esquisse étant d'aider le lecteur à situer les analyses qui suivront, elle notera de préférence, quoique non de façon exclusive, ce qui, dans les écrits de Blondel, concerne la rencontre de la philosophie et du christianisme. Mais, pour éviter de trop nombreuses répétitions, elle se bornera à des indications sommaires sur les points délicats qui doivent faire ensuite l'objet d'un examen attentif[2].

I. L'ACTION

Maurice Blondel appartient à une génération qui compte parmi les plus riches dans l'histoire de la culture française. C'est à peu près celle de Barrès, Gide, Proust, Péguy et Claudel, de Matisse et Rouault, de Ravel

1. Lettre de Blondel à Jean Lacroix, citée dans *Esprit*, janvier 1937, p. 636.
2. Le présent chapitre reproduit, avec un assez grand nombre de modifications, une partie de l'étude que nous avons publiée en 1949 dans les *Recherches de Science religieuse* (tome 36, p. 321-402), sous le titre : *L'Intention fondamentale de Maurice Blondel et la Théologie.*

et Debussy, de Bergson et Brunschvicg. La philosophie, sous l'impulsion antérieure de Lachelier et de Boutroux, s'échappe des réductions positivistes et scientistes. Parallèlement, la pensée et la littérature chrétiennes, se dégageant de positions formalistes et conservatrices à l'excès, retrouvent leur sève originelle. Blondel s'insère dans ce double renouveau.

Il est né le 2 novembre 1861, à Dijon, d'une très ancienne famille bourguignonne. La fortune de son père, qui était notaire, lui assurait une vie exempte des soucis d'argent. La tradition familiale lui transmettait une éducation délicate et un christianisme solide. Il fit ses études secondaires au lycée de sa ville. Il prit ensuite aux Facultés les grades de licencié ès lettres, de bachelier ès sciences et en droit. L'influence de deux professeurs, Alexis Bertrand au lycée, et Henry Joly à la Faculté des Lettres, contribua à l'orienter vers la philosophie.

Entré en 1881 à l'École Normale (que Bergson venait de quitter), il y eut pour condisciples Frédéric Rauh, Pierre Duhem et Victor Delbos (avec lequel il se lia d'une profonde amitié). Ses maîtres, Léon Ollé-Laprune et Émile Boutroux, exercèrent l'un et l'autre une influence sur la formation de sa pensée (le premier, pour le contenu; le second, pour la forme philosophique). Dès le début de la seconde année, il fixa son projet de thèse sur *L'Action*, sujet qui surprit alors et ne fut pas accepté sans difficulté. Reçu en 1886 (après un double échec) au concours d'agrégation, il fut nommé professeur au lycée Mignet d'Aix-en-Provence. C'est là qu'il mûrit son travail, jetant sans cesse sur des feuilles éparses les pensées qui lui venaient à l'esprit au cours de longues promenades dans la campagne provençale. Au moment de commencer la rédaction, ou plutôt les rédactions successives, il demanda un congé. C'est dans la solitude d'une maison de campagne que ses parents possédaient à Saint-Seine-sur-Vingeanne, en Bourgogne, qu'il a écrit l'ouvrage auquel il devra sa célébrité.

La soutenance de thèse en Sorbonne eut lieu le 7 juin 1893. Le jury fut déconcerté à la fois par la méthode et les conclusions de l'ouvrage, mais dut en reconnaître la vigueur. La thèse complémentaire, en latin, portait sur le *Vinculum substantiale* de Leibniz. Cette curieuse théorie a été l'un des points de départ de la réflexion de Blondel. Il cherchait précisément dans l'action " ce lien substantiel qui constitue l'unité concrète de chaque être en assurant sa communion avec tous[1] ".

---

1. *L'Itinéraire philosophique de M. Blondel*, p. 66-67. Cf. *Une énigme historique. Le " Vinculum substantiale " d'après Leibniz et l'ébauche d'un réalisme supérieur*, Paris, 1930, p. 131 sqq. Ce dernier ouvrage n'est pas une traduction, mais une adaptation de la thèse latine.

Publié en novembre 1893, sous le titre *L'Action, essai d'une critique de la vie et d'une science de la pratique*, épuisé dès 1895, l'ouvrage n'a jamais été réédité sous sa première forme par l'auteur, qui voulait dès cette époque y introduire d'importantes modifications. Ce serait une erreur d'en conclure qu'on peut désormais le négliger et qu'il convient de se reporter directement aux écrits postérieurs. En fait, c'est lui qui a fait brèche et exercé l'influence la plus considérable. La suite, toute marquée des controverses suscitées par lui, serait incompréhensible à qui n'y entrerait par ce porche. Enfin, nous aurons l'occasion de le montrer, ce livre, malgré ses imperfections, reste le chef-d'œuvre de Blondel, celui où jaillit avec le plus de vigueur son apport original.

D'une telle somme, il est difficile de parler en quelques lignes. Tout résumé la banalise. Pour en bien rendre compte, il faudrait l'analyser successivement de plusieurs points de vue. Aucun commentaire, d'ailleurs, ne saurait remplacer la lecture du texte, et seule une étude attentive permet de comprendre cette œuvre complexe, touffue et parfois obscure. Nous nous bornerons, pour l'instant, à en rappeler la marche et les caractères essentiels[1].

Son objet est l'action en tant qu'elle construit la destinée de l'homme. La question initiale commande tout le développement : " Oui ou non, la vie humaine a-t-elle un sens, et l'homme a-t-il une destinée ? [...] Le problème est inévitable; l'homme le résout inévitablement; et cette solution, juste ou fausse, mais volontaire en même temps que nécessaire, chacun la porte dans ses actions. Voilà pourquoi il faut étudier l'*action* : la signification même du mot et la richesse de son contenu se déploieront peu à peu[2]. "

L'angle sous lequel l'auteur aborde le problème du sens de la vie n'est pas proprement l'inquiétude de l'homme partagé entre diverses sollicitations, ni le sentiment de l'absurde ou de la contingence tel qu'on l'a rencontré plus récemment. C'est, en conformité avec l'esprit de sa génération, le conflit de l'autonomie et de l'hétéronomie dans notre existence. L'action, remarque-t-il, n'est pas seulement un fait, elle est

---

1. Le meilleur des premiers comptes rendus de *L'Action* est, à notre connaissance, celui de Victor DELBOS dans la *Revue philosophique*, décembre 1894, p. 634-641. Le livre a été également résumé par Paul ARCHAMBAULT dans *L'Œuvre philosophique de Maurice Blondel*, Paris, 1928, p. 13-32, et, plus récemment, analysé de façon excellente par le P. Augustin VALENSIN, sous le titre *Maurice Blondel et la dialectique de l'Action*, article publié dans les *Études* de novembre 1949.

2. *L'Action*, p. VII-VIII.

une nécessité, elle m'apparaît souvent comme une obligation, elle m'impose malgré moi des sacrifices. Bien plus, je ne puis ni avancer en pleine lumière, ni accomplir toujours ce que j'ai résolu, et mes actions, une fois accomplies, pèsent sur toute ma vie, je suis leur prisonnier. Impossibilité de m'abstenir et de me réserver, incapacité de me satisfaire, de me suffire et de m'affranchir. C'est ce poids de nécessité, d'hétéronomie, qu'on doit justifier. Il faut montrer que cette nécessité est conforme à la plus intime aspiration de l'homme, que l'hétéronomie est la condition de la véritable autonomie. Voilà ce que doit établir la science de l'action.

Pour que la preuve soit rigoureuse, il convient de ne rien présupposer, de ne rien tenir pour accordé : ni fait, ni principe, ni devoir. Les hommes ont inventé une foule de doctrines et d'attitudes pour essayer de se soustraire aux contraintes qui les oppriment. Nous devons nous faire le complice de toutes, pour voir si elles portent en elles leur justification ou leur condamnation. " A la racine des plus impertinentes négations ou des plus folles extravagances de la volonté, il faut donc rechercher s'il n'y a pas un mouvement initial qui persiste toujours, qu'on aime et qu'on veut, même quand on le renie ou qu'on en abuse. C'est en chacun qu'il est nécessaire de trouver le principe du jugement à porter sur chacun. [...] Au lieu de partir d'un point unique d'où rayonnerait la doctrine particulière à un seul esprit, il est nécessaire de se placer aux extrémités des rayons les plus divergents afin de ressaisir, au centre même, la vérité essentielle à toute conscience et le mouvement commun à toute volonté[1]. "

En toutes les attitudes par lesquelles l'homme tâche d'échapper aux sujétions nécessaires, Blondel va manifester une inadéquation entre ce qu'on croit vouloir et ce qu'on veut profondément, entre l'objet voulu et le mouvement spontané du vouloir, ou, selon la terminologie qu'il a consacrée, entre la volonté voulue et la volonté voulante. N'entendons pas, sous ce dernier terme, un dictamen aveugle ou arbitraire, mais le dynamisme spirituel qui anime l'homme tout entier, y compris son intelligence et sa raison. Parcourant toute la série des démarches humaines et relevant partout une inadéquation toujours renaissante, tandis qu'on cherche à égaler le voulu au mouvement spontané, on mesurera l'amplitude de ce dynamisme.

Blondel établit d'abord, à l'encontre du dilettantisme, qu'on ne peut éluder le problème de la destinée : l'acte par lequel on croit le supprimer le pose tout entier. Il montre ensuite, contre le pessimisme, qu'on ne peut lui donner une solution négative : la volonté du néant recèle une contradiction. Il y a quelque chose. C'est de notre vouloir profond que

1. *L'Action*, p. xx-xxi.

jaillit cette affirmation, à la fois nécessaire et consentie. Il s'agit maintenant d'en mesurer l'extension. On va donc suivre, à travers les différents domaines de notre activité, le déploiement du dynamisme initial en ondes concentriques. La donnée la plus élémentaire est la sensation. Elle porte en elle une inconsistance qui amène l'homme à la dépasser en créant la science. Celle-ci, à son tour, suppose une activité synthétique, l'action constituante d'un sujet. Le déterminisme de cette conscience engendre nécessairement la liberté. Pour se maintenir et se développer, celle-ci se déploie et s'incarne dans l'exécution : aux prises avec les résistances du corps et du monde, elle construit l'individualité. L'individu, à son tour, cherche et obtient au dehors un complément. Non seulement il vise à exercer une influence et à susciter une coopération, mais il veut contracter une union intime avec un autre lui-même, fonder une société. C'est ainsi que le vouloir engendre la famille, la patrie, l'humanité. L'intention de l'homme s'étend plus loin encore : elle suscite une morale utilitaire, une métaphysique, une morale désintéressée suspendue à un absolu (encore indéterminé). Enfin, l'homme tente de s'achever et de se suffire en attribuant une valeur religieuse à son action naturelle, en plaçant l'infini et l'absolu dans l'un des objets finis qu'il a rencontrés jusqu'alors. Mais cette prétention, qui constitue la superstition, est contradictoire : on se retourne vers les phénomènes pour en faire infiniment plus qu'ils ne sont. L'enchaînement rigoureux selon lequel se déploie l'action humaine en sa totalité nous conduit donc à la conclusion suivante : " Il est impossible de ne pas reconnaître l'insuffisance de tout l'ordre naturel et de ne point éprouver un besoin ultérieur ; il est impossible de trouver en soi de quoi contenter ce besoin religieux. *C'est nécessaire*; et *c'est impraticable*[1]. "

Notons bien que chacune des étapes parcourues a sa consistance propre. Blondel ne traite pas la science ou la famille ou la morale comme de simples moyens pour établir l'échec de l'homme à égaler l'amplitude du vouloir. Chaque objet est voulu pour lui-même. Mais le motif pour lequel on s'y attache solidement est celui-là même qui force à le dépasser (tout en le conservant). — Remarquons en outre que cette expansion progressive du vouloir est à la fois nécessaire et consentie : " l'apparente nécessité de chaque étape résulte d'un vouloir implicite[2] ". C'est le vouloir profond de l'individu qui engendre la société, et il accepte non seulement les avantages qu'elle procure, mais aussi les sujétions qu'elle impose. Les contraintes contre lesquelles se révoltera peut-être la volonté en acte sont ratifiées par un vouloir implicite. Une dialectique à la

1. *L'Action*, p. 319.
2. *L'Action*, p. 41.

fois rigoureuse et volontaire fait accepter la nécessité comme conforme à notre aspiration et l'hétéronomie comme condition de l'autonomie.

Le même mouvement va se poursuivre au delà de l'ordre naturel. La volonté humaine a traversé sans s'épuiser l'ordre des phénomènes. Il faut maintenant qu'elle se veuille et se ratifie elle-même. Or, elle ne peut s'atteindre directement, et cependant elle se veut nécessairement. De ce conflit jaillit l'idée de l'unique nécessaire, l'idée de Dieu. Celle-ci amène l'homme en face du point où il doit opter pour ou contre l'accueil du transcendant. Option inévitable, qui constitue le cœur de la philosophie de *L'Action*. L'unique affaire " est toute dans ce conflit nécessaire qui naît au cœur de la volonté humaine et qui lui impose d'opter pratiquement entre les termes d'une alternative inévitable, d'une alternative telle que l'homme ou cherche à rester son maître et à se garder tout entier en soi, ou se livre à l'ordre divin plus ou moins obscurément révélé à sa conscience[1] ". Tout le déterminisme de l'action[2] a pour rôle de faire surgir ce conflit. Après quoi la dialectique ne fait plus que déployer les implications de l'une ou l'autre option.

Si l'on prétend se passer de Dieu ou du moins le mettre à son service, c'est la mort de l'action, c'est le dam. L'homme ne peut vivre s'il ne consent à introduire Dieu dans sa vie. Mais Dieu est celui qui échappe absolument aux prises de l'homme. Nous ne pouvons donc atteindre par nos forces seules à notre fin nécessaire. Absolument impossible et absolument nécessaire, notre destinée est surnaturelle. Tout ce que nous pouvons faire est d'attendre, dans une action généreuse, le messie inconnu, le médiateur ignoré ; encore cette attente elle-même est-elle déjà un don. Si une révélation et une rédemption sont effectivement données, elles doivent comporter des dogmes et exiger une pratique littérale. La philosophie conduit ainsi à l'idée du surnaturel chrétien. Mais elle reconnaît en même temps qu'elle n'en peut affirmer la réalité : celle-ci n'est atteinte que dans la foi et la pratique religieuse.

Le rôle de la philosophie, enfin, n'est pas de nous mettre en possession de l'être, mais de nous manifester les liaisons des phénomènes. Son processus nécessaire et consenti conduit inévitablement à l'affir-

---

1. *L'Action*, p. 487.
2. Déterminisme de l'action : ce terme revient fréquemment dans les premiers écrits de Blondel. Déterminisme, ici, inclut à la fois l'idée de liaison nécessaire et celle de développement ou d'expansion. Le déterminisme de l'action, c'est le " processus logique de la vie " (*Les Premiers Écrits de Maurice Blondel*, t. II, p. 141), le " dynamisme de la vie spirituelle " (p. 98), la " dialectique réelle des actions humaines " (p. 125), ce qui fait que nos pensées et nos actes s'enchaînent selon la logique inexorable de la vie. Compte tenu du fait que Blondel emploie assez souvent le terme de " dialectique " comme synonyme de " déterminisme ", on peut traduire " déterminisme de l'action " par " dialectique de l'action ".

mation ontologique; mais il ne constitue en lui-même qu'une phénoménologie. Certes, une première affirmation de l'être est donnée dès l'origine. Mais l'affirmation définitive et possessive dépend de notre option religieuse. C'est seulement dans l'acceptation de notre destinée que notre connaissance devient possession réelle de l'être. La science de l'action établit qu'on ne supplée pas à l'action. L'option religieuse est la véritable solution du problème de l'être.

Voilà, sommairement rappelée, la marche du premier ouvrage de Blondel. Ce n'est pas un traité de morale, ni une série d'exhortations édifiantes. C'est une *phénoménologie de l'action*. Encore faut-il le bien entendre. Il ne s'agit pas de décrire la variété contingente des actes particuliers ou des états de conscience qui les accompagnent, mais de " déterminer simplement ce qui est inévitable et nécessaire dans le déploiement total de l'action humaine[1] ". En dégageant " la chaîne des nécessités qui composent le drame de la vie et le mènent forcément au dénouement[2] ", cette phénoménologie dévoile la *logique de l'action*. Logique rigoureuse selon laquelle s'enchaînent nécessairement les démarches successives de l'action à la recherche d'un terme qui soit adéquat au dynamisme dont elle procède. Sans doute, c'est une tentation naturelle de s'arrêter à l'une ou l'autre des étapes que parcourt le vouloir et d'y trouver sa suffisance. Provisoirement, on peut le faire. Mais, dans le fond des choses, on n'échappe pas à la dialectique de la destinée, qui prescrit à l'homme de s'ouvrir au don divin.

Ce qui fait la force de la dialectique blondélienne, c'est qu'elle ne construit pas un idéal qui serait le terme de l'action, au delà de la réalité donnée; elle exprime simplement le contenu inéluctable de l'action. Il pourrait sembler qu'un postulat secret l'anime et la soutient. Ne faudrait-il pas, pour la suivre, admettre d'emblée que la volonté humaine ne se contente d'aucun objet fini et qu'elle est orientée vers un bien qu'elle ne rencontre nulle part dans le monde naturel ? C'est l'objection que Boutroux adressait à Blondel, lors de la soutenance de sa thèse : " Vouloir l'infini, n'est-ce pas le point de départ et comme la pétition de principe de toute votre recherche ? " A quoi Blondel répondait : vouloir l'infini n'est pas le point de départ, mais le point d'arrivée de la recherche philosophique; la question est de savoir si ce n'est pas le principe réel de l'activité humaine. Pour éviter toute prévention, il ne faut d'abord ni le supposer présent, ni le supposer absent; et quand il surgit comme

1. *L'Action*, p. 475.
2. *L'Action*, p. 473.

une hypothèse, quand il se propose à la conscience par l'éducation ou l'histoire, il faut d'abord se " raidir contre ". " Et c'est ce que j'ai tenté. [...] Voilà d'où naît le caractère négatif de la méthode qui seule m'a paru avoir une rigueur scientifique. J'examine donc toute la variété des tentatives qu'il est possible de faire pour échapper à mon postulat secret; je cherche de toutes mes forces à l'ignorer, à le supprimer; j'invente de nouvelles ingéniosités afin de m'y dérober. [...] Mais, de toutes ces tentatives, il ne ressort qu'un système d'affirmations liées qui, peu à peu, nous amènent à poser devant la pensée réfléchie et l'option de la volonté ce qui était déjà présent à l'origine du mouvement par où on le fuyait [1]. " Blondel ne mesure donc pas les diverses étapes de l'action à l'amplitude, supposée connue, du vouloir; c'est au contraire le développement inexorable de l'action qui révèle progressivement l'amplitude du dynamisme spirituel dont il est secrètement animé dès l'origine.

N'imaginons pas, comme une analyse trop sommaire pourrait le laisser croire, que cette dialectique se développe de façon uniforme et mécanique, répétant à chaque étape le même procédé. Elle est aussi souple que la vie. Chaque fois, certes, se révèle une inadéquation de la volonté voulue à la volonté voulante. Mais chaque fois aussi, elle se manifeste de façon aussi différente que diffèrent entre elles les formes de l'activité humaine; et cette variété fait la richesse concrète de *L'Action*.

Si nous voulions maintenant dégager son originalité, nous pourrions peut-être l'exprimer en deux caractères : c'est une philosophie de l'*universel concret*, et c'est une philosophie *chrétienne*.

Dans ses Propos recueillis par Frédéric Lefèvre[2], Blondel raconte comment il a été conduit à étudier l'action. Il voulait échapper à un univers intellectuel où " semblaient triompher le notionnel, le formel, voire l'irréel "; il désirait " réhabiliter le concret, le direct, le singulier, l'incarné[3] ". La science du général ne retient que l'abstrait. Inversement, l'individu, système clos, atome de phénomène, ne peut entrer tel quel dans l'unité de la science. " Il n'y a, pour parler rigoureusement, ni

1. D'après J. WEHRLÉ, *Une soutenance de thèse*, dans *Annales de philosophie chrétienne*, t. 154 (avril-septembre 1907), p. 118-119; texte reproduit dans les *Études blondéliennes*, I, p. 82-83.
2. *L'Itinéraire philosophique de Maurice Blondel*. Propos recueillis par Frédéric LEFÈVRE, Paris, Spes, 1928. Nous tenons de bonne source que ces " Propos " ont été rédigés entièrement (questions et réponses) par Blondel lui-même, sauf les pages qui concernent les théories du Père Jousse. Ils constituent la plus agréable introduction à la lecture de l'œuvre de Blondel.
3. *L'Itinéraire philosophique de Maurice Blondel*, p. 66.

science réelle du général, ni science véritable de l'individuel. Ce que nous devons viser et atteindre, c'est une science du concret où communient le singulier et l'universel[1]. " " Le singulier est le retentissement, en un être original, de l'ordre total, comme l'universel est présent à chaque point réel qui contribue à l'harmonie de l'ensemble. Ils s'accordent donc et s'embrassent dans le *concret*[2]. " Or l'action paraît être la fonction médiatrice par laquelle communient le singulier et l'universel, " le lien substantiel qui constitue l'unité concrète de chaque être en assurant sa communion avec tous[3] ". Blondel était ainsi conduit à l'étude de l'action par la recherche d'une philosophie concrète.

Cette philosophie, il l'élabore, nous l'avons vu, en manifestant le lien qui unit les diverses démarches de l'activité humaine. Parce qu'une même dialectique enchaîne ces démarches en maintenant leur caractère propre, la phénoménologie de l'action associe l'universel intelligible et le singulier donné. C'est un des points sur lesquels l'auteur revient avec le plus d'insistance : chacun des objets successifs du vouloir apparaît comme " une synthèse irréductible à ses conditions élémentaires " ; il doit être considéré " dans son originalité même, indépendamment des relations qu'il soutient avec tout le reste " ; il est " ce qu'il a d'hétérogène et de propre ". " Mais, en même temps, chaque terme, sans cesser d'être hétérogène à l'égard de tous les autres, est lié à eux par une solidarité telle que l'on ne peut en connaître et en affirmer un sans les impliquer tous[4]. " La science de l'action étudie les phénomènes en manifestant à la fois leur hétérogénéité et leur solidarité. Elle montre comment ils s'appellent l'un l'autre et composent un univers où toutes les parties, originales les unes par rapport aux autres, restent solidaires. Elle " cherche à décrire l'universel concret, en y insérant à son rang cette description et cet effort mêmes[5] ". La logique de l'action constitue la science du concret.

Selon une telle philosophie, la vérité ne peut résider que dans une pensée unitaire et une science totale. Et comme l'être répond à la vérité, son affirmation (non pas l'affirmation spontanée, mais l'affirmation réfléchie) ne surgira qu'au terme du déploiement phénoménologique (mais surgira nécessairement alors). Aucun anneau isolé ne peut porter le poids de l'être, il y faut la chaîne entière. L'être n'est pas proprement

---

1. *Loc. cit.*, p. 76; cf. p. 77-78.
2. *Loc. cit.*, p. 79. " ...le concret qui, comme le mot même l'indique, signifie à la fois une unité expressive et distincte et une multiplicité effective et synthétique. "
3. *Loc. cit.*, p. 66-67; cf. p. 79.
4. *L'Action*, p. 435.
5. *Une soutenance de thèse*, dans *Annales...*, p. 124-125; dans *Études blondéliennes*, p. 87.

dans un phénomène isolé, encore que tout phénomène y participe. Il ne se cache pas non plus derrière les phénomènes, comme un fantôme toujours fuyant. Il réside obscurément dans la totalité orientée des phénomènes. L'affirmation ontologique surgit au terme, et non au point de départ, de la réflexion philosophique ainsi comprise. Mais elle apparaît alors informant tous les objets du vouloir; car ce qui se dévoile au terme était déjà secrètement présent à l'origine. Ainsi s'impose un réalisme à la fois critique et total. De ce point de vue encore, la philosophie de l'action est une philosophie de l'universel concret.

Le déploiement intégral de l'action, nous l'avons dit, impose à notre liberté une alternative, une option pour ou contre l'accueil du transcendant et du surnaturel. S'il est vrai que nous ne pouvons poser aucun objet dans l'être sans y poser la série totale, il s'ensuit que nous ne pouvons affirmer la réalité des objets sans passer par le point où l'alternative nous est imposée de nous ouvrir ou de nous fermer à Dieu. Et comme le sens de l'action change selon que notre option est positive ou négative, il est inévitable que, suivant notre choix, la portée de notre connaissance se trouve autre pour nous : dans un cas, elle est privative, et dans l'autre, possessive. L'affirmation ontologique est liée à notre option. Cela ne signifie pas que la réalité objective dépende de notre volonté; mais que, par notre vouloir, les objets deviennent pour nous ce qu'ils sont en soi. " Il ne s'agit pas, en voulant, de faire que la réalité subsiste en soi parce qu'un décret arbitraire l'aurait créée en nous; il s'agit, en voulant, de faire qu'elle soit en nous parce qu'elle est et comme elle est en soi. Cet acte de volonté ne la fait pas dépendre de nous; il nous fait dépendre d'elle[1]. " Ainsi, l'option religieuse est la véritable solution du problème ontologique. Voilà pourquoi, si l'on peut se passer de philosophie, on ne peut se dispenser d'agir. " On ne résout pas le problème de la vie sans vivre; et jamais dire ou prouver ne dispense de faire et d'être. [...] La science de la pratique établit qu'on ne supplée pas à la pratique[2]. " L'action généreuse, le sacrifice, constitue une véritable expérimentation métaphysique, qui supplée à la science, sans que la science y supplée. Par le rôle inaliénable qu'elle attribue à l'action effective, la philosophie de Blondel est encore une philosophie concrète.

Est-il besoin de montrer à quel point une telle pensée se sépare du rationalisme divulgué par le xviiie siècle, des philosophies (plus ou moins inspirées de Wolff) pour lesquelles la connaissance égale d'emblée le réel, parce que celui-ci se reflète tout entier dans le possible ? Elle répond au contraire à l'une des préoccupations essentielles de la philosophie moderne : rapporter la représentation à l'acte qui la pose, com-

1. *L'Action*, p. 440.
2. *L'Action*, p. 463.

prendre le fait sans le faire évanouir, dévoiler l'existence sans la dissoudre, élargir la raison pour y inclure l'irrationnel.

Décrire l'universel concret, et ne vouloir trouver le vrai absolu que dans la totalité, ce projet ne rappelle-t-il pas celui de Hegel ? Il ne semble pas que Blondel ait étudié le philosophe allemand. Sans doute en a-t-il eu quelque connaissance par son ami V. Delbos ou par Lucien Herr. Toujours est-il qu'il existe une analogie frappante entre *L'Action* et la *Phénoménologie de l'Esprit*. De part et d'autre, une dialectique une et multiforme conduit l'esprit de la sensation à la religion révélée, en passant par la conscience de soi, le rapport de l'intérieur et de l'extérieur, les diverses formes de l'activité scientifique, sociale et morale. On pourrait pousser assez loin le parallèle. En même temps que de curieuses ressemblances, se manifesteraient aussi des différences profondes. L'idée de phénoménologie n'est pas exactement la même de part et d'autre. Hegel fait très large part à la considération de l'histoire et des catégories historiques ; elle joue un rôle assez effacé chez Blondel. Le terme de la philosophie, l'idéal du sage, c'est, pour Hegel, le savoir absolu ; pour Blondel, c'est l'option religieuse, dont la philosophie montre la nécessité.

Par le lien qu'il établit entre l'existence humaine et l'option devant la transcendance, Blondel offre des analogies avec Kierkegaard, Jaspers, G. Marcel. Avec ce dernier surtout, qui, dans sa recherche d'une philosophie concrète, énonce " l'identité cachée de la voie qui mène à la sainteté et du chemin qui conduit le métaphysicien à l'affirmation de l'être[1] ". Mais aussi, par son souci de l'exigence rationnelle, de la " logique de l'action ", de l'enchaînement des diverses sphères, la philosophie blondélienne diffère profondément des philosophies existentielles, qui marquent davantage les surgissements et les ruptures. A plus forte raison s'oppose-t-elle à " l'existentialisme ". Ce n'est pas le contingent qu'elle vise, ni même le simple concret, mais l'universel concret.

On a signalé aussi que, par certains traits, Blondel semble avoir devancé Husserl. Il y a, en effet, une certaine analogie entre l'*épochè* phénoménologique de ce dernier et la réserve de méthode par laquelle l'auteur de *L'Action* suspend provisoirement l'affirmation de l'être pour n'envisager que l'enchaînement des phénomènes donnés à la conscience. Mais cette analogie ne doit pas être forcée : les perspectives des deux auteurs sont différentes.

Nous ne pouvons ici entrer dans le détail des comparaisons. Il s'agit simplement de montrer comment la philosophie de Blondel correspond à certains problèmes et modes de pensée contemporains. Dès 1893, il proposait, en quelque sorte, une phénoménologie de l'existence, avant

1. G. MARCEL, *Être et Avoir*, Paris, 1935, p. 123.

la lettre. C'est pourquoi, malgré certains vieillissements, sa pensée reste actuelle. C'est pourquoi aussi elle devait déconcerter beaucoup des premiers lecteurs, trop peu préparés à la comprendre.

Philosophie du concret, elle est aussi une philosophie religieuse, ou plus précisément, chrétienne. Victor Delbos l'a noté en termes heureux : " Ce fut [...] l'originale pensée de M. Maurice Blondel, quand il conçut son livre *L'Action*, [...] de chercher à dominer l'ordre des relations externes et conventionnelles par lesquelles Philosophie et Religion avaient été jusqu'alors rapprochées, pour établir une philosophie qui fût religieuse, non par accident, mais par nature, sans l'être pourtant par préjugé[1]. " Pour concilier foi chrétienne et philosophie, on a souvent procédé de la façon suivante : on s'efforce d'abord de constituer en dehors de toute pensée chrétienne une philosophie qui se suffise; on cherche ensuite comment y raccrocher le christianisme. La liaison reste ainsi extrinsèque et artificielle. Blondel s'est spontanément placé dans une perspective tout autre : " Supposons un instant, me disais-je, le problème résolu dans le sens où le Catholicisme indique l'*Unique nécessaire* de la destinée humaine : quelle est l'attitude normale du philosophe, et comment maintenir l'autonomie de sa recherche[2] ? " Il ne s'agit pas d'introduire le dogme dans la philosophie, d'élaborer un amalgame confus à la manière des gnoses. Il ne s'agit pas non plus de placer le dogme au point de départ de la réflexion comme un postulat. Le christianisme ne doit pas être le postulat, il est simplement l'hypothèse directrice de l'effort philosophique. Celui-ci doit se développer sans préjugé et selon sa loi autonome, se raidissant même d'abord contre les données de la tradition. Mais il s'agit de savoir si la libre investigation de la pensée ne se porte pas à la rencontre des exigences chrétiennes.

Dans le milieu de l'École Normale, Blondel rencontrait fréquemment une fin de non-recevoir opposée à l'examen même du christianisme. Il semblait que la philosophie se fût disqualifiée en considérant une doctrine qui, au nom d'un fait contingent, prétendait imposer à l'esprit et à la conduite des exigences surnaturelles venues tout entières du dehors, et cela sous peine de damnation. Il fallait donc justifier cette hétéronomie, en montrant qu'elle répond au vouloir le plus profond de l'homme. De là ces chapitres de *L'Action* établissant " que, pour com-

---

1. Préface au livre de Th. CREMER, *Le Problème religieux dans la Philosophie de l'Action*, Paris, 1912, p. VII. Le texte de cette préface a été publié également dans les *Annales de Philosophie chrétienne*, novembre 1911, p. 113-118. Les lignes que nous citons y figurent à la page 114. Blondel avait beaucoup apprécié ce passage.
2. *L'Itinéraire philosophique de Maurice Blondel*, p. 41.

bler l'aspiration humaine, l'homme et la nature ne suffisent pas, que l'action pleinement conséquente à son vœu secret d'autonomie doit se subordonner à une action ultérieure à celle que l'homme peut se prescrire, à un ordre supérieur à celui que la pensée peut se construire et se justifier pleinement, à une attente religieuse, à une vérité surnaturelle, à une pratique littérale[1] ".

En visant à justifier philosophiquement les idées de surnaturel et de révélation, de dogme et de pratique religieuse, Blondel instituait le procès de la " philosophie séparée ". Cet effort a vivement attiré l'attention. Mais, trop souvent, c'est en lui seul (et surtout dans la cinquième partie du livre, intitulée " l'Achèvement de l'Action ") qu'on a vu la marque chrétienne de sa philosophie. En réalité, elle s'imprime bien avant. La quatrième partie retrace d'abord la genèse nécessaire de l'idée de Dieu. Mais l'idée qui surgit ainsi n'est pas celle des religions primitives, ni celle de la religion naturelle élaborée par les déistes : l'auteur en a montré précédemment le caractère superstitieux. C'est l'idée chrétienne de Dieu. Assurément, elle peut et doit se lever plus ou moins confusément en toute raison humaine, même ignorante de la révélation positive. Mais c'est en fait à la lumière du christianisme que Blondel en détermine les traits. Il s'agit en effet de l' " unique nécessaire ", de celui en face de qui se tranche notre destinée et dont la communion seule nous sauve. L'idée chrétienne, ici déjà, guide de l'extérieur la recherche. On le voit encore plus nettement dans la suite du chapitre. Le développement sur la mort de l'action a pour but de justifier aux yeux des philosophes le dogme de l'enfer. Les pages concernant les succédanés et les apprêts de l'action parfaite justifient la conception chrétienne du détachement et du sacrifice. Montrant enfin que nous ne pouvons atteindre par nos seules forces à notre fin nécessaire, elles aboutissent déjà, quoique sous une forme indéterminée, à la notion chrétienne du surnaturel et prescrivent l'attente d'un tel don[2].

Il faut remonter plus haut encore. C'est dès le début du livre que le christianisme constitue l'hypothèse directrice de la réflexion. Le problème de la destinée est posé, dans l'Introduction, non pas en termes généraux, mais dans le sens chrétien : " Ces actions légères et fugitives d'une ombre, j'entends dire qu'elles portent en elles une responsabilité éternellement lourde[3]... " Bientôt est évoquée comme un critère l'attitude du dilettante en face du dogme[4]. Quand on en vient à l'activité

---

1. *Une soutenance de thèse*, dans *Annales...*, p. 139; dans *Études blondéliennes*, p. 96.
2. *L'Action*, p. 385-388.
3. *L'Action*, p. VII.
4. *L'Action*, p. 15.

morale et sociale, c'est exactement la conception chrétienne (y compris, par exemple, le mariage indissoluble) qui se trouve exposée.

Bref, d'un bout à l'autre de l'ouvrage, l'auteur justifie la vision chrétienne du monde et de la vie. Admettant cette vision pour son compte personnel, il en met d'abord la vérité entre parenthèses et ne la conserve que comme hypothèse directrice; puis il établit progressivement qu'elle seule répond au vouloir profond de l'homme. Ayant sous les yeux le donné chrétien, admettant, comme *croyant*, qu'*il en est ainsi*, il montre, comme *philosophe*, qu'*il doit en être ainsi*. Voilà en quel sens sa philosophie est, par nature et non par accident ni préjugé, une philosophie chrétienne. Nous verrons, dans la suite de cette étude, et particulièrement au dernier chapitre, comment ce caractère chrétien ne l'empêche pas d'être rationnelle et proprement philosophique.

II. LES CONTROVERSES

Nous avons décrit jusqu'ici *L'Action* telle qu'elle apparaît aujourd'hui au lecteur candide qui la considère pour elle-même, indépendamment des controverses qu'elle a soulevées. Nous avons essayé de lui conserver son visage propre. Les controverses en ont laissé une partie considérable dans l'ombre. Il est vrai qu'elles ont visé les traits originaux et essentiels; mais elles les ont placés souvent dans une autre perspective que celle choisie d'abord par l'auteur; elles ont partiellement déplacé sa problématique initiale. Il en est résulté beaucoup de confusions. Rappeler brièvement ces controverses nous fournira l'occasion de préciser, sur certains points, le sens de la pensée blondélienne, et de mesurer son influence[1].

Les premières difficultés vinrent de l'Université et de ses philosophes. Grâce au patronage de Boutroux, l'unanimité du jury avait été officiellement favorable, le jour de la soutenance de thèse. Mais les mécontents n'avaient pas désarmé. Quand Blondel demanda un poste dans une Faculté, la direction de l'Enseignement supérieur le lui refusa à plusieurs

---

1. Sur l'histoire de ces controverses, on trouvera des renseignements plus complets dans les ouvrages suivants : Maurice BLONDEL, *Le Problème de la Philosophie catholique*, première partie; Paul ARCHAMBAULT, *L'Œuvre philosophique de Maurice Blondel*, Paris, 1928; LECANUET, *La Vie de l'Église sous Léon XIII*, Paris, 1930, chapitre XI; Roger AUBERT, *Le Problème de l'acte de foi*, Louvain, 1945, 2ᵉ partie, chapitre II.

reprises, sous prétexte qu'il déniait à la philosophie toute valeur propre et toute autonomie rationnelle pour aboutir à un surnaturalisme exclusif. De son côté, la *Revue de Métaphysique et de Morale*, en son supplément de novembre 1893, observant que l'auteur de *L'Action* aboutissait à une doctrine de transcendance et à la pratique littérale du catholicisme, lui annonçait qu'il trouverait, " parmi les défenseurs des droits de la Raison, des adversaires courtois mais résolus ". Car " le rationalisme moderne a été conduit par l'analyse de la pensée à faire de la notion d'immanence la base et la condition même de toute doctrine philosophique[1] ".

Ému de ce verdict qui le repoussait hors du champ de la pensée libre et de l'argumentation rationnelle, Blondel fit valoir, dans une lettre à la Revue, le caractère rationnel et proprement philosophique de son effort. En abordant le problème religieux, il a voulu, dit-il, revendiquer pour la raison une part de son domaine qu'en France elle avait délaissée. Sa méthode est celle même que définit la notion d'immanence : " Simplement en suivant l'évolution continue de nos exigences rationnelles, j'arrive donc à faire jaillir de la conscience, au dedans, ce qui paraissait, à l'origine de ce mouvement, imposé à la conscience, du dehors. [...] En s'appliquant à l'action, la raison découvre plus qu'en s'appliquant à la raison même, sans cesser d'être rationnelle. Et si je parle du surnaturel, c'est encore un cri de la nature, un appel de la conscience morale et une requête de la pensée, que je fais entendre[2]. "

Ces explications valurent à Blondel la sympathie et l'estime de Xavier Léon. Il commençait ainsi à être accepté parmi les philosophes. Un peu plus tard, un nouveau ministre de l'Instruction publique, Raymond Poincaré, que son cousin Boutroux avait mis au courant du cas de Blondel, intervint en sa faveur. Après deux ans d'attente, celui-ci obtenait une chaire de Faculté. Le 30 avril 1895, il était nommé maître de conférences à Lille. Le 28 décembre 1896, il devenait chargé de cours à la Faculté des Lettres d'Aix-Marseille. Nommé professeur l'année suivante, c'est à Aix que se déroulera désormais toute sa carrière.

Il faut avoir présentes à l'esprit les difficultés que nous venons de rappeler si l'on veut comprendre la fameuse Lettre sur l'Apologétique, qui allait susciter tant d'émotion chez les théologiens catholiques. *L'Action* n'avait jusque-là soulevé chez eux aucune contestation sérieuse[3].

---

1. L'auteur de ce compte rendu anonyme était L. BRUNSCHVICG.
2. *Revue de Métaphysique et de Morale*, janvier 1894, supplément, p. 7.
3. Quelques critiques avaient été formulées, avec modération, courtoisie, et au milieu de vifs éloges, par Dom L. DELATTE, dans *Le Mois bibliographique* (Bulletin catholique des livres et des revues), 1er août 1894, p. 328-334. Blondel avait remercié l'auteur de ce compte rendu et répondu à ses objections, dans une lettre du 31 août 1894. (Cette lettre est reproduite parmi les *Lettres philosophiques* publiées chez Aubier en 1961.)

L'accueil avait été favorable. Mais plusieurs commentaires élogieux semblaient à Blondel trahir le sens de son effort. Ainsi, dans les *Annales de Philosophie chrétienne*, en septembre 1895, l'abbé Charles Denis déclarait que la pensée dominante de *L'Action* était " de ramener l'apologétique chrétienne sur le terrain psychologique ". Il pensait décerner un éloge. Mais Blondel y voyait un double contresens : car il avait voulu faire œuvre de philosophe, non d'apologiste, au sens courant du mot, et aborder le problème religieux non par une analyse psychologique, mais par une réflexion philosophique. En réponse à l'abbé Denis, il publia, dans les *Annales de Philosophie chrétienne* (six articles, de janvier à juillet 1896), la *Lettre sur les exigences de la pensée contemporaine en matière d'apologétique et sur la méthode de la philosophie dans l'étude du problème religieux*[1]. Son intention primordiale était de revendiquer le caractère proprement philosophique de l'œuvre entreprise par lui, caractère également méconnu, quoique de façon différente, par des philosophes rationalistes et par des catholiques comme Georges Fonsegrive ou l'abbé Denis. Quoique ce dernier eût fourni l'occasion de la *Lettre*, ce sont les premiers surtout que visait Blondel, encore ému de leur première excommunication.

Il passe en revue, dans une première partie, les diverses méthodes apologétiques usitées alors, en particulier celles qui s'appuient sur la convenance intellectuelle et morale du christianisme ou son accord avec les lois de la vie, et l'apologétique classique des manuels. Tout en reconnaissant leurs mérites respectifs et sans prétendre leur substituer une apologétique nouvelle créée par lui, il montre leur insuffisance *philosophique*. Elles ne répondent pas, dit-il, à la question que la philosophie moderne pose en face de l'idée de surnaturel.

La seconde partie va précisément définir ce problème et indiquer la méthode propre à le toucher. Ces pages comptent parmi les plus remarquables que Blondel ait écrites. Elles définissent, aujourd'hui encore, la condition fondamentale à laquelle doit satisfaire toute apologétique. Voici le problème : " La pensée moderne, avec une susceptibilité jalouse, considère la notion d'*immanence* comme la condition même de la philosophie. [...] Or, d'autre part, il n'y a de chrétien, de catholique, que ce qui est *surnaturel*, [...] proprement surnaturel; c'est-à-dire qu'il est impossible à l'homme de tirer de soi ce que pourtant on

---

1. Pour abréger, dans les citations, ce titre trop long, on a généralement écrit, pendant longtemps : *Lettre sur l'Apologétique*. Quelques interprètes ont fait remarquer récemment que cette abréviation donnait une idée inexacte du contenu. C'est vrai dans une certaine mesure. Il faut noter cependant que Blondel l'a employée lui-même fréquemment dans sa correspondance. (Il écrit souvent aussi : *Lettre aux Annales*.)

prétend imposer à sa pensée et à sa volonté[1]. " Le surnaturel chrétien constitue un double scandale pour la raison : d'une part, il n'est authentique que s'il est donné d'en haut et reçu, non pas trouvé et issu de nous; d'autre part, ce don, gratuit en sa source, est obligatoire pour le destinataire, de telle sorte qu'impuissants à nous sauver, nous sommes puissants pour nous perdre à jamais. " S'il est vrai que les exigences de la Révélation sont fondées, on ne peut dire que chez nous nous soyons tout à fait chez nous; et de cette insuffisance, de cette impuissance, de cette exigence il faut qu'il y ait trace dans l'homme purement homme et écho dans la philosophie la plus autonome[2]. "

Ainsi s'annonce la seule méthode capable de résoudre le conflit : la " méthode d'immanence " appliquée intégralement à l'examen de la destinée humaine. Elle consistera " à mettre en équation, dans la conscience même, ce que nous paraissons penser et vouloir et faire, avec ce que nous faisons, nous voulons et nous pensons en réalité[3] ". A étudier le système lié de nos pensées, il apparaîtra que " la notion même de l'immanence ne se réalise dans notre conscience que par la présence effective de la notion du transcendant[4] "; que le problème du surnaturel est la condition même de la philosophie; que le surnaturel est " indispensable en même temps qu'inaccessible à l'homme[5] ". Pour résoudre le conflit de la raison et de la foi, Blondel emprunte la méthode même du rationalisme, mais en la développant jusqu'au bout; et il montre comment on satisfait ainsi aux exigences respectives de la philosophie et de la théologie.

Dans la troisième partie de la *Lettre*, l'auteur expose que le développement conséquent de la philosophie moderne offre des ressources plus favorables que l'aristotélisme adopté par le Moyen Age, pour résoudre le conflit de la raison et de la foi; et il détermine " les conditions auxquelles désormais devra satisfaire toute tentative, à la fois philosophique et apologétique, qui ne sera pas d'avance condamnée à la stérilité[6]. "

La *Lettre* eut un effet inverse de celui qu'avait obtenu *L'Action*. Favorablement accueillie des philosophes qui la connurent, de Brunschvicg

1. *Lettre*, p. 34. (Nous renvoyons à la réédition donnée dans *Les Premiers Écrits de Maurice Blondel*, tome II, Paris, P.U.F., 1956). Nous reviendrons plus loin sur ce texte.
2. *Lettre*, p. 37.
3. *Lettre*, p. 39.
4. *Lettre*, p. 40.
5. *Lettre*, p. 43.
6. *Lettre*, p. 51.

en particulier [1] elle mécontenta fort nombre de théologiens. Ceux-ci furent irrités par les critiques assez vives qu'elle adressait à l'apologétique des manuels et à la théologie scolastique. (Blondel s'excusera plus tard d'avoir manqué de nuances). Le plus grave fut que, connaissant mal la problématique, la méthode et même le vocabulaire de la philosophie moderne, beaucoup comprirent de travers la pensée de Blondel et lui prêtèrent des opinions hétérodoxes qui lui étaient en fait étrangères. Quand survint l'encyclique *Pascendi* condamnant le modernisme, quelques-uns prétendirent, sans fondement, qu'il y était visé.

C'est dans cette atmosphère pénible que la *Lettre*, et *L'Action*, sur laquelle elle avait attiré une attention plus nombreuse, furent discutées. Elles trouvèrent aussi, dès le début, des défenseurs éclairés, et, malgré les oppositions, exercèrent une influence de plus en plus large sur la théologie.

Adversaires et partisans lurent en général *L'Action* dans la perspective de la *Lettre*, ou du moins de ce qu'ils en avaient retenu. D'où résulta un gauchissement de la problématique d'abord choisie par Blondel. *L'Action* contenait certes des principes utiles à l'apologétique; mais elle se présentait directement comme une philosophie. Le terme de " méthode d'immanence " n'y figurait pas. Suggéré à l'auteur de la *Lettre* par la recension de la *Revue de Métaphysique et de Morale*, il convenait à son dessein, mais ne lui était pas indispensable, et, isolé du contexte, pouvait prêter à confusions. La *Lettre* offrait une méthodologie, sans prétendre constituer par elle-même une apologie. Or, attentifs au titre plus qu'aux déclarations expresses, sollicités par l'urgence de la question apologétique qui était à l'ordre du jour, la plupart considérèrent Blondel moins comme un philosophe que comme un apologiste. On s'imagina souvent que le projet fondamental de son œuvre était de substituer à l'apologétique classique une apologétique nouvelle fondée sur la méthode d'immanence; et la question centrale fut de savoir s'il y avait lieu d'opérer cette substitution et ce que valait la méthode d'immanence.

Nous ne pouvons citer ici toutes les pièces de l'attaque. Signalons seulement les deux premières : un article du P. M.-B. Schwalm, *Les illusions de l'idéalisme et de leurs dangers pour la foi*, dans la *Revue thomiste* (septembre 1896); une série de deux articles par l'abbé H. Gayraud, *Une nouvelle apologétique chrétienne*, dans les *Annales de Philosophie chrétienne* (décembre 1896 et janvier 1897). Ces publications, comme d'autres venues plus tard, se signalent par de grosses erreurs d'interprétation, qui infirment leurs jugements. La première, l'article de la *Revue*

---

1. Brunschvicg la jugea " extrêmement remarquable " (*Revue de Métaphysique et de Morale*, 1896, p. 383-384) et dès ce moment témoigna son estime à Blondel.

thomiste, se caractérise en outre par une hauteur de ton surprenante. Qu'on en juge par un exemple. Après avoir relevé de prétendues oppositions entre les textes de Blondel et le Concile du Vatican, et indiqué qu'il en pourrait relever " plus de cinquante pareilles ", l'auteur conclut :

" Il m'est donc permis, en toute justice pour le texte du jeune philosophe, — mais en toute charité pour ses intentions, plus orthodoxes que son texte, — de constater que son étude fourmille de propositions hérétiques, erronées ou téméraires. — Il m'en coûte d'user de semblables qualificatifs ; mais, encore une fois, je n'ai à juger que de la teneur logique des affirmations de M. Blondel. On regrette d'avoir à blâmer aussi sévèrement un de ces " jeunes " qui entreprennent et qui se dévouent ; mais qui aime bien châtie bien ; il faut châtier cet orgueil d'école et cette présomption de jeunesse qui traitent avec tant de désinvolture une tradition et une philosophie dont elles ignorent la valeur[1]. "

Les griefs contre Blondel étaient nombreux. Les principaux concernaient la valeur de la connaissance et la gratuité du surnaturel. Sur le premier point, on lui reprochait d'être kantien. On entendait par là : idéaliste, subjectiviste, fidéiste. " M. Blondel, écrivait le P. Schwalm, est néo-kantien. La méthode de la philosophie, pour lui, c'est la méthode kantienne poussée à ses dernières conséquences phénoménistes : la raison spéculative sait que nous avons des idées, elle ne sait pas si ces idées correspondent à quoi que ce soit en dehors de nous. C'est la pratique, l'action, qui lui apprend la vérité objective de ce qu'elle pense[2]. "

Ce grief, souvent repris et développé, manifestait chez ses auteurs, avec une notion trop sommaire du kantisme, une méprise sur la phénoménologie blondélienne de l'action. A la fin du XIXᵉ siècle et au début du XXᵉ, la philosophie kantienne, introduite en France par Renouvier et Lachelier, y exerçait une influence considérable. Même s'il en refusait les conclusions essentielles, un penseur qui vivait avec son temps ne pouvait pas se soustraire à l'atmosphère créée par elle. Il devait affronter les problèmes qu'elle soulevait, et utilisait naturellement une part de son vocabulaire. Ainsi fit Blondel. Il accepta, comme il convenait, quelques-unes des découvertes du kantisme. Mais il refusait ses conclusions limitatrices. Il lui reprochait expressément, dans *L'Action*, d'avoir stabilisé

---

1. *Loc. cit.*, p. 440. Il est juste de noter que l'auteur de cet article s'est plus tard, après un long entretien avec Blondel, excusé auprès de lui de son erreur. (Cf. *L'Itinéraire philosophique de Maurice Blondel*, p. 104.)

2. *Loc. cit.*, p. 413.

en un dualisme irréconciliable les conflits provisoires de la raison pure et de la raison pratique, de la sensibilité et de l'entendement, du phénomène et de la chose en soi[1]. Il montrait que l'action, " synthèse du vouloir, du connaître et de l'être ", rétablit le lien entre la métaphysique, la science et la morale[2].

Pour lui, en effet, l'action n'exclut pas la pensée, elle l'inclut au contraire. Par action, dit-il, " il faut entendre l'acte concret de la pensée vivante qui nous exprime à nous-même avec tout le reste, [...] aussi bien que l'initiative par laquelle nos instincts, nos désirs et nos intentions s'expriment dans tout le reste[3]... " " J'étudie, dans l'action, ce qui précède et prépare, ce qui produit et nourrit, ce qui suit et développe le fait même de la pensée distincte[4]. " Le dynamisme spirituel qu'analyse la science de l'action engendre et dirige toute l'activité humaine, y compris la pensée. Couper celle-ci de sa source, c'est en faire une abstraction, c'est-à-dire une partie artificiellement isolée du tout auquel elle appartient; c'est donc s'interdire de la comprendre. Voilà l'erreur que Blondel a critiquée parfois, en ses premiers écrits, sous le nom d'intellectualisme. Mais c'était pour défendre l'intelligence et agrandir le domaine de l'intelligible. Il voulait en effet ne pas borner la pensée à la représentation, mais y réintégrer l'acte même de penser et la totalité de la vie. Aussi pouvait-il écrire : " Au fond, c'est une sorte de *panlogisme* que je propose. [...] Si j'ai paru anti-intellectualiste, c'est parce que je veux conquérir à la rationalité des domaines que la philosophie de l'idée — qui n'est pas celle de l'intelligence et de l'intelligibilité — exclut, à force de se restreindre à ce qui est foyer virtuel de lumière, abstraction faite des conditions réelles et des sources vitales[5]. "

Par conséquent, lorsque Blondel oppose " une preuve qui n'est qu'un argument logique " à celle " qui résulte du mouvement total de la vie " et déclare que seule la seconde conduit à l'être[6], cela ne signifie pas que " la raison se trouve murée dans le pur phénomène " et que soit interdit " l'usage transcendant et ontologique du raisonnement[7] ". Cela veut dire simplement, nous l'expliquerons plus tard, que l'argument logique puise son efficacité au dynamisme spirituel qui l'engendre.

1. *L'Action*, p. 27-28, 451-454, 457, 460.
2. *L'Action*, p. 28.
3. *Lettre*, p. 65.
4. Lettre de Blondel à Lalande (1902), reproduite dans le *Vocabulaire* de la Société française de Philosophie, 6e édition, 1951, p. 1230.
5. *Loc. cit.*, p. 1231.
6. *L'Action*, p. 341.
7. J. DE TONQUÉDEC, *Immanence. Essai critique sur la doctrine de M. Maurice Blondel*, Paris, 1913, p. 95-96.

Quand il écrit, à propos de la preuve de Dieu, que de l'action " et d'elle seule ressort l'indiscutable présence et la preuve contraignante de l'Être[1] ", il n'entend pas substituer un dictamen arbitraire à la raison défaillante, mais rapporter l'argument rationnel à l'activité concrète d'où il surgit.

La pensée a une valeur objective, et elle l'a spontanément, avant toute intervention du philosophe. " Ce que nous connaissons est réel tel que nous le connaissons[2]. " Mais le rôle du philosophe est de fonder réflexivement cette objectivité spontanée et de définir ce qu'elle implique. Pour ne pas postuler ce qu'il veut précisément justifier, Blondel considère d'abord tous les objets de notre pensée tels qu'ils apparaissent, comme des phénomènes, sans se prononcer encore sur leur réalité objective. Procédé méthodologique parfaitement légitime. Or la dialectique de leur solidarité nécessaire impose, au terme, d'affirmer la réalité objective de leur ensemble. Elle conduit à reconnaître non pas une inconnaissable chose en soi derrière le phénomène, mais l'être même des phénomènes. Ainsi la valeur ontologique de la connaissance se trouve fondée.

Une difficulté subsiste encore. Pour affirmer la réalité des objets, nous l'avons dit au paragraphe précédent, il est nécessaire que nous posions implicitement le problème de notre destinée et que nous subordonnions tout ce que nous sommes et tout ce qui est pour nous à une option : l'accueil ou le refus de l'unique nécessaire. L'accueil nous met en possession de l'être; le refus nous en prive. En cette thèse, qu'expose le dernier chapitre de L'Action, on a cru voir du fidéisme : la valeur de notre connaissance y serait fondée sur la foi. Les critiques ont ici pour excuse l'obscurité d'un texte où se croisent plusieurs lignes de pensée dans la végétation touffue d'un vocabulaire insuffisamment précis. Nous montrerons, dans un chapitre ultérieur, que Blondel subordonne à l'option religieuse (mais non à la foi chrétienne explicite), non pas la valeur objective de notre représentation, mais la valeur spirituelle de la connaissance à l'intérieur de notre destinée concrète. Par l'option négative, " on se prive de la *possession de la réalité connue*, mais sans supprimer pour cela *connaissance de la réalité*[3] ". " La *vérité*, pour qui la repousse et refuse d'en vivre, n'est pas sans doute comme pour qui s'en nourrit, mais *elle est encore*; quoique entièrement différente en l'un et en l'autre, *son règne n'est pas plus atteint en l'un qu'en l'autre*[4]. " Ceux qui refusent de s'ouvrir à Dieu n'ignorent pas pour autant la vérité; mais, au lieu de

1. L'Action, p. 350.
2. L'Action, p. 457.
3. L'Action, p. 437. C'est nous qui soulignons.
4. L'Action, p. 438. C'est nous qui soulignons.

les sauver, elle les condamne. Cette condamnation, affectant leur destinée tout entière, ne peut pas ne pas affecter leur connaissance. Non pas que celle-ci cesse de se rapporter à l'être. Mais, marquée d'une contradiction intime par le fait qu'elle renie le dynamisme spirituel qui la porte, elle est privative et non possessive. Cette distinction entre la *connaissance de l'être* (qui est nécessairement donnée) et l'*être dans la connaissance* (dont la possession est subordonnée au libre accueil de l'unique nécessaire)[1] peut paraître subtile. C'est en réalité l'une des vues les plus profondes de *L'Action*. Elle traduit dans la sphère de la philosophie le message évangélique : " A celui qui n'a pas sera ôté même ce qu'il a. " Mais peut-être est-il nécessaire, pour la comprendre, d'avoir saisi la distinction qu'elle anticipe à sa manière, celle que G. Marcel a proposée plus tard entre *avoir* et *être*, entre *problème* et *mystère*. La connaissance qui obéit aux lois de la pensée a une valeur objective. Mais l'être, au sens fort du mot, ce qui résiste et valorise, se dévoile comme un mystère, par delà le pur objectif, et ne se dévoile qu'à la liberté accueillante.

A côté du grief de subjectivisme et de fidéisme venait celui de " naturalisme ". La méthode d'immanence, appliquée au déploiement intégral de l'action humaine, amène à considérer le surnaturel " comme indispensable en même temps qu'inaccessible à l'homme[2] ". Cette thèse fondamentale de la pensée blondélienne a été et reste la plus discutée. Dès 1896, l'abbé Gayraud la critiquait en ces termes : " Un scolastique dirait : Ce qui est postulé invinciblement par la raison de l'homme, ce qui est nécessaire, indispensable à sa nature, ne peut pas être réellement surnaturel. Et la conclusion serait que la méthode d'immanence aboutit à nier le surnaturel, et vient échouer dans le naturalisme[3]. " Le même grief s'est souvent énoncé sous cette autre forme : prétendre établir en philosophe la nécessité du don divin, n'est-ce pas vouloir montrer dans la nature une exigence du surnaturel, et, à l'exemple de Baïus, nier la gratuité du don de Dieu ?

Il faut reconnaître que la question est délicate, que les textes de Blondel, au vocabulaire un peu flottant, ne sont pas toujours parfaitement

1. *L'Action*, p. 436.
2. *Lettre* sur l'Apologétique, p. 43.
3. H. GAYRAUD, *Une nouvelle apologétique chrétienne*, dans *Annales de phil. chrét.*, décembre 1896, p. 268. Cf. p. 271 : ..." non sans doute le naturalisme qui exclut positivement tout surnaturel, mais cette forme subtile du naturalisme qui, supposant la nature insuffisante, professe que le surnaturel, dont on garde soigneusement le nom, lui est absolument nécessaire : par là l'ordre surnaturel est circonscrit en quelque sorte dans l'ordre purement rationnel. "

clairs, et qu'ils ne résolvent pas tous les problèmes qu'ils posent. Mais déclarer qu'ils méconnaissent la gratuité du surnaturel ou ne l'affirment que par une inconséquence, c'est une méprise.

Loin de nier cette gratuité, la philosophie de l'action vise au contraire expressément à l'établir. Elle montre en effet que le terme ultime du déploiement de l'action est non pas l'épanouissement suprême de la nature humaine, mais son dépassement; et un dépassement qui ne soit pas œuvre de l'homme, mais don de Dieu. L'idée de surnaturel n'a de sens pour le philosophe que si elle désigne quelque chose d'*inaccessible* à l'homme. La réalité de ce don reste hors des prises de l'homme et de la philosophie. Nous ne pouvons ni le produire ni le définir, mais seulement le reconnaître et le recevoir. Blondel le répète sans cesse sous mille formes différentes, et cela non pas comme une concession, mais comme une conclusion essentielle de sa dialectique. Peu de pensées aident autant que la sienne à faire comprendre la transcendance du christianisme ou, en termes évangéliques, que le Royaume de Dieu n'est pas de ce monde.

Mais voici la difficulté. Le même mouvement de pensée qui conçoit le surnaturel comme inaccessible, le conçoit simultanément comme nécessaire à l'homme. La seconde affirmation ne détruit-elle pas la première ? A moins de méconnaître la sagesse divine et la consistance de la création, peut-on dire que le don divin est gratuit, s'il est indispensable ? Remarquons d'abord que, si la contradiction apparente était réelle et définitive, c'est le christianisme lui-même qui serait incohérent. La révélation enseigne en effet indissolublement que le don de Dieu est gratuit en sa source, et qu'il est indispensable à l'homme, celui-ci ne pouvant le refuser sans se perdre. Nous n'avons pas d'autre fin que la possession de Dieu, et cette fin nous est inaccessible. Paradoxe que nous ne pouvons réduire, pas plus que nous ne savons concilier prédestination divine et liberté humaine, unité de personne et dualité de nature en Jésus-Christ, etc. L'irréductible paradoxe de la pensée blondélienne traduit simplement, au niveau de la philosophie, le paradoxe chrétien[1].

---

1. C'est ce que Blondel a expliqué dans une lettre à Laberthonnière (citée par celui-ci dans les *Essais de Philosophie religieuse*, Paris, 1903, p. 317). Il proteste contre ceux qui l'accusent de naturalisme, " comme si j'avais dit que le surnaturel est *exigé* par nous et *nécessité* par notre nature, alors que tout au contraire je déclare qu'il est *nécessitant* pour notre nature et *exigeant* en nous ! " Mais, ajoute-t-il, on ne doit pas oublier que, d'après la révélation, le surnaturel est nécessaire à l'homme, indispensable. — Plusieurs critiques ont cru que Blondel, en niant avoir " dit que le surnaturel est exigé par la nature ", contredisait et désavouait la thèse de *L'Action* énoncée par exemple à la page 462 : " Il est impossible que l'ordre surnaturel [...] ne soit pas, puisque l'ordre naturel tout entier le garantit en l'exigeant. " En réalité, il n'y a pas contradiction. Deux pages plus loin dans le même livre (p. 464), l'auteur précisait : " Ce que nous exigeons pour agir est d'abord exigé de nous. "

Soit, dira-t-on; mais cette traduction est illégitime. Car la nécessité du surnaturel résulte d'un libre décret divin; c'est une nécessité de fait, manifestée par des événements contingents qui ne se laissent déduire de rien. Impossible de la tirer d'une simple analyse de la nature humaine. Nous montrerons en détail, au chapitre suivant, que l'auteur de *L'Action* et de la *Lettre* n'a entendu tirer de ses analyses ni les décrets divins, ni l'histoire du salut, ni le contenu de la prédication chrétienne; il a voulu simplement dégager l'*a priori* sans lequel nous ne pourrions reconnaître que les exigences proclamées par le christianisme nous concernent. On verra comment la gratuité du don divin est garantie à la fois par la distinction de plusieurs étapes dans la genèse de l'idée de surnaturel, et par le caractère phénoménologique de cette déduction, qui réserve le rôle insuppléable d'une libre reconnaissance dans la foi.

La correspondance de Blondel et ses notes intimes nous révèlent aujourd'hui à quel point il a souffert des incriminations et des dénonciations dont il fut l'objet. Elles manifestent aussi le contraste entre les intentions que certains lui prêtaient et sa piété profonde, son humble docilité à l'enseignement authentique de l'Église, son souci de défendre et de communiquer le plus pur esprit chrétien. On le voit consulter des hommes compétents, regretter ses maladresses de langage, préciser sa pensée, modérer les excités qui en auraient fait un usage indû, aussi bien que protester contre les griefs injustifiés.

Durant de nombreuses années, il accepte de souffrir en silence. Tâchant d'éclairer ses contradicteurs par des lettres privées, il évite longtemps, sur des conseils autorisés, d'entrer personnellement dans les controverses publiques. Ce sont d'autres écrivains qui interviennent d'abord pour le défendre.

La première réponse aux critiques du Père Schwalm (et de l'abbé Gayraud) fut donnée par le Père Laberthonnière, en deux articles des *Annales de Philosophie chrétienne*[1]. Supposant le christianisme admis, et procédant en théologien à partir de l'ordre surnaturel pour déterminer les conditions d'une solution philosophique, il montrait qu'on retrouve ainsi spontanément les conclusions auxquelles Blondel était arrivé par sa libre investigation à partir de l'ordre naturel. Il y a dans la nature des exigences au surnaturel. " Ces

---

1. L. LABERTHONNIÈRE, *Le problème religieux*, dans *Annales de phil. chrét.*, février et mars 1897, p. 497-511, 615-632. Cette étude a été reproduite dans *Essais de philosophie religieuse*, Paris, Lethielleux, 1903, p. 151-190.

exigences n'appartiennent pas à la nature en tant que nature, mais elles appartiennent à la nature en tant que pénétrée et envahie déjà par la grâce[1]. "

La correspondance échangée entre Laberthonnière et Blondel au cours de la préparation de ces articles a été le commencement d'une amitié intime et d'une étroite collaboration. En 1905, Blondel confie au Père Laberthonnière le rôle de secrétaire de la rédaction aux *Annales de Philosophie chrétienne*, dont il vient d'acheter le titre et le fonds. Ils disposent ensemble de cette tribune durant huit ans, jusqu'en 1913. Leur correspondance laisse voir qu'ils n'étaient pas toujours d'accord en tous points. Dès la parution du livre de Laberthonnière sur *Le Dogmatisme moral* (1898), Blondel avait exprimé des réserves à son ami. Tout au cours de leur collaboration, il exercera sur lui une influence modératrice. Mais, pour l'essentiel, ils mèneront le même combat.

De 1905 à 1907, paraît dans la revue une série d'articles sur l'œuvre du cardinal Dechamps[2]. Signés de l'abbé Mallet, ils étaient rédigés par Blondel lui-même. Ils montraient que Dechamps, dont l'apologétique avait été consacrée au concile du Vatican, prônait déjà la méthode d'immanence dans son étude du " fait intérieur ", et s'appuyait sur ce qui est *dans* l'homme sans être *de* lui, pour amener l'incroyant au catholicisme. Sous le pseudonyme de Bernard de Sailly, Blondel publiait encore, dans la même revue, des explications concernant la philosophie de l'action[3], la notion du miracle[4]; et plus tard, des observations sur les exigences d'une apologétique intégrale[5].

Laberthonnière n'était pas seul à soutenir Blondel dans la défense ou l'explication de ses vues en matière d'apologétique. Henri Bremond et d'autres révélaient en Newman un précurseur. L'abbé J. Wehrlé consacrait, en 1911, une excellente brochure à *La Méthode d'immanence*, écartant les méprises et faisant valoir son utilité. La même année, paraissait, dans le *Dictionnaire apologétique de la Foi catholique*, l'article des PP. Auguste et Albert Valensin sur l'*Immanence (Méthode d')*. Clair et pondéré, il obtint un accueil très favorable dans les milieux les plus divers et contribua largement à apaiser les soupçons.

Ces théologiens, et d'autres que nous ne pouvons énumérer ici, ne

1. *Essais...*, p. 171-172.
2. *Annales de phil. chrét.*, t. 151 (1905-1906), p. 68-91, 449-471, 625-645; t. 153 (1906-1907), p. 562-591.
3. *Annales de phil. chrét.*, t. 151 (1905-1906), p. 180-186; t. 153 (1906-1907), p. 47-59.
4. *Annales de phil. chrét.*, t. 154 (1907), p. 337-361.
5. *Annales de phil. chrét.*, t. 165 (1912-1913), p. 27-53, 137-184, 359-397; t. 166 (1913), p. 5-45, 150-190.

se bornaient pas à expliquer la pensée de Blondel. Ils s'en inspiraient et la faisaient fructifier dans leur œuvre personnelle. Par eux, elle pénétrait dans l'apologétique et la théologie. Mais cette influence a vite débordé le cercle de ceux qu'on appelait les " blondéliens ". Elle atteignait des hommes dont la pensée fondamentale était thomiste. Ainsi le P. de Poulpiquet, mettant en relief le rôle de l'apologétique interne dans une apologétique totale[1]. Ainsi surtout le P. Rousselot, qui s'inspirait manifestement de L'Action quand il éclaircissait l'immanence de la volonté en toute connaissance conceptuelle et le rôle de l'amour dans l'assentiment de foi[2].

Lorsque la guerre de 1914-1918, déplaçant perspectives et soucis, eut calmé certaines passions, l'influence de Blondel s'élargit encore, se mêlant d'ailleurs à beaucoup d'autres. Entre 1920 et 1930, L'Action fut polycopiée à plusieurs reprises, avec ou sans l'autorisation de l'auteur; elle trouva beaucoup de lecteurs dans des milieux assez divers. Parmi les œuvres théologiques publiées ou mûries entre les deux guerres, un grand nombre, même des plus classiques, lui doivent une part importante de leur inspiration. Pour ne rien dire des vivants, nous ne citerons que deux noms. D'abord Mgr Brunhes, avec son petit ouvrage si souvent recommandé autrefois, La Foi et sa justification rationnelle. Ensuite, le P. de Montcheuil, dont l'enseignement vigoureux, la vie spirituelle profonde et l'activité apostolique poussée jusqu'au dernier sacrifice, étaient nourris de la pensée religieuse de Blondel. On pourrait citer aussi des aumôniers ou dirigeants d'Action catholique qui puisaient leur inspiration à la même source. L'Action catholique, telle qu'elle a été conçue en France entre les deux guerres, doit en partie sa physionomie originale à l'influence directe ou indirecte de Blondel.

Mais ce n'est pas seulement sur les théologiens que cette action s'est exercée : Blondel a aidé beaucoup de philosophes à se trouver à l'aise dans leur foi chrétienne, parce qu'il leur offrait le moyen d'établir la symbiose entre elle et leur réflexion. Son ami Victor Delbos, catholique, mais de tempérament assez rationaliste, lui dut de s'orienter progressivement vers une pensée plus pascalienne, plus ouverte en tous cas à la considération des choses religieuses. Plus tard (pour ne rien dire des disciples directs comme Jacques Paliard), Pierre Lachièze-Rey, qui dépendait de Kant partout ailleurs, recueillait l'héritage blondélien quand il traitait de la sagesse et de la destinée humaine. Et l'on pourrait citer d'autres noms, connus ou moins connus, de morts ou de vivants.

1. *Quelle est la valeur de l'apologétique interne ?* dans *Rev. des Sc. phil. et théol.*, 1907, p. 449-473; *L'Objet intégral de l'apologétique*, Paris, 1912.
2. Voir les indices et témoignages relevés par Albert MILET, dans la *Revue néoscolastique de Philosophie*, t. 43 (août 1940-août 1945), p. 250-251, note 65.

Dans un ordre un peu différent, il convient de signaler que le Père J. Maréchal, dont la pensée a eu à son tour une influence assez large parmi les théologiens, doit en partie à Blondel sa conception du dynamisme de l'intelligence[1]. Enfin, le Père G. Fessard lui doit l'impulsion première de sa pensée. Nous indiquerons, au cours du dernier chapitre, comment *L'Action* l'a aidé à dégager la dialectique des *Exercices spirituels* de saint Ignace.

En ne mentionnant que quelques noms, nous retenons le meilleur de l'influence blondélienne. Il faut reconnaître, en effet, que chez des esprits superficiels, ayant une culture philosophique sommaire et insuffisamment avertis de la tradition chrétienne, elle a suscité parfois des affirmations erronées ou simplistes, qui inquiétaient ou agaçaient à la fois les adversaires et les partisans de Blondel. Mais on ne peut rendre un auteur responsable de toutes les sottises débitées en son nom. Les pensées vigoureuses sont souvent interprétées à contresens, même par ceux qui croient les suivre. Saint Augustin et saint Thomas porteraient une lourde responsabilité, s'il fallait leur imputer les erreurs ou les sottises qu'on a quelquefois couvertes de leur nom.

D'autre part, même les meilleurs théologiens n'ont pas tous retenu le plus profond de la pensée blondélienne. En se vulgarisant, elle s'est partiellement affadie. Aussi, pour en mesurer la portée théologique, conviendrait-il d'analyser, outre l'usage qui en a été fait, celui qu'on pourrait en faire. Nous ne donnerons ici que de brèves indications.

C'est surtout dans les méthodes apologétiques et dans la théologie de l'acte de foi que s'est exercée, durant les premières années, l'influence de *L'Action* et de la *Lettre*. En ce domaine, elle a profondément modifié la théologie du xxᵉ siècle, en lui faisant redécouvrir et creuser des thèmes traditionnels.

La vivacité des attaques portées, dans la *Lettre*, contre " l'ancienne apologétique doctrinale " avait pu donner l'illusion que l'auteur la rejetait purement et simplement, pour lui en substituer une autre. En fait, son intention était différente : un lecteur attentif pouvait s'en rendre compte, et Blondel l'a précisé dans la suite. Il ne s'agissait pas de proposer des arguments nouveaux, mais de préparer l'incroyant à saisir les

1. Voir à ce sujet Albert MILET, *Les " Cahiers " du P. Maréchal*, dans *Revue néoscolastique de Philosophie*, t. 43 (1940-1945), p. 241-247. La correspondance échangée entre Blondel et Maréchal a été publiée dans les *Mélanges Maréchal*, Bruxelles-Paris, 1950, t. I, p. 338-352. Le Père A. HAYEN a publié dans *Convivium* (Estudios Filosóficos), en 1957, un texte du P. Maréchal sur la Philosophie de l'Action.

anciens. " Ne nous épuisons pas à ressasser des arguments connus, à offrir un *objet*, alors que c'est le *sujet* qui n'est pas disposé. Ce n'est jamais du côté de la vérité divine, c'est du côté de la préparation humaine qu'il y a défaut. [...] Ce rôle de préparation subjective est de première importance, il est essentiel et permanent, s'il est vrai que l'action de l'homme coopère, dans toute son étendue, à celle de Dieu[1]. "

Il fut donc très vite entendu que la " méthode d'immanence " ou l'" apologétique interne " ne devait pas se substituer à l'" apologétique externe ou objective ", mais composer avec elle une " apologétique intégrale ". Sa tâche était de préparer le sujet en l'obligeant à se poser le problème religieux et en dissipant l'objection préalable inspirée par les doctrines de pure immanence.

Mais on la conçut souvent comme une " apologétique du seuil " dont le rôle semblait s'arrêter à l'entrée de l'apologétique proprement dite. En réalité, on s'en aperçut peu à peu, la pensée blondélienne obligeait à approfondir la notion même de " preuve " apologétique. Authentiquement rationnelle, celle-ci n'est pourtant pas contraignante à la façon d'une démonstration scientifique. Imposant à l'homme de renoncer à la prétention de se suffire, elle ne dévoile sa force qu'à celui qui consent à cette conversion. C'est un *signe* qu'il faut interpréter, un signe à double entente, dont on ne perçoit le vrai sens qu'en adoptant les dispositions religieuses exigées, en s'engageant librement. Ceci s'applique en particulier au miracle; et tel était le sens des quelques lignes que lui consacraient *L'Action* et la *Lettre*. Certains avaient cru d'abord que Blondel en rejetait la réalité ou la valeur probante. Mais les explications données par lui dans la suite ne laissent aucun doute sur sa pensée[2]. Elles ont aidé les théologiens à approfondir la théorie du miracle[3].

En manifestant le rôle nécessaire de la liberté dans la perception même des signes, Blondel aidait les théologiens à mieux comprendre la thèse traditionnelle selon laquelle la foi est une adhésion libre. Au lieu d'imaginer une action de la volonté extrinsèque à celle de l'intelligence, et paraissant de ce fait arbitraire, on était amené à concevoir l'acte de foi comme une totalité concrète émergeant du fond spirituel de la personne humaine. On comprit mieux que la foi, adhésion intellectuelle certes, est un acte engageant la personne tout entière, un don de soi à Dieu qui se donne, une confiance filiale. Par le fait même, il devenait plus facile d'intérioriser le rôle de la grâce.

---

1. *Lettre*, p. 28.

2. L'exposé le plus dense est la lettre de Blondel à la Société de Philosophie, insérée dans le *Bulletin*, séance du 28 décembre 1911.

3. De lui dépendent les exposés (devenus classiques) de J. WERHLÉ, L. DE GRAND-MAISON, P. TIBERGHIEN, J. MOUROUX, etc.

Ces idées, qui tendent à devenir des lieux communs, beaucoup ne soupçonnent plus aujourd'hui qu'il a fallu la pénétration de Blondel pour les redécouvrir et des années de controverses pour les élucider et les faire admettre [1].

La philosophie de l'action pourrait aider à approfondir d'autres problèmes. Elle a effectivement amené les théologiens à une nouvelle analyse des rapports entre nature et surnaturel. Chose moins remarquée, elle a fait retrouver à certains ce que les anciens appelaient l' " intelligence de la foi ", grâce à quoi peut se constituer non seulement une théologie au sens strict du mot, mais une vision chrétienne du monde.

Ce que le théologien doit à Blondel de plus précieux, ce n'est pas précisément l'idée tant ressassée qu'une apologétique " interne " doit précéder l'exposé des signes de la révélation, ou que des dispositions subjectives sont nécessaires pour percevoir les signes (toutes expressions partiellement inadéquates). C'est d'avoir mis en relief que le christianisme a une signification pour l'homme, et qu'en conséquence il y a toujours lieu de tendre à une vision chrétienne du monde. En élucidant le sens de la révélation, il suggère à la théologie le moyen de s'approfondir et de s'intérioriser; et il rappelle par le fait même le rôle véritable de l'apologétique, qui est de manifester cette signification.

Blondel lui-même a eu l'occasion de montrer la fécondité de sa méthode en quelques problèmes particuliers. Ainsi d'abord, dans une lettre remarquable à l'abbé Pêchegut sur la certitude religieuse[2], il montre que la connaissance objective de la vérité révélée n'est pas une condition nécessaire de la possession de l'objet à croire, et que cependant la bonne foi de celui qui ignore n'en est pas une condition suffisante. Car ce qui nous sauve, ce n'est pas notre certitude, mais l'action du Verbe incarné. En débordant la subjectivité individuelle et la simple représentation d'objets, l'étude de l'action permet de définir les rapports entre bonne foi et foi, et leur participation respective à l'initiative divine. Ces pages, qui précisent des remarques éparses dans *L'Action* et la *Lettre*, apportent une contribution précieuse aux problèmes théologiques de la foi implicite et du salut des infidèles.

1. Dans son livre sur *Le Problème de l'acte de foi*, Roger AUBERT analyse et juge équitablement les controverses autour de la méthode d'immanence. Il rend justice à l'œuvre de Blondel. — D'un autre point de vue, on peut se reporter à l'Introduction du P. DE MONTCHEUIL aux *Pages religieuses* de Maurice BLONDEL, p. 14-33.

2. *A propos de la certitude religieuse*, réponse à l'abbé E. Pêchegut, *Revue du Clergé français*, 15 février 1902, p. 643-659.

Plus importante est la série d'articles intitulés *Histoire et Dogme, les lacunes philosophiques de l'exégèse moderne*[1]. Ils ont été rédigés à propos de la question biblique, soulevée par l'exégèse de Loisy. Un hiatus apparaissait entre les faits bibliques (histoire) et les croyances chrétiennes (dogme). L' " extrinsécisme " théologique concevait le dogme comme un bloc donné une fois pour toutes, sans relation interne à l'histoire ; il ne demandait aux faits bibliques qu'une preuve de l'autorité de l'Église. L' " historicisme " tendait à séparer les croyances chrétiennes des faits que constate l'historien. De part et d'autre, l'un des éléments était sacrifié et l'autre perdait sa signification. D'un côté, le christianisme consistait en un donné surnaturel tout extrinsèque à l'homme ; de l'autre, il se réduisait à un divin diffus à travers l'histoire. Il s'agissait donc de manifester entre l'histoire et le dogme un lien qui en assurât la solidarité sans en détruire l'indépendance relative. Ce lien, dit Blondel, c'est la Tradition, telle que l'entend l'Église. Il convient seulement d'en élucider la notion et d'en montrer le rôle. Tradition n'est pas seulement conservation d'un dépôt inerte. " Je dirai que cette puissance conservatrice est en même temps conquérante, qu'elle découvre et formule des vérités dont le passé a vécu sans avoir pu les énoncer ou les définir explicitement, qu'elle enrichit le patrimoine intellectuel, en monnayant peu à peu le dépôt total et en le faisant fructifier. [...] Elle se fonde sans doute sur les textes, mais elle se fonde en même temps et d'abord sur autre chose qu'eux, sur une expérience toujours en acte qui lui permet de rester, à certains égards, maîtresse des textes au lieu d'y être strictement asservie[2]. " Elle est " l'expérimentation collective du Christ vérifié et réalisé en nous[3] ". " Elle n'a rien à innover, parce qu'elle possède son Dieu et son tout ; mais elle a sans cesse à nous apprendre du nouveau, parce qu'elle fait passer quelque chose de l'implicite vécu à l'explicite connu[4]. " Voilà ce que permet de dégager " une philosophie de l'action qui étudie les voies multiples, régulières, méthodiquement déterminables, par lesquelles la connaissance claire et formulée parvient à exprimer de plus en plus pleinement les réalités profondes où elle s'alimente[5] ". On comprend dès lors le lien intime qui unit le dogme aux faits bibliques et l'on ne peut plus dire, avec l'historicisme, qu'en proposant l'Homme-Dieu à notre adoration, l'Église ait commis une substitution de personne.

1. Dans *La Quinzaine*, janvier-février 1904 (3 articles). Y ajouter l'article *De la valeur historique du dogme*, dans le *Bulletin de littérature ecclésiastique de Toulouse*, février-mars 1905. Ces divers articles ont été reproduits dans *Les Premiers Écrits...*, t. II, p. 149-245.
2. *Les Premiers Écrits*, t. II. p. 204.
3. *Loc. cit.*, p. 228.
4. *Loc. cit.*, p. 204-205.
5. *Loc. cit.*, p. 210.

Sur une question difficile et alors troublante pour les meilleurs chrétiens, ces articles apportèrent la lumière à beaucoup d'esprits[1]. Ils furent accueillis favorablement même par des théologiens qui faisaient des réserves sur la pensée blondélienne en général. Leurs éclaircissements sur l'idée de Tradition apportèrent une contribution efficace au problème, alors âprement discuté, du développement du dogme. On peut dire que la majorité des théologiens, aujourd'hui, en a adopté l'essentiel.

L'esprit extraordinairement alerte de Maurice Blondel a porté aussi sa lumière dans une autre controverse, celle qui opposait alors aux " catholiques sociaux " les partisans plus ou moins avoués de L'Action française. Dans une série d'articles sur La Semaine sociale de Bordeaux, il dégageait les principes philosophiques et théologiques sous-jacents aux deux positions, critiquait les uns et justifiait les autres. Il réagissait en particulier contre la prétention de soustraire la politique et l'économie au jugement de la morale et du christianisme. Il montrait que tous les domaines de l'activité humaine sont à la fois hétérogènes et solidaires et qu'en particulier l'ordre surnaturel doit compénétrer et assumer l'ordre naturel sans se confondre avec lui. Il défendait ainsi l'œuvre entreprise par les Semaines sociales pour faire pénétrer l'idée chrétienne dans l'organisation même de la société[2]. Toute sa vie, d'ailleurs, il les soutiendra de sa sympathie, de ses conseils et de sa collaboration.

Entre la Lettre de 1896 et la guerre de 1914, Blondel, qui a publié de nombreux articles, n'a conduit à terme aucun ouvrage de grande envergure, pas même le livre sur l'Esprit chrétien auquel il s'appliquait depuis 1900. Il était gêné par les soupçons dont on avait entouré sa pensée.

1. Le rôle qu'a joué Blondel, dans la crise soulevée par les fameux petits livres rouges de Loisy, apparaît encore plus considérable, maintenant qu'ont été publiées les lettres échangées par lui, à leur sujet, avec Wehrlé, Mourret, Loisy, Hügel, etc. (Au cœur de la crise moderniste. Le dossier inédit d'une controverse. Lettres présentées par René Marlé, Paris, Aubier, 1960). Cette correspondance révèle avec quelle lucidité Blondel a discerné, dès la première heure, les déficits philosophiques et théologiques de la théorie de Loisy.

2. La " Semaine sociale " de Bordeaux, série d'articles dans les Annales de phil. chrét., octobre 1909 à mai 1910, suivis de quelques réponses aux critiques (avril à décembre 1910). Le tout a été réuni en un tiré à part intitulé La Semaine sociale de Bordeaux et le Monophorisme, Paris, 1910. — Blondel critiquait, sous le nom de monophorisme, la théorie d'après laquelle le christianisme viendrait tout entier du dehors, sans répondre à aucune aspiration intérieure, et s'imposerait ainsi uniquement par un dictamen autoritaire.

D'autre part, sollicité par des problèmes apologétiques et théologiques, il n'avait pas le loisir de se consacrer à une œuvre plus directement philosophique. Cependant, outre sa collaboration constante au *Vocabulaire* de la Société de Philosophie, quelques articles proprement philosophiques jalonnent ces années. Trois d'entre eux méritent particulièrement d'être signalés.

D'abord, un article sur *L'Illusion idéaliste*[1], réponse implicite aux accusations du P. Schwalm. Réalisme et idéalisme, dit-il, en tant qu'on les oppose absolument l'un à l'autre, sont deux espèces de la même erreur " intellectualiste ", qui consiste à séparer le *fait* de pensée de l'*acte* même de penser, à le déraciner de ses origines vitales.

La même illusion est poursuivie, d'un point de vue plus large, dans l'étude intitulée *Le Point de départ de la recherche philosophique*[2]. L'auteur y distingue deux démarches de la pensée : la *prospection*, connaissance directe et synthétique, " attentive à l'œuvre toujours concrète vers laquelle nous tendons "; et la *réflexion*, " connaissance tournée vers les résultats obtenus ou les procédés employés, tels que par abstraction on les analyse rétrospectivement[3] ". La philosophie associe ces deux démarches dans une recherche qui a pour point de départ non un objet particulier, mais une façon totale de considérer le problème de la destinée et la question de l'être. Le donnée qu'elle étudie, c'est l'inquiétude, la disproportion intime, le dénivellement intérieur qui caractérise l'activité humaine et la stimule à chercher progressivement sa propre équation. L'objet propre de la philosophie, c'est l'action, c'est-à-dire " l'aspiration positive qui stimule le développement de la pensée distincte et de la vie morale en chaque homme ", " principe interne qui oriente, exige, juge pensées et actes fragmentaires[4] ". Ces pages sont parmi les plus éclairantes que Blondel ait consacrées à la conception de la philosophie

1. *Revue de Mét. et de Mor.*, 1898, p. 726-745.
2. *Annales de phil chrét.*, t. 151 (1905-1906), p. 337-360; t. 152 (1906), p. 225-249.
3. *Loc. cit.*, t. 151, p. 342.
4. *Loc. cit.*, t. 152, p. 234-235. — C'est ici que figurent les trois lignes si souvent et si âprement reprochées à Blondel : " A l'abstraite et chimérique *adaequatio speculativa rei et intellectus* se substitue la recherche méthodique de l'*adaequatio realis mentis et vitae* " (p. 235). Cette phrase paradoxale, équivoque si on la lit isolément, ne doit pas être détachée de son contexte. Elle ne signifie pas que la vérité soit perpétuellement changeante, ni qu'elle se mesure à l'utilité pratique, ni qu'elle ne soit pas une correspondance de la connaissance à son objet. Blondel explique à quelle condition la vérité spontanément connue se justifie réflexivement aux yeux du philosophe. C'est à condition qu'on la rapporte à un principe judicatoire universel et indiscutable, au dynamisme spirituel qui oriente et juge toute pensée et toute activité humaines. Et ce dynamisme a une portée ontologique, puisque son déploiement total amène nécessairement à affirmer l'être qui est sa source.

qui animait *L'Action*. Elles inauguraient en même temps ses futures recherches sur les démarches distinctes et solidaires de la pensée.

Quelques années auparavant, en 1900, l'auteur avait présenté au Congrès international de Philosophie un mémoire intitulé *Principe élémentaire d'une logique de la vie morale*[1]. Reprenant un projet qu'il avait amorcé à la fin de sa thèse, il jetait les fondements d'une " logique générale " qui déborderait, en l'incluant, la logique aristotélicienne. Ce projet revivra dans la normative ontologique de *L'Être et les êtres*. Mais le point d'application sera différent. Car, dans l'intervalle, l'auteur aura modifié ses perspectives.

III. TRANSITION

L'année 1913 marque une date importante dans l'histoire de l'œuvre blondélienne. Les journaux du 15 et du 16 mai annonçaient que les *Annales de Philosophie chrétienne* étaient mises à l'Index pour la période écoulée depuis 1905, celle précisément où le Père Laberthonnière avait été secrétaire de la rédaction. La mesure visait particulièrement ce dernier, dont les ouvrages aussi étaient mis à l'Index. Quoique Blondel fût personnellement indemne[2], il prit part à la souffrance et à la soumission de son collaborateur et ami. Il mit lui-même la main à la note publiée par le Comité de Rédaction de la revue, et dans lequel on lit en particulier ces mots : " Catholiques sans réserves, philosophes persuadés du caractère toujours imparfait de nos pensées et de l'insuffisance d'un effort apologétique toujours réformable, nous avons témoigné à l'autorité que nous nous inclinons respectueusement. Et maintenant nous nous recueillons pour examiner, devant Dieu, les défauts de notre œuvre[3]. "

---

1. *Bibliothèque du Congrès international de Philosophie de 1900*, t. II, *Morale générale*.
2. Précisons, à cette occasion, pour lutter contre des racontars tenaces, que Blondel n'a jamais eu aucun ouvrage mis à l'Index, qu'il n'a jamais été l'objet d'aucune censure, qu'il a reçu au contraire des encouragements de la part des plus hautes autorités ecclésiastiques. (Voir *L'Itinéraire philosophique de Maurice Blondel*, p. 99-102; la lettre de la Secrétairerie d'État du 2 décembre 1944, citée dans la *Documentation catholique* du 8 juillet 1945; l'éloge que S. Exc. Mgr de Provenchères a fait lire aux funérailles de Blondel, et dont quelques lignes caractéristiques ont été citées dans *La Vie intellectuelle* de juillet 1949, p. 53.)
3. *Annales de phil. chrét.*, t. 166 (1913), p. 1.

Effectivement, Blondel va mûrir désormais une œuvre de plus en plus précautionnée. Témoin de sa recherche, Laberthonnière lui reprochera de plus en plus, dans leur correspondance, ce qu'il considère comme un abandon et un souci excessif de l'opportunité. Blondel protestera de sa fidélité et de sa sincérité. Comme autrefois, il exprimera des réserves sur la pensée de son ami. Mais celui-ci, endolori par une mesure qui l'obligeait au silence, supportera de plus en plus mal les critiques qu'il acceptait auparavant. A suivre leur correspondance qui s'espace, on assiste à la séparation progressive, douloureuse et tragique, de deux grandes âmes pareillement nobles, qui, sans cesser de s'estimer et de s'aimer, n'arrivent plus à se rejoindre. Le lecteur impartial ne peut que souffrir avec l'un et l'autre et s'abstenir de condamner l'un au nom de l'autre.

Depuis l'épuisement de sa thèse en librairie, Blondel n'avait cessé de méditer, de préparer sur la même question un ouvrage renouvelé[1]. Mais, au cours des controverses, durant de nombreuses années, il défendait ses premières positions et approuvait ceux qui les expliquaient correctement. Aussi ses adversaires lui reprochaient-ils de maintenir avec obstination des textes jugés par eux équivoques ou incomplets. C'est en 1913 qu'il annonce publiquement son intention de faire paraître un ouvrage notablement modifié[2]. En 1919, protestant contre le grief de pragmatisme[3], il renonce à donner au mot " intellectualisme " une acception péjorative, comme il l'avait fait avant la thèse du P. Rousselot sur *L'Intellectualisme de saint Thomas*. De même, il manifeste de la répugnance pour le nom de " philosophie de l'action ", qu'il acceptait[4] ou employait lui-même[5] autrefois pour désigner sa pensée. Dans *La Nouvelle Journée* du 1er mars 1921, sans renier l'œuvre de sa trentième année, il annonce encore une " expression revue et rectifiée " de ses idées, et ajoute : " Avant d'éditer de nouveau l'*Action* refondue, j'ai le dessein de publier, comme préparation, complément et contrepoids, un livre sur la *Pensée*,

---

1. On peut aisément s'en rendre compte aujourd'hui, en lisant les notes pour une réédition de *L'Action*, qu'il a rédigées de 1895 à 1900 : elles ont été publiées après sa mort dans les *Études blondéliennes*, II (1952), p. 7-46. Voir aussi les projets et esquisses de 1927-1929, publiés dans les *Études blondéliennes*, I (1951), p. 7-58.

2. *Revue du Clergé français*, 15 juillet 1913, p. 246-247. La lettre, datée du 20 juin 1913, a été écrite un mois après que les *Annales de philosophie chrétienne* eurent été mises à l'Index.

3. *Revue du Clergé français*, 1er septembre 1919, p. 383-387.

4. *Loc. cit.*, 15 février 1902, p. 652 (lettre à l'abbé Pêchegut).

5. *Histoire et Dogme*, dans *Les Premiers Écrits*, tome II, p. 210, etc. Voir aussi les articles, signés de l'abbé Mallet, sur l'œuvre du cardinal Dechamps. Quand Blondel les reproduira, en 1932, dans *Le Problème de la Philosophie catholique*, il supprimera tous les passages qui vantaient les mérites de " la philosophie de l'action ".

un livre sur l'*Être*, en attendant un livre testamentaire sur l'*Esprit chrétien*. " C'est la première fois qu'il rendait public ce projet précis. Il l'avait déjà confié, comme un optatif, à Paul Archambault, dans une lettre du 4 mars 1915[1]. Certes, il n'avait jamais prétendu que *L'Action* constituât une philosophie entière; mais il disait volontiers que l'objet propre de la philosophie est l'action[2]. Désormais, cet objet serait " une *Unité* congénitale[...] qui s'analyserait en une *trinité* réelle de la *pensée*, de l'*action* et de l'*être*, avant d'aboutir à l'union finale et explicite[3] ". En élaborant une œuvre sur ce plan, Blondel pense écarter le reproche d' " unilatéralisme " adressé à son premier livre. — Au fur et à mesure que les grandes lignes se précisent en son esprit, il donne quelquefois une prélibation de l'œuvre future. Ainsi dans les Propos recueillis par Frédéric Lefèvre (1928), et dans le *Vinculum* (adaptation de 1930).

Autant qu'on peut en juger par les écrits, courts et rares, publiés entre la fin de la guerre et l'année 1928, la préoccupation essentielle de Blondel est alors d'analyser et de faire valoir la connaissance " réelle ", connaissance concrète et unitive, dont l'expérience mystique, quoique gratuite, constitue le terme dernier. Dans *Le Procès de l'Intelligence* (1921)[4], il établit la distinction et la solidarité de la connaissance " notionnelle " et de la connaissance " réelle ". La première, œuvre de la raison discursive, fabrique un monde de représentations, elle " vit de mimétisme ou de simili ". La connaissance réelle ou connaissance par l'action nous livre l'être même en ce qu'il a de singulier et d'unique, elle est intuitive et unitive[5]. C'est à elle qu'il faut réserver d'abord le nom d'intelligence; on ne peut exalter l'intelligence sans la mettre au premier plan. Pour en décrire les méthodes, Blondel a recours non pas à saint Augustin, ni à Newman, mais paradoxalement à un philosophe qui passe pour le type même de l'intellectualisme, saint Thomas. La thèse du P. Rousselot (publiée en 1908) lui ayant révélé dans le thomisme une connaissance par affinité ou connaturalité, il utilise ces notions pour analyser la connaissance " réelle ". Mais, en réaction contre le P. Rousselot, et plus encore contre Bergson (dont il n'a pas saisi, d'ailleurs, toute la complexité), il fait valoir ensuite l'apport nécessaire de la connaissance notionnelle à la connaissance unitive et intuitive.

C'est comme un prolongement de cet écrit qu'il faut lire *Le Pro-*

1. Citée par ARCHAMBAULT dans *L'Œuvre philosophique de Maurice Blondel*, p. 5, note 3.
2. *Annales de phil. chrét.*, t. 152 (1906), p. 235.
3. Lettre à Archambault, *loc. cit.*, p. 6, note.
4. Publié en articles dans *La Nouvelle Journée*, en 1921. Reproduit l'année suivante dans un volume collectif portant le même titre. Nous renvoyons ici à ce volume.
5. *Loc. cit.*, p. 236-237, 264-266.

blème de la mystique (1925)[1]. L'auteur y soutient que la philosophie peut et doit contribuer à l'étude de cette question. Sa conception de la connaissance unitive ayant été vivement critiquée, il la défend et montre qu'elle permet de situer philosophiquement l'expérience mystique. Don gratuit de Dieu assurément, celle-ci trouve cependant en notre esprit un point d'attache, qui est la connaissance concrète.

Nous devons avouer que, malgré les mérites incontestables de son analyse, la distinction des deux connaissances, telle que Blondel la définit alors, est assez artificielle. Elle veut reprendre la distinction qu'établissait *L'Action* entre la connaissance des phénomènes et la connaissance de l'être. Mais, dans *L'Action*, c'était une distinction essentiellement méthodologique; elle ne concernait pas deux formes de connaissance, mais deux aspects d'une même connaissance; la dialectique qui la posait au départ la supprimait à l'arrivée, en réintégrant la totalité qu'elle avait d'abord décomposée. Ici au contraire, la distinction se durcit, malgré la volonté de rétablir une solidarité. Elle n'est plus dialectique, elle se fige en abstractions. La connaissance notionnelle est décrite sans nuances, sans tenir compte de ses formes multiples et de leur adaptation variée au réel. On nous dit que la métaphysique la plus réaliste est " comme un squelette de connaissance ", un contenant sans contenu, un simple cadre[2]. La distinction, telle qu'elle est ici présentée, mérite le reproche que Blondel adressera plus tard à Newman qui la lui a inspirée : " Il marque peut-être trop uniquement l'antithèse abstraitement considérée, sans s'attacher assez à l'étrange hymen de ces pensées conjointes et à la fécondité d'une union qui paraît d'abord sans amour[3]. " *Le Procès de l'Intelligence*, publié en cette période intermédiaire où l'auteur n'a pas encore élaboré son grand ouvrage sur *La Pensée*, est l'une de ses œuvres les moins parfaites.

Il devait bientôt reconnaître lui-même le défaut de sa conception. Dans les Propos recueillis par F. Lefèvre et publiés en 1928, il distingue non plus deux formes de connaissance s'exerçant chacune pour son compte, mais deux sortes de pensée présentes chacune en toutes nos pensées[4]. C'est la thèse que développeront les deux premiers volumes de la trilogie. La même année 1928, il écrit à P. Archambault : " L'action n'est pas tout d'un côté; elle participe aux deux pensées qui communient

1. Dans *Qu'est-ce que la Mystique ?* " Cahiers de la Nouvelle Journée ", n° 3.
2. *Le Problème de la mystique*, p. 49-50. Dans le même sens, Blondel écrivait à P. Archambault en 1918 : " La métaphysique n'est qu'un schéma, un *mimétisme* du réel; de même et *a fortiori*, une étude, même aussi poussée que possible, de la vie religieuse est comme une coque... " (cité par ARCHAMBAULT, *loc. cit.*, p. 73, note).
3. *La Pensée*, t. II, p. 25.
4. *L'Itinéraire philosophique de Maurice Blondel*, p. 169.

en elle et qui servent à la promouvoir, comme elle sert à les féconder. Je ne dirais donc plus que la métaphysique n'est qu'un schéma, une coque[1]. " Dans une lettre à l'*Archivio di Filosofia* (numéro de septembre 1932), il se reproche encore plus nettement d'avoir trop vidé nos connaissances spéculatives. Malheureusement, ces deux rétractations paraissent viser, outre *Le Procès de l'Intelligence*, certains passages de la *Lettre* sur l'Apologétique : textes qui, malgré des phrases ambiguës, n'avaient pourtant pas la même signification. Il semble que Blondel les relise à travers sa pensée plus récente ou à travers l'interprétation d'autrui.

Les années 1928-1931 marquent donc, dans son évolution, un second tournant, après celui de 1913-1920. Et cette fois ce n'est pas seulement l'analyse de la connaissance qui se modifie, mais aussi la philosophie du surnaturel. Là encore, il s'incline davantage devant les critiques de certains théologiens et rétracte en partie les exposés de *L'Action* et de la *Lettre*. Jusqu'en 1931, aucun écrit n'atteste l'élaboration d'une doctrine substantiellement nouvelle sur ce point. Sans doute évite-t-il, depuis les controverses, certaines expressions litigieuses. Il ne dit plus que la philosophie conçoit le surnaturel comme une hypothèse *nécessaire*. Il renonce à faire valoir l'*épochè* phénoménologique, qui a donné lieu à tant de méprises et dont même ses amis théologiens ne semblent pas avoir mesuré la portée. Il reconnaît la possibilité d'une nature pure. Mais, pendant longtemps, il s'abstient d'en développer les conséquences. Après l'avoir brièvement concédée, il déclare envisager l'homme uniquement dans son état concret, transnaturel, et pense que la philosophie doit retrouver en lui l'écho de l'appel divin inscrit dans sa nature. A cet égard, il n'y a aucune différence entre *Le Problème de la mystique*, d'une part, *Histoire et Dogme* ou *La Semaine sociale de Bordeaux*, d'autre part. Mais voici que *Le Problème de la philosophie catholique*, en 1932, atteste un changement capital[2].

Cet ouvrage disparate comprend trois parties : des extraits commentés de la *Lettre* sur l'Apologétique, une reprise des études signées par l'abbé Mallet sur l'œuvre du cardinal Dechamps, enfin des réflexions sur le problème de la philosophie chrétienne, soulevé par MM. Bréhier et Gilson. Blondel défend contre Bréhier l'idée de philosophie chrétienne (il préfère le terme de philosophie catholique). Il montre, en complétant Gilson, qu'une philosophie est telle non pas précisément quand elle a subi historiquement l'influence du christianisme, mais quand elle ouvre les esprits à la foi.

1. Cité par ARCHAMBAULT, *loc. cit.*, p. 74, note.
2. Ce changement a été bien noté par le P. B. ROMEYER, *La Philosophie religieuse de Maurice Blondel*, Paris, 1943, p. 173-178.

La première et surtout la troisième partie du livre lui donnent l'occasion de définir la place de l'idée de surnaturel en philosophie. Son exposé
laisse voir et avoue des tâtonnements. Mais une chose est claire : le
rôle positif accordé désormais à la considération de l'état de nature pure[1].
Assurément, dit-il, cet état n'a pas existé et n'existe pas à part, comme
une donnée historique ou psychologique. Mais il aurait pu exister à
part; et même, en un sens, il n'est pas une possibilité irréalisée, car la
condition propre de la créature spirituelle reste effectivement sous-
jacente à l'ordre même de grâce[2]. Il est donc " possible, légitime, utile,
d'examiner ce que, en tout état de cause, comporte ou requiert l'être
spirituel[3] ". Cette étude manifestera en l'être doué de raison un *désir* à la
fois *naturel* et *inefficace* de la béatitude surnaturelle. On reconnaît la thèse
exposée en 1924 par le P. Guy de Broglie dans un article célèbre, *De la
place du Surnaturel dans la philosophie de saint Thomas*[4]. Blondel s'y réfère
expressément[5].

Mais, ajoute-t-il, la philosophie peut et doit aller plus loin, si elle considère que la possibilité spéculative est actualisée en fait. La philosophie
ne doit pas se borner aux possibles, aux essences; elle doit se soucier
des réalités contingentes et des existences singulières en leur histoire
dramatique. A côté de la " philosophie pure ", il y a place pour une " philosophie mixte ", qui, avec précaution, sans confondre les domaines,
élucidera les notions de sacrifice, d'ascèse, de rite, de prière, de culte,
de sacrement, étudiera les répercussions en l'homme naturel des divers
états, transnaturel, surnaturel et rebelle, manifestant ainsi les convenances
philosophiques du christianisme[6]. " Si la *philosophie essentielle*, portant
sur les conditions essentielles et universelles des esprits, nous amène au
seuil du mystère de Dieu et de la béatitude désirable, il y a une *philosophie
réelle* qui porte, *servatis servandis*, sur les états réalisés en nous mais non
entièrement sans nous[7]. "

Mais, avant d'édifier cette philosophie réelle, il est indispensable d'élucider les essences, les possibilités. " Il faut une métaphysique du nécessaire pour préparer et préciser une philosophie du contingent et une
science du concret[8]. " Cette métaphysique du nécessaire ou philosophie
essentielle conduit l'homme à l'aveu de son insuffisance et à la reconnais-

---

1. *Le Problème de la phil. cath.*, p. 25-26.
2. *Loc. cit.*, p. 171, note 1.
3. *Loc. cit.*, p. 25.
4. *Recherches de Science religieuse*, 1924, p. 193-246.
5. *Le Problème de la phil. cath.*, p. 26, 165.
6. *Loc. cit.*, p. 166-173.
7. *Loc. cit.*, p. 167, note 1.
8. *Loc. cit.*, p. 175, note 1.

sance d'une possibilité surnaturelle. La philosophie réelle et mixte qui étudie les convenances du christianisme constitue proprement la philosophie de la Religion.

La première s'énoncera dans la trilogie : *La Pensée, L'Être et les êtres, L'Action*. La seconde sera exposée dans *La Philosophie et l'Esprit chrétien*.

IV. LA TRILOGIE ET L'ESPRIT CHRÉTIEN

Longuement mûri, livré enfin comme un testament philosophique, ce vaste ensemble paraît à une cadence rapide : les cinq volumes de la trilogie entre 1934 et 1937, les deux suivants en 1944 et 1946. Il offre une réponse, non pas polémique, mais constructive, aux griefs soulevés par *L'Action* et la *Lettre* sur l'Apologétique. Comme le font prévoir les indications qui précèdent, il ne se borne pas à expliquer et développer les ouvrages litigieux. Il couvre un champ plus vaste, et la même intention fondamentale s'y déploie de façon différente. Au lieu d'une phénoménologie de l'existence, nous avons d'emblée une métaphysique, incluant une théorie de la pensée, une ontologie et une étude de l'agir. La considération directe du christianisme n'est abordée que dans un ouvrage à part.

La Pensée n'offre pas, comme on aurait pu s'y attendre, une critique de la connaissance sur le modèle devenu classique depuis Kant. Elle déploie le développement organique de la pensée, depuis sa genèse obscure dans le cosmos, à travers les paliers de son ascension spontanée dans l'organisme, le psychisme, la conscience, jusqu'à son épanouissement dans la vie intellectuelle. De son origine à son terme, elle revêt deux aspects : *noétique*, c'est-à-dire unitaire et universalisant, rationnel et connectif; *pneumatique*, c'est-à-dire ouvert au singulier, à l'unique, à l'ineffable. Ces deux fonctions, distinctes et solidaires, animent la pensée d'une pulsation incessante, rythme rationnel et vital qui promeut la nature comme l'intelligence. Leur constante inadéquation fait surgir en l'homme l'idée de Dieu et la détermine. Elle conduit jusqu'au désir d'une communion plus intime avec lui, à l'hypothèse d'un surnaturel possible qui achèverait la pensée. Et dans l'incertitude de sa réalisation, elle indique au moins les conditions d'accès à la vie spirituelle.

Une dialectique vigoureuse, analogue à celle de *L'Action*, déploie ainsi ce qui est impliqué en toute pensée, franchissant à chaque pas, pour la retrouver au suivant, la faille qui lui est inhérente et qui la divise en deux éléments. La distinction, proposée quelques années auparavant, entre connaissance notionnelle et connaissance réelle s'est élargie aux dimensions du cosmos et a revêtu la valeur promouvante d'une pulsation. Elle n'a plus l'apparence de déprécier le concept et de vider nos connaissances spéculatives, puisque *noétique* et *pneumatique* ne sont pas deux types adéquatement distincts, mais " deux pensées en chacune de nos pensées[1] ", " deux formes qui ne se suffisent pas isolément, qui ne se raccordent pas distinctement, qu'on ne peut donc définir ni dans leur être séparé, ni dans leur conjugaison qui s'opère, comme toute génération de la nature, dans la nuit[2] ".

La promotion réciproque de ces deux éléments à la recherche de leur unité se montre particulièrement féconde dans la genèse et le déploiement de l'idée de Dieu. Elle permet à Blondel de définir, en de fortes pages, l'inévitable distinction et la solidarité nécessaire du " Dieu des philosophes " et du " Dieu de la tradition religieuse "; distinction qui va mettre en jeu l'exercice de la liberté, amener l'homme à l'option essentielle[3]. — Il nous semble que la même dialectique des deux pensées éclairerait certains aspects de la connaissance de foi. Celle-ci, en effet, lie indissolublement deux éléments irréductibles : l'un, connectif et conceptuel, le dogme, l'effort de notre esprit pour en saisir la signification, ou ses démarches vers la vérité religieuse; l'autre, unitif, intuitif et ineffable, la communion avec Dieu dans le don personnel et réciproque. Le premier est noétique, le second, pneumatique. Or le danger de mainte théorie est de privilégier l'un des deux au détriment de l'autre. On l'éviterait en établissant entre eux un rapport dialectique analogue à celui qui anime la théorie des deux pensées. C'est un des points sur lesquels l'ouvrage que nous analysons apporterait à la théologie un instrument que ne lui offraient pas aussi directement les écrits antérieurs.

En ce qui concerne la portée de la connaissance humaine, la dialectique de *La Pensée* écarte comme incomplètes les thèses empiristes, rationalistes et idéalistes. L'auteur reste fidèle à ne chercher la vérité plénière que dans le tout, sans méconnaître pour autant la vérité relative des éléments. Il s'applique à justifier la valeur de l'intelligence, même en ses procédés abstraits et discursifs. — Malgré ces efforts, il n'a pas réussi à satisfaire tous ses anciens critiques. Quelques théologiens ont repris, contre l'ouvrage en question, à peu près les mêmes

1. *La Pensée*, t. II, p. 21.
2. *La Pensée*, t. II, p. 41.
3. *La Pensée*, t. I, p. 169-204, 390-400, 401-411; t. II, p. 89-109, 279-306.

griefs qu'ils avaient formulés contre les premiers écrits. Pour répondre à leurs désirs et écarter toute méprise, Blondel a, dans la suite, déclaré expressément qu'il adhère à toutes les vérités fondamentales de la philosophie traditionnelle, requises par l'enseignement dogmatique de l'Église : il reconnaît la portée ontologique des principes premiers, la valeur objective de la connaissance à tous ses degrés, la vérité objective des concepts et l'immanence vitale des réalités en eux[1]. Plus tard, il remplacera le terme d'option intellectuelle (où certains ont vu du pragmatisme) par celui d'*agnition*[2]. Il ne semble pas que ces efforts aient obtenu définitivement le succès désiré. Blondel a rencontré jusqu'à la fin de sa vie quelques adversaires irréductibles. On peut certes ne pas le suivre : les chemins des esprits sont si divers et la réalité si complexe. Mais prétendre qu'il détruit la valeur objective de la connaissance humaine, c'est, après la trilogie, une méprise si évidente qu'on ne prend plus guère au sérieux pareil reproche.

La pensée, note Blondel, nous conduit à autre chose qu'elle-même : si elle est déjà de l'être, elle n'est pas tout l'être à elle seule. Il y a donc lieu d'étendre notre exploration au domaine mystérieux de l'être, et la tâche essentielle sera de concilier l'idée d'Être absolu avec celle des êtres contingents. Voilà l'objet du volume intitulé *L'Être et les êtres*. Il déploie une ontologie concrète et dynamique, passablement différente de la tradition wolffienne. Un sentiment spontané, une notion implicite de l'être, incoerciblement présente en nous, hiérarchise les divers êtres que nous offre l'expérience (matière, organisme, personne, univers), et ne s'épuise en aucun d'eux. Elle ne s'égale à elle-même que dans l'affirmation de l'Être absolu. L'Être en soi est intimement présent et agissant dans tout l'ordre créé. Cette insertion donne aux êtres contingents leur consistance, les hiérarchise et anime l'univers d'un dynamisme orienté. Plan de l'activité créatrice sur eux, principe de leur réalisation progressive, elle constitue leur norme. Dans une " normative ontologique ", qui forme la partie la plus originale de son livre, Blondel déploie ce dynamisme régulateur, depuis la matière jusqu'aux personnes et aux conditions de leur réalisation, jusqu'à l'option essentielle où s'engage la destinée de l'esprit en face d'une libéralité gratuite, d'un surnaturel possible.

1. *Fidélité conservée par la croissance même de la tradition*, dans la *Revue thomiste*, 1935, p. 611-626. (Réponse irénique aux critiques du P. Garrigou-Lagrange). Cf. *L'Action*, t. I (1936), p. 305-307.
2. *L'Action*, t. I (1936), p. 353-354. Cf. les excursus 12, 15 et 16 de ce volume. Sur l'agnition, voir J. PALIARD, *A propos de l'idée d'agnition dans la philosophie de Maurice Blondel*, dans *Revue philosophique*, t. 125 (janvier-juin 1938), p. 96-109. — L'idée d'agnition serait également féconde dans la théologie de la foi.

Par cette option, l'ontologie, comme l'étude de la pensée, introduit au problème de l'action. L'ouvrage que Blondel lui consacre n'est pas une simple reprise de sa thèse. Avant de déployer l'action humaine et les conditions de son aboutissement, il consacre un volume à explorer en métaphysicien le problème des causes secondes dans son rapport au mystère du pur Agir. Alors seulement pense-t-il pouvoir aborder, dans son autonomie relative et ses connexions nécessaires, le problème de l'action humaine. La dialectique de ce dernier ouvrage est sensiblement la même que celle de la thèse. Mais, pour éviter l'apparence d'une liaison trop rigide entre les étapes, surtout quand il s'agit des vérités suprêmes de la philosophie et de la religion, le terme de *déterminisme*, si caractéristique de la thèse, est remplacé d'ordinaire par le terme plus souple d'*implication*. Des fragments importants sont repris tels quels, d'autres intentionnellement supprimés. L'omission la plus significative est l'absence totale de la dernière partie, consacrée aux dogmes, à la pratique religieuse, au lien de la connaissance et de l'action dans l'être. La considération directe du surnaturel chrétien, renvoyée à un autre ouvrage, est remplacée par un développement sur la " possibilité rationnelle d'une onde exotique et suprême ".

Une forte unité anime la trilogie tout entière. Dans la pensée, dans notre idée de l'être, dans notre action, " partout s'impose à nous une dualité provisoire dont nous ne prenons conscience que par une naturelle et indélébile tendance vers l'unité, [...] partout nous rencontrons au cœur de toute réalité contingente une inadéquation qui [...] ouvre un champ ultérieur et impose une initiative sous la poussée d'une stimulation intime et par l'attrait d'une fin supérieure. [...] Un infini est partout présent ", que notre pensée doit reconnaître et notre action accueillir[1]. Option qui nous ouvre l'accès de la vie spirituelle et nous dispose à recevoir la communication gratuite de Dieu, si elle nous était offerte. La trilogie constitue ainsi une " philosophie de l'insuffisance ", une métaphysique de créature. Son âme est l'aspiration au Dieu transcendant, avec qui elle rêve d'une communion gratuite[2].

L'intention fondamentale de cette œuvre est donc sensiblement la même que dans la première *Action*. La pensée garde le même caractère concret et dynamique. La méthode est toujours celle d'implication. De part et d'autre, le souci de connexion rationnelle s'allie à une spiritualité profonde, à une charité ardente. La réflexion philosophique s'y

1. *L'Action*, t. II (1937), p. 14.
2. Sur *La Pensée* et *L'Etre et les êtres*, voir l'article de Jeanne MERCIER, *La Philosophie de Maurice Blondel*, dans *Revue de Métaphysique et de Morale*, 1937, p. 623-658. Voir aussi Paul VIGNAUX, *Sur quelques tendances de la philosophie de Maurice Blondel*, dans *Recherches philosophiques*, t. VI (1936-1937), p. 363-372.

ouvre également aux apports chrétiens. A certains égards, l'œuvre finale n'est qu'un développement de l'ancienne. Toutefois, le dessein général et la constitution interne offrent assez de différences, et les changements apportés à certaines thèses sont assez notables, pour qu'on puisse parler de seconde philosophie (à condition que le lecteur n'entende pas par là : une pensée hétérogène à la première). L'ouvrage de 1893 était une " philosophie de l'action ", qui, se plaçant pour ainsi dire dans l'action elle-même, assistait à la dialectique de la vie réelle, et décrivait sa logique interne; c'était une phénoménologie de l'existence. La trilogie se présente comme une " philosophie spéculative ", une métaphysique. La science de l'action par l'action n'y est exposée qu'au terme, dans le dernier volume, qui reprend *L'Action* de 1893 avec des modifications considérables. On peut dire assurément que cet ensemble ne fait que développer les virtualités anciennes dans une perspective élargie, que la philosophie spéculative de la trilogie ne fait qu'expliciter cette " métaphysique à la seconde puissance " dont le dernier chapitre de *L'Action* offrait l'ébauche. Mais l'inversion de la démarche initiale modifie la démarche elle-même. Dans la première philosophie, le principe judicatoire était le dynamisme spirituel qui anime l'action humaine en son déploiement total[1]. Dans la seconde, le principe judicatoire est l'être[2]. Sans doute, en un sens, la différence n'est qu'apparente : le dynamisme de l'action tendait à l'être, d'où il procédait, et l'être dont nous parle la trilogie est un dynamisme normatif. Mais la première philosophie visait à l'affirmation ontologique à travers une phénoménologie; la seconde est d'emblée ontologique[3].

La trilogie est une œuvre vigoureuse dont aucune analyse n'épuise la richesse. A son apparition, elle a été saluée comme un événement

1. *Le Point de départ de la recherche philosophique*, dans *Annales de phil. chrét.*, t. 152 (1906), p. 235.

2. Voir à ce sujet l'étude de Pierre LACHIÈZE-REY, *Réflexions sur la portée ontologique de la méthode blondélienne*, dans *Hommage à Maurice Blondel*, Paris, 1945, p. 115-156.

3. Il est curieux d'observer que Blondel semble ne plus comprendre la réserve de méthode, l'*épochè* phénoménologique de la première *Action*. Dans *La Pensée* (t. II, p. 501-502), pour bien montrer qu'il n'a jamais contesté la valeur objective de nos connaissances et la réalité de l'ordre physique, psychologique et métaphysique, il présente comme un contresens que ses critiques lui aient attribué la thèse " insoutenable " et " chimérique " que voici : " Croire qu'on peut aboutir à l'être et légitimement affirmer quelque réalité que ce soit sans avoir atteint le terme même de la série qui va de la première intuition sensible à la nécessité de Dieu et à la pratique religieuse, c'est demeurer dans l'illusion... " Or ces lignes se trouvent textuellement dans la première *Action* (p. 428). Elles résument une des thèses essentielles du dernier chapitre. Blondel les lit désormais à travers les méprises qu'elles ont soulevées. Il a raison de les critiquer au sens où elles ont été souvent entendues. Mais ce n'était pas leur sens véritable, nous le montrerons plus loin.

philosophique, et l'on a reconnu en son auteur un métaphysicien de race. A juste titre. Cependant, aujourd'hui surtout, elle paraît à beaucoup moins proche que la première *Action*, dont la méthode devançait certaines formes actuelles de pensée. Autre chose encore la met en situation d'infériorité. La thèse de 1893, admirablement composée, à la démarche régulière et inexorable, au style brillant et dru, jaillissait d'un seul élan et entraînait le lecteur comme malgré lui. La trilogie, au contraire (sauf *L'Être et les êtres*, dont l'ensemble est d'une belle venue), s'alourdit de répétitions, de mises en garde, de retours en arrière; la dialectique a perdu de son mordant, et le style, de son éclat et de son mouvement. Ces défauts s'expliquent en partie par la crainte des objections et le souci d'éviter les méprises. En partie également par les conditions dans lesquelles l'auteur a composé. Privé, depuis 1927, de l'usage de ses yeux, Blondel a dû non seulement quitter l'enseignement, mais dicter ses ouvrages. Ces conditions rendaient évidemment la rédaction plus difficile. Elles expliquent aussi, pour une part, que la dernière œuvre s'engrène moins profondément que la première dans les grands courants de l'époque. Blondel a gardé jusqu'au bout le souci de se tenir au courant et de dire son mot en face des nouvelles tendances, qu'il s'agît de philosophie, de religion ou de politique. Mais ne pouvant lire lui-même, il en acquérait sans doute une connaissance moins précise et moins immédiate. Aussi ses écrits ont-ils un caractère plus intemporel. Cela n'ôte rien à leur mérite. On s'incline au contraire devant le courage dont ils témoignent, et il serait regrettable qu'on se laissât détourner de leur riche substance par des défauts extérieurs. Mais on comprend aussi que beaucoup de lecteurs préfèrent la première *Action* et la considèrent comme le chef-d'œuvre du philosophe.

La Philosophie et l'Esprit chrétien fait suite à la trilogie, mais constitue une série nouvelle. A la philosophie de l'insuffisance et de l'attente succède la philosophie de la religion chrétienne. Après avoir étudié les implications nécessaires immanentes à tous les esprits, qu'ils le sachent ou non, on aborde le christianisme en sa réalité historique et contingente, sous sa forme catholique, avec ses dogmes, son culte et sa discipline. Mais c'est encore, dans la pensée de l'auteur, une étude " spécifiquement philosophique ", quoique d'un caractère inédit. Il s'agit d'analyser ce que le christianisme " a de pensable, de cohérent avec notre réalité humaine, de relativement intelligible, de naturellement indécouvrable et cependant de parfaitement désirable et bon, malgré ce qu'il réclame de nous et ce qui surpasse, sinon nos vagues aspirations, du moins nos possibilités naturelles et nos réclamations humaines[1] ".

---

1. *La Philosophie et l'Esprit chrétien*, I, p. 211-212.

La tome premier manifeste la correspondance des initiatives rationnelles de l'homme et des apports du plan divin de salut. Depuis l'initiale
vocation surnaturelle de l'humanité jusqu'à l'accomplissement de la
rédemption, le plan providentiel s'adapte à notre nature et même aux
écarts de notre liberté. Les divers mystères chrétiens résolvent, à un
niveau supérieur naturellement inaccessible, des énigmes philosophiques.
Ainsi le mystère de la Trinité, l'énigme philosophique d'un Dieu solitaire; le mystère de notre vocation surnaturelle, l'énigme d'une destinée
inachevable; le mystère du Médiateur incarné, l'énigme d'une constante
fonction médiatrice; le mystère de la rédemption, l'énigme de la répa-
ration des fautes. Le tome second manifeste les risques que court l'humanité et les secours que Dieu met à sa disposition pour soutenir la chré-
tienté jusqu'à l'accès de la vie éternelle : l'Église, les sacrements, le message de la perfection évangélique, les perspectives eschatologiques.

Cet ouvrage, d'une inspiration profondément religieuse, offre, sur
le sens du christianisme, un ensemble qu'on ne trouverait peut-être
nulle part ailleurs. Plusieurs développements sont particulièrement suggestifs; tels ceux qui manifestent la correspondance entre mystères
chrétiens et énigmes philosophiques. Malheureusement, les défauts de
composition et de style, plus sensibles encore que dans la trilogie, en
rendent la lecture pénible. D'autre part, il ajoute peu d'idées vraiment
nouvelles aux écrits antérieurs. Beaucoup de points avaient été traités
en divers articles ou excursus, et de façon plus vigoureuse. L'intention
fondamentale animait déjà la dernière partie de la première *Action*.
Enfin, depuis cette époque lointaine, la pensée religieuse s'est considé-
rablement enrichie. Stimulée précisément par la philosophie blondélienne, la théologie française s'est appliquée à dégager la signification
du mystère chrétien pour l'homme. Sous d'autres influences, la phénoménologie religieuse s'est développée, la théologie biblique et patristique
a reçu un nouvel essor. Ces divers progrès rendent le lecteur plus exigeant. C'est pourquoi, sans doute, *La Philosophie et l'Esprit chrétien* n'a
pas éveillé beaucoup d'échos.

Blondel est mort le 4 juin 1949, sans avoir pu en achever le troisième
et dernier tome. Mais il laissait, toutes prêtes pour l'impression, deux
études complémentaires l'une de l'autre : *Le Sens chrétien* et *De l'Assimilation*, que l'éditeur allait réunir sous le titre global : *Exigences philosophiques
du christianisme*. Dictées près de vingt ans auparavant, plus rapides, plus
directes, plus accessibles aux lecteurs non philosophes, ces études sont
aussi d'une meilleure venue. La première considère, d'un point de vue
philosophique, " l'esprit chrétien " : elle montre les convenances et la
cohérence du dogme et de la vie chrétienne. La seconde examine comment est possible et réalisable l'intussusception de la vie divine en

l'homme. De part et d'autre, l'auteur insiste, comme il l'a déjà fait souvent, sur la distinction des deux dons : celui de la nature et celui de la grâce, et sur la nécessité d'une nouvelle naissance, mortifiante, pour accueillir le second.

Qu'il s'agisse, en effet, des diverses études sur l'*Esprit chrétien* ou de la trilogie elle-même, la question cruciale reste, comme dans la première *Action* et la *Lettre* sur l'Apologétique, celle de la place faite à l'idée de surnaturel en philosophie. Comme nous l'avons annoncé, la dialectique blondélienne se déroule désormais selon les principes établis dans *Le Problème de la philosophie catholique*. En voici les principales étapes.

La constante inadéquation qui divise et promeut la pensée, l'être et l'action, manifeste la présence d'une Pensée parfaite, d'un Être en soi, d'un pur Agir, principe créateur et terme de toute aspiration. Notre insuffisance, notre incomplétude nous impose d'affirmer l'existence de Dieu, sa présence en nous et son concours nécessaire.

Cette affirmation suscite à son tour une alternative et une option : ou bien, après avoir reconnu une fois pour toutes cette assistance nécessaire, tourner notre pensée et notre activité vers la conquête scientifique et l'organisation du monde, profiter du concours divin pour ne nous occuper que de notre action; ou bien reconnaître que le témoignage rendu à Dieu par l'univers et notre pensée nous empêche de nous borner à la seule jouissance du monde et de nous-mêmes, qu'il y a une obligation " religieuse " de nous " rattacher " à lui, au lieu d'utiliser simplement son concours pour capter le reste. Seule la seconde attitude répond à l'élan originel et constant de la pensée et de l'action. La conscience du concours divin, de façon implicite ou explicite, mais toujours inéluctable, fait surgir le besoin de tendre à une union avec celui qui est le principe et la fin de tout être et de toute activité. Nous portons en nous le *désir naturel* d'une communion plus intime avec Dieu. *Omnia intendunt assimilari Deo*.

Mais en même temps, cette aspiration nous paraît chimérique. La dialectique qui nous a conduit à l'affirmation de Dieu nous l'a fait reconnaître comme le Parfait, le Pur, l'Inaccessible, le Transcendant, celui avec qui nous n'avons aucune mesure. Nous ne pouvons par nos propres forces entrer en communion avec lui. Ainsi, la raison, qui suscite et fonde le désir naturel de cette communion, montre également qu'un tel désir est *inefficace*.

Quelle sera notre attitude en ce conflit tragique ? Bornerons-nous nos aspirations, à l'exemple de la sagesse hellénique ? " Sans doute,

Quand nous soulignons les différences entre la trilogie et *L'Action*, quand nous parlons de seconde ou de dernière philosophie, nous n'entendons pas dire que Blondel aurait " renié " son " inspiration première " et " trahi son point de départ ". Les considérations que l'on a opposées à l'idée d'une seconde philosophie[1], dans la mesure où elles pourraient concerner ce que nous avons écrit autrefois à ce sujet, étaient incluses dans notre exposé lui-même. Alors comme aujourd'hui, nous avons annoncé dès le début, montré ensuite et rappelé enfin que l'évolution de la pensée blondélienne s'est faite au sein d'une même intention fondamentale : intention maintenue jusqu'au bout, même lorsque l'auteur, pour des raisons extrinsèques, a médit, non sans injustice, de ses premiers écrits et introduit dans les derniers tel ou tel élément qui nous paraît s'accorder moins bien avec elle.

1. H. Duméry, *Blondel et la Religion*, p. 5-7; *La Tentation de faire du bien*, p. 183.

II
LA GENÈSE
DE L'IDÉE DE SURNATUREL

La philosophie, quand elle s'applique à suivre le déploiement intégral de l'action humaine, aboutit à considérer le surnaturel comme indispensable en même temps qu'inaccessible à l'homme. Telle est, on s'en souvient, la thèse que Blondel développait dans L'Action de 1893 et dans la Lettre de 1896. On se rappelle aussi les oppositions qu'elle a soulevées, du côté des philosophes, puis du côté des théologiens. Il s'agit maintenant de la cerner avec plus de précision. Nous la prendrons telle qu'elle s'est présentée d'abord, abstraction faite des explications que l'auteur a données peu après et des modifications qu'il a introduites plus tard. Nous n'envisagerons celles-ci qu'ensuite, et plus brièvement.

Le même souci de saisir la pensée de Blondel en son état premier a inspiré l'essai critique d'Henry Duméry sur la Lettre de 1896[1]. Cette courte étude, aux arêtes vives, aux distinctions limpides, s'écarte délibérément, sur certains points, des interprétations antérieures. Nous devrons donc en tenir compte de façon plus particulière. Pour que le lecteur puisse situer aisément nos remarques disséminées, il est utile que nous présentions d'abord en quelques mots l'idée centrale de cette nouvelle interprétation.

Pour Blondel, dit Duméry, la philosophie est essentiellement analyse réflexive et critique. Elle consiste à ordonner et enchaîner, dans une même série intelligible, dans une même trame idéale, les différentes conditions de l'agir, en réservant à la liberté, à l'option effective, le soin de les réaliser en fait. C'est cette réserve qui lui permet d'insérer la notion

1. Henry DUMÉRY, Blondel et la Religion, essai critique sur la " Lettre " de 1896, Paris, P.U.F., 1954. (Voir page 2 et 82.) On retrouve le même souci dans quelques pages de Critique et Religion (Paris, Sedes, 1957), p. 99-112. L'ouvrage antérieur du même interprète, La Philosophie de l'Action (Paris, Aubier, 1948), avait un autre dessein : étudier L'Action de 1893 " comme la cellule-mère de tout l'ensemble " de l'œuvre blondélienne (p. 16).

de surnaturel dans la trame idéale des conditions de l'agir, sans empiéter sur la transcendance et la gratuité du don divin. Laissant à la foi le soin de se prononcer sur la *réalité* du surnaturel, elle n'envisage que l'*intelligibilité* de son idée[1].

Lors donc que Blondel établit en philosophe la *nécessité* du surnaturel, il n'entend pas démontrer que celui-ci serait " requis en fait par un homme appelé au surnaturel[2] "; il démontre simplement que la philosophie ne peut pas ne pas en faire l'hypothèse, et qu'elle ne peut pas non plus ne pas reconnaître que cette hypothèse est cohérente[3]. En d'autres termes, " pour Blondel, la philosophie, ou la raison critique, ou la nature purement humaine, n'exige pas que le surnaturel soit donné en fait. Elle exige qu'il fasse problème et elle exige que ce problème soit dénoué sous certaines conditions. Elle renonce à dire plus et à faire davantage. Car elle sait que l'homme reste libre de ses options, même quand la réflexion a parlé, comme Dieu reste libre de ses dons, même quand sa bonté s'est épanchée[4]. " — La vérification pratique appartient à la conscience libre, au sujet concret. Si cette vérification est positive, " il sera démontré alors — mais alors seulement — que l'action voulait en fait le surnaturel, parce que la grâce de Dieu la pressait de le vouloir[5] ".

L'interprétation que nous venons de résumer contient, on l'aura remarqué, une pointe polémique. Qui est visé ? On se demande si ce ne sont pas tous les interprètes antérieurs. Duméry insiste en effet sur la nouveauté de sa découverte[6]; et il renvoie volontiers dos à dos partisans et adversaires de Blondel, reprochant aux premiers de le louer et aux seconds de le blâmer pour une thèse qu'il n'aurait jamais soutenue[7]. Toutefois, en ce qui concerne la nécessité du surnaturel, un seul interprète est nommément critiqué : le P. de Montcheuil. " Il lui arrive, écrit Duméry, de confondre l'hypothèse nécessaire du surnaturel inscrite au plan idéal et le besoin effectif de divinisation ressenti par une nature

1. *Blondel et la Religion*, p. 41-42. Cf. du même auteur, *Critique et Religion*, pages 103-107.
2. *Blondel et la Religion*, p. 94.
3. *Loc. cit.*, p. 52, 84-85, 92-93.
4. *Loc. cit.*, p. 94.
5. *Loc. cit.*, p. 80.
6. *Loc. cit.*, p. 9 : " La joie de l'historien est dans le détachement critique. Combien grande est-elle alors s'il vient à découvrir qu'un texte incriminé veut dire autre chose que ce qu'on lui a fait dire. La *Lettre* nous a réservé une surprise de ce genre. C'est sans plus attendre qu'il faut en faire part au lecteur. "
7. *Loc. cit.*, p. 103. Il semble même considérer les " laudateurs " comme responsables du blâme infligé par les " détracteurs ". C'est d'autant plus surprenant que le seul " laudateur " nommé à cet endroit a publié plus de quarante ans après les premiers " détracteurs ".

placée de fait dans une vocation surnaturelle. [...] Il lui a manqué de concevoir nettement le genre de rapports que l'ordre intelligible entretient avec l'ordre des réalisations[1]. " C'est exactement, on le voit, ce contre quoi Duméry dirige la pointe polémique de son interprétation.

Nous aurons l'occasion, au chapitre suivant, d'expliquer en quoi le texte célèbre du P. de Montcheuil appelle quelques correctifs et quelques précisions, en quoi cependant les divers reproches que lui adresse Duméry sont excessifs. Bornons-nous ici à deux remarques.

Reconnaître dans l'esprit réel un besoin effectif de divinisation, et admettre que la nature humaine (même appelée au surnaturel) exige que le surnaturel soit donné en fait, ce sont là deux thèses très différentes. Duméry semble les confondre. Le P. de Montcheuil tenait à la fois que Blondel a développé la première et qu'il a exclu la seconde[2].

D'autre part, Duméry est amené à voir chez Blondel lui-même la confusion qu'il reproche au P. de Montcheuil, entre l'ordre intelligible et celui des réalisations, entre l'hypothèse nécessaire du surnaturel inscrite au plan idéal et le besoin effectif de divinisation. N'en faudrait-il pas conclure que l'exégèse critiquée reproduit fidèlement l'original ?

Duméry constate, en effet, que Blondel emploie à plusieurs reprises des formules qui ne favorisent pas son interprétation et qui lui paraissent " très équivoques[3] ". Il en cite loyalement un certain nombre[4] (on pourrait en ajouter beaucoup d'autres). Blondel répète, dit-il, que l'homme veut réellement l'infini, qu'il a besoin du surnaturel, que " si notre nature n'est pas chez elle dans le surnaturel, le surnaturel est chez lui dans notre nature[5] ", qu' " il est donc inévitable que ne s'effacent jamais les titres de naturalisation qu'il laisse en nous[6] ", etc.[7]. " Tout cela, poursuit Duméry, ne signifie-t-il pas que nous voulons effectivement le surnaturel, sans pouvoir d'ailleurs nous le donner ? Oui, sans aucun doute, c'est là le sens de telles formules. Seulement, celles-ci sont écrites pour désigner le but à atteindre, le dénouement de l'option. Sans y

1. *Blondel et la Religion*, p. 102, note 2.
2. Yves DE MONTCHEUIL, Introduction aux *Pages religieuses* de Maurice Blondel, p. 24 : " On en serait encore plus loin [de la vraie pensée de Blondel] si l'on pensait par cette voie atteindre, non plus seulement à montrer que le surnaturel est nécessaire pour nous, mais qu'il est effectivement. Il faudrait alors en effet admettre comme postulat au point de départ que les aspirations de la volonté doivent être satisfaites et que tout ce qu'elle requiert est réellement donné. Or il n'y a pas de postulat de ce genre à la base de la philosophie de l'action. "
3. *Blondel et la Religion*, p. 77.
4. *Loc. cit.*, p. 77-79.
5. *Lettre*, p. 45 (39 dans le tiré à part que cite Duméry).
6. *Lettre*, p. 45 (39).
7. *Blondel et la Religion*, p. 77-79.

prendre toujours garde, Blondel brouille les étapes et parle tantôt du point de vue des prémisses philosophiques, tantôt du point de vue de la décision pratique. [...] Emporté par son sujet, il lui arrive de s'exprimer, tantôt comme philosophe, tantôt comme croyant[1]. " En quoi il n'est pas fidèle jusqu'au bout à la distinction radicale qui fonde la méthode d'immanence : celle du plan formel de la réflexion et du plan réel de l'action[2]. L'interprète doit donc rétablir les choses selon l'ordre et restituer le sens progressif de la démonstration.

Une remarque tout extérieure suffit à rendre ces propos quelque peu inquiétants. Les déclarations de Blondel qui y sont rapportées et celles qu'on pourrait ajouter tiennent une telle place et jouent un tel rôle dans la *Lettre* et dans *L'Action*, qu'y reconnaître équivoque et confusion, c'est voir équivoque et confusion au cœur même de la pensée blondélienne; c'est avouer non seulement que Blondel n'a pas été fidèle jusqu'au bout à la méthode d'immanence, mais qu'il brouillait les étapes au moment même où il s'appliquait à la définir. Car, parmi les formules que Duméry juge équivoques figure la définition même de la méthode; et les autres en sont la préparation ou le commentaire. Voilà de quoi réjouir tous ceux qui ont reproché à Blondel sa confusion.

Nous ne prétendons pas que la pensée blondélienne soit toujours claire et exempte d'ambiguïté. Mais il nous semble que, ici en tout cas, elle ne brouille pas les étapes et qu'il n'y a pas lieu de distendre le sens obvie de ses affirmations. Il suffit de le bien comprendre. Blondel manifeste l'intention de montrer que nous voulons effectivement le surnaturel, sans pouvoir d'ailleurs nous le donner. Mais le vouloir effectif qu'il entend faire ressortir par la méthode d'immanence n'est pas le vouloir *explicite* qui s'exerce au sein de la foi; c'est un vouloir *implicite*, que la dialectique (et non l'introspection) amène à reconnaître au principe de l'activité spontanée, en tout homme, fût-il incroyant. En outre, l'objet de ce vouloir n'est pas le surnaturel sous la forme *positivement déterminée* que lui confère la révélation chrétienne, mais le surnaturel encore *indéterminé* que des philosophes, même païens, ont pressenti. Quand on a saisi cette double distinction, on voit aisément que la démonstration de Blondel reste tout entière antérieure à l'acte de foi et ne sort pas du domaine de la philosophie, telle qu'il la conçoit.

Nous nous proposons de montrer par l'analyse des textes que la thèse de *L'Action* et de la *Lettre* est bien celle que nous venons d'énoncer. Peut-être y découvrira-t-on certaines précisions que ni Blondel ni ses amis n'ont suffisamment fait valoir par la suite. Peut-être ainsi ren-

1. *Loc. cit.*, p. 79.
2. *Loc. cit.*, p. 79, note 3.

drons-nous justice par une autre voie au meilleur dessein de Duméry :
établir que Blondel n'a pas confondu ce qu'il avait le droit de déduire
ou d'inférer comme philosophe et ce qu'il ne pouvait affirmer que
comme croyant.

I. LA RENCONTRE DE LA PHILOSOPHIE
ET DU CHRISTIANISME

1. *Le problème.*

Pour comprendre comment Blondel a été amené à envisager en philosophe la nécessité du surnaturel, il faut se rappeler comment s'est imposé
à son attention le conflit de la philosophie moderne et de la foi catholique.

Profondément chrétien, avec une âme d'apôtre, le jeune provincial
qui arrivait en 1881 à l'École Normale était bien décidé à faire rayonner
ses convictions parmi ses camarades. Très souvent, il se heurta à un mur.
On opposait une fin de non-recevoir à l'examen même du christianisme,
et cela au nom de l'attitude philosophique. Comment un philosophe
prendrait-il au sérieux une doctrine qui prétend imposer, sous peine de
damnation éternelle, la soumission de l'esprit et du vouloir à un ordre
surnaturel venu tout entier du dehors ? Ou encore : " Pourquoi serais-je
obligé de m'enquérir et de tenir compte d'un fait divers survenu il y a
1900 ans dans un coin obscur de l'Empire romain, alors que je me fais
gloire d'ignorer tant de grands événements contingents dont la curio-
sité appauvrirait ma vie intérieure[1] ? " Le choc que causa chez Blondel
une telle attitude fut l'origine de sa réflexion. Pour amener de tels esprits
à envisager les exigences chrétiennes, il fallait d'abord lever l'objection
préjudicielle, montrer que les exigences proclamées par la prédication
répondent à un appel intérieur, de telle sorte que l'hétéronomie est ici
condition de la véritable autonomie. Seule la philosophie pouvait tenir
un tel discours à des philosophes.

D'autre part, à l'époque où Blondel rédigeait *L'Action*, le spinozisme

---

1. Objection faite à Blondel par un condisciple; rapportée dans *Le Problème de
la Philosophie catholique*, p. 11, note.

attirait un assez grand nombre d'esprits. On s'intéressait aussi aux systèmes post-kantiens qui en avaient subi l'influence. Hegel, à vrai dire, n'était connu en France que d'un tout petit nombre. Mais Secrétan, Ravaisson, Lachelier avaient attiré l'attention des milieux universitaires sur Schelling. Nous n'avons aucune raison de penser que Blondel aurait lu quelque ouvrage de Hegel avant d'écrire sa thèse. Mais nous savons, par ses notes et sa correspondance, qu'il a lu *L'Idéalisme transcendantal* de Schelling[1]. D'autre part, par son ami Victor Delbos, qui étudiait le spinozisme et sa postérité, il gardait un contact permanent avec ces doctrines[2]. Toutes lui apparaissaient comme une tentative de " remplacer le christianisme ", d'offrir un " surnaturel naturalisé et retourné[3] ". Il fallait, par une voie philosophique, montrer l'échec de cette tentative et la nécessité de rester ouvert au surnaturel comme tel.

Voilà comment le conflit de la pensée moderne et du christianisme catholique s'est imposé à l'esprit de Blondel et l'a amené à examiner en philosophe la question du surnaturel. Telle est précisément la problématique exposée dans la *Lettre sur les exigences de la pensée contemporaine en matière d'apologétique et sur la méthode de la philosophie dans l'étude du problème religieux.*

" La pensée moderne avec une susceptibilité jalouse considère la notion d'*immanence* comme la condition même de la philosophie; c'est-à-dire que, si parmi les idées régnantes il y a un résultat auquel elle s'attache comme à un progrès certain, c'est à l'idée, très juste en son fond, que rien ne peut entrer en l'homme qui ne sorte de lui et ne corresponde en quelque façon à un besoin d'expansion, et que ni comme fait historique, ni comme un enseignement traditionnel, ni comme obligation surajoutée du dehors, il n'y a pour lui vérité qui compte et précepte admissible sans être, de quelque manière, autonome et autochtone. Or, d'autre part, il n'y a de chrétien, de catholique que ce qui est *surnaturel*, [...] proprement surnaturel; c'est-à-dire qu'il est impossible à l'homme de tirer de soi ce que pourtant on prétend imposer à sa pensée et à sa volonté[4]. "

Remarquons que Blondel ne définit pas ici ce qu'il appellera un peu plus loin la méthode d'immanence[5]. Il pose simplement le problème

1. Lettre à Maurice Léna, 23 mars 1890.
2. Nous reviendrons, au dernier chapitre, sur l'attention accordée par Blondel au spinozisme et à ce qu'il appelait alors le " panthéisme allemand ".
3. Nous avons trouvé ces formules dans des notes de 1894, destinées à préparer l'article que nous citerons plus loin, sur " l'évolution du spinozisme " (à propos de l'ouvrage de Delbos).
4. *Lettre*, p. 34.
5. Peut-être est-il exagéré de dire qu' " on se plaît en général à illustrer la méthode d'immanence " par ce texte (DUMÉRY, *Blondel et la Religion*, p. 38, note 1). Nous n'en

qu'elle doit permettre de résoudre : l'apparente exclusion mutuelle de la philosophie et du christianisme. Tout en avouant d'emblée que la pensée rationaliste a des exigences légitimes, il la présente, en ce premier temps, comme elle se présente elle-même, c'est-à-dire avec l'apparence de contredire la notion même de surnaturel. Le rapport qu'il établit entre philosophie et christianisme n'est pas encore celui auquel il s'arrêtera : c'est, antérieurement à la synthèse qu'il veut effectuer par sa dialectique, l'antithèse de deux figures concrètes de l'esprit[1].

La philosophie qu'il envisage pour l'instant est, en effet, celle qui a inspiré, dans la *Revue de Métaphysique et de Morale*, ce compte rendu de *L'Action* où il se voyait contester la qualité de philosophe. " Le rationalisme moderne, disait le rédacteur anonyme (L. Brunschvicg), a été conduit par l'analyse de la pensée à faire de la notion d'immanence la base et la condition même de toute doctrine philosophique[2]. " Cette déclaration n'était pas sans analogie avec certains propos des camarades de Blondel à l'École Normale. Elle reflétait plus exactement encore ce que d'excellents esprits empruntaient au spinozisme, au nom de quoi ils écartaient la foi et la pratique catholiques. Blondel pensait au contraire que " la notion d'immanence [...], loin d'exclure, requiert, si elle est complètement développée, les vérités transcendantes auxquelles elle semblait d'abord radicalement hostile[3] ". Mais, dans le passage de la *Lettre* que nous commentons, avant d'introduire la distinction entre la méthode d'immanence, qu'il accepte, et la doctrine d'immanence, qu'il refuse, il s'applique d'abord à déployer aux yeux de ses lecteurs catholiques l'antithèse du rationalisme et du christianisme. Il note même, à l'adresse de certains d'entre eux, que le sentiment de cette antithèse n'est pas le fait d'esprits " malades ", qu'il exprime bien plutôt le mal de l'homme en face du divin[4].

Le surnaturel chrétien, explique-t-il, constitue un double scandale pour le philosophe : d'une part, il n'est authentique que s'il est donné d'en haut et reçu, non pas trouvé et issu de nous ; d'autre part, ce don,

connaissons pas d'exemple parmi les interprètes sérieux. Seuls des polémistes comme l'abbé Gayraud ont tout confondu. (Voir *Une nouvelle apologétique chrétienne*, dans les *Annales de phil. chrét.*, décembre 1896, p. 267-268.)

1. En confrontant ici la notion de surnaturel à la notion d'immanence, Blondel ne veut donc pas enseigner que le surnaturel ne peut entrer dans l'homme que s'il en sort. Ne confondons pas l'objection et la réponse.

2. *R. M. M.*, novembre 1893, supplément; reproduit dans *Études blondéliennes*, I, p. 99.

3. Sous le pseudonyme de Bernard AIMANT, *Une des sources de la pensée moderne : l'évolution du Spinozisme*, dans les *Annales de philosophie chrétienne*, tome 128 (1894), p. 262.

4. *Lettre*, p. 36.

gratuit en sa source, est obligatoire pour le destinataire, de telle sorte qu'impuissants à nous sauver, nous sommes puissants pour nous perdre à jamais [1].

Mais ce qui paraît d'abord constituer une incompatibilité formelle est aussi ce qui permet la rencontre. Si le christianisme se présentait comme facultatif, s'il nous était loisible de refuser impunément le don divin qu'il nous annonce, alors le renoncement à une vocation plus haute nous laisserait au niveau où l'homme s'élève spontanément; l'idée de surnaturel ne poserait donc aucun problème à la philosophie. Mais du moment où la Révélation considère l'attitude neutre ou négative comme une déchéance positive, du moment où notre pauvreté peut contracter une dette telle que l'éternité devra la payer, " alors la rencontre se fait, la difficulté éclate, le problème est posé. Car, s'il est vrai que les exigences de la Révélation sont fondées, on ne peut dire que chez nous nous soyons tout à fait chez nous; et de cette impuissance, de cette insuffisance, de cette exigence il faut qu'il y ait trace dans l'homme purement homme, et écho dans la philosophie la plus autonome [2]. "

Il importe au plus haut point de bien comprendre ces déclarations : elles nous introduisent au cœur de la problématique définie dans la *Lettre*. Ce qui occupe l'auteur, on le voit, c'est le problème philosophique de la rencontre entre la philosophie et le christianisme, et non pas le problème théologique du rapport entre la créature humaine et sa destination surnaturelle. Blondel n'est donc pas amené à se demander comment ce rapport se diversifie selon qu'on envisage l'homme dans un hypothétique état de nature pure, ou dans l'état de nature intègre, ou dans celui de nature déchue ou dans un monde racheté. Plus tard, il prendra ces problèmes en considération. A l'époque où nous sommes, il les laisse hors de sa perspective. Quand il parle ici de " l'homme purement homme ", il ne pense pas à l'état de pure nature [3], mais à l'homme

1. *Lettre*, p. 35-36.
2. *Lettre*, p. 37. Il est arrivé à Duméry d'écrire que Blondel, dans la dernière proposition citée ici, " semble vouloir dire que la nature exige le surnaturel ", contredisant ainsi en apparence d'autres déclarations (*Blondel et la Religion*, p. 78, note 3). En réalité, le mot " exigence ", dans cette proposition, répète manifestement celui d' " exigences ", qui figure dans la proposition précédente. Il ne s'agit donc pas d'une exigence de la nature à l'égard du surnaturel, mais de l'exigence de la Révélation à l'égard de l'homme.
3. Blondel y aurait-il pensé dans un autre passage de la *Lettre* ? Il déclare qu'en montrant la nécessité du surnaturel, il n'entend pas " nier qu'un état neutre ne soit concevable pour quiconque n'a pas été appelé à user de raison ou à recevoir par pure grâce communication de la vertu médiatrice " (p. 44). Duméry estime que " par cette formule Blondel entend faire sa part à l'hypothèse de la nature pure " (*Blondel et la Religion*, p. 34, note 1). Nous ne le croyons pas. Blondel, en effet, n'envisage pas

réel tel qu'il est et se connaît indépendamment de la foi chrétienne. On ne saurait dire, cependant, qu'il ferait directement appel à ce qu'il nommera plus tard l'état " transnaturel ", car " l'homme purement homme " est censé ignorer l'existence d'une grâce première et prévenante. Encore une fois, Blondel n'examine pas ici quelles sont les relations de l'homme avec Dieu selon les divers états que distinguent les théologiens; il pose la question de savoir ce que l'homme porte nécessairement en soi, *si* les exigences du christianisme à son égard sont fondées, et s'il doit y avoir moyen de reconnaître qu'elles le concernent. *S'il est vrai*, dit la *Lettre*, que l'accueil du don divin annoncé par l'Évangile est nécessaire sous peine de damnation, *il faut* qu'il y en ait trace dans l'homme purement homme, c'est-à-dire chez celui même qui ignore ou rejette le christianisme; *il faut* par suite qu'il y en ait écho dans la philosophie la plus autonome. " Puisque le refus de l'état auquel il est destiné n'est pas pour l'homme pure privation, mais déchéance positive, c'est qu'il faut retrouver, même dans la vie fermée à la foi, quelque chose de ce qu'elle repousse[1]. » Il est inévitable que ne s'effacent jamais " les titres de naturalisation " que le surnaturel laisse en nous, s'il est vrai que " se dérober à sa destinée ce n'est point s'y soustraire[2]. "

Blondel, on le voit, signale ici au croyant[3] ce que l'hypothèse de la vérité du christianisme implique nécessairement, et il lui déclare que c'est là ce par quoi le philosophe pourra trouver au christianisme un sens. Ce que le croyant nomme un écho doit en effet apparaître au philosophe sous la forme d'un besoin intime. Blondel écrit à l'adresse de ce dernier : " En face de ce rationalisme qui fait de la notion d'immanence la condition de toute philosophie, la question est aujourd'hui de savoir si, dans l'ordre seul conservé, ne reparaît pas impérieusement le besoin de l'autre[4]. "

En quoi consiste ce " besoin " et comment se dévoile-t-il au philosophe, c'est ce que nous aurons à préciser. Cependant, la seule considé-

---

ici l'idée d'un état qui aurait pu être celui de l'humanité en général, mais l'idée d'un état qui pourrait être, même dans l'économie présente, celui de certains hommes, de ceux qui n'ont pas eu l'usage de la raison et à qui, selon l'hypothèse, Dieu ns communiquerait pas la vertu médiatrice en les dispensant de toute coopération. — Dans la *Lettre*, comme dans *L'Action*, Blondel ne nie pas la possibilité d'un état de nature pure : il n'en parle pas.

1. *Lettre*, p. 21.
2. *Lettre*, p. 45.
3. Ne l'oublions pas : alors que *L'Action* s'adresse au philosophe incroyant, la *Lettre* s'adresse *directement* à des croyants, apologistes ou théologiens, en vue de leur expliquer les légitimes exigences de la philosophie, et de montrer ainsi *indirectement*, aux philosophes qui la liront, le caractère rationnel de l'entreprise blondélienne.
4. *Lettre*, p. 30.

ration de la problématique initiale nous donne déjà une indication précieuse sur la portée des développements ultérieurs. Si Blondel entreprend de démontrer en philosophe le besoin ou la nécessité du surnaturel, c'est pour amener les esprits à prendre au sérieux les exigences proclamées en fait par le christianisme. Sa démonstration vise donc à établir, non pas que *Dieu doit* se donner à l'homme sous peine de laisser sa créature inassouvie, mais que *l'homme doit* accueillir son libre don annoncé par la prédication chrétienne.

Cette obligation ou cette nécessité est proclamée, on le sait, par le message lui-même. Mais encore faut-il qu'elle soit reconnue comme telle par nous. Elle ne pourra l'être, dit Blondel, que si nous voyons dans sa notification extérieure la réponse à une attente, à un " appétit impérieux[1] ", si nous y reconnaissons en quelque manière l'objet de notre vouloir implicite. Il ne suffit pas de présenter le dogme en sa splendeur interne, il faut encore que le sujet soit préparé à l'accueillir[2]. Il ne suffit pas non plus de scruter l'histoire du grand fait chrétien. " D'où vient en effet que je dois tenir compte de ce fait, alors que je puis légitimement me désintéresser de tant d'autres faits également réels ? Dans quelle mesure serai-je responsable d'une abstention volontaire ? Autant de questions qui restent sans réponse, parce qu'il ne suffit pas d'établir séparément la *possibilité* et la *réalité*, mais qu'il faut encore montrer la *nécessité pour nous* d'adhérer à cette réalité du surnaturel[3]. " Remarquons bien la formule qu'emploie ici Blondel. Elle indique exactement ce qu'il attend de la philosophie en face du christianisme : montrer la nécessité pour nous de reconnaître la réalité du surnaturel.

La philosophie doit donc exercer d'après lui le rôle de " préparation subjective[4] " à la foi. Sans " prétendre à faire surgir la foi dans une âme ", elle montrera " que l'homme ne peut se passer impunément, mais qu'il ne peut se mettre en possession tout seul de cette vie qui lui est nécessaire et impraticable[5] ". Elle déterminera ainsi " les dispositions

1. *Lettre*, p. 15.
2. *Lettre*, p. 28.
3. *Lettre*, p. 13.
4. *Lettre*, p. 28.
5. *Lettre*, p. 13-14. Lorsque Blondel déclare ici que " l'homme ne peut se passer impunément " de la vie surnaturelle, il faut sous-entendre, dit Duméry : " dans le cas où elle existe réellement ". (*Blondel et la Religion*, p. 57, note 1). Nous ne croyons pas qu'il y ait lieu d'énoncer ici ce conditionnel; car Blondel, en ce passage, s'adresse à des croyants, qui admettent comme lui la réalité du surnaturel. (Nous verrons plus tard en quel sens il envisage le surnaturel à titre d'hypothèse, quand il s'adresse au philosophe incroyant.) De même, la formule : " cette vie nécessaire et impraticable " ne recèle ici aucune ambiguïté. Elle répète simplement ce qu'enseigne l'Évangile : la foi est nécessaire au salut, bien qu'aucun moyen humain ne suffise à la faire surgir, parce qu'elle est un don gratuit.

d'esprit qui préparent l'intelligence des faits et le discernement pratique des vérités proposées d'ailleurs[1] ".

Ces diverses indications nous orientent toutes dans le même sens : quand la philosophie, selon Blondel, manifeste le besoin du surnaturel, elle n'exige pas que Dieu se révèle; elle dévoile simplement l'*a priori* grâce auquel nous pouvons saisir et admettre les exigences de la Révélation.

2. *La méthode et sa portée.*

Par quelle méthode le dévoile-t-elle ? Par celle-là même qui a fait jaillir le conflit et a cerné la difficulté. La " méthode d'immanence ", qui a d'abord semblé exclure l'idée de surnaturel, est seule capable, dit Blondel, de lui faire place. Pour qu'elle y aboutisse, il suffit de l'appliquer intégralement à l'examen de la destinée humaine[2].

Elle consistera " à mettre en équation, dans la conscience même, ce que nous paraissons penser et vouloir et faire, avec ce que nous faisons, nous voulons et nous pensons en réalité : de telle sorte que dans les négations factices ou les fins artificiellement voulues se retrouveront encore les affirmations profondes et les besoins incoercibles qu'elles impliquent[3] ".

Cette formule, que l'auteur donne expressément comme la définition de la " méthode d'immanence ", telle qu'il entend la mettre en œuvre, Duméry la range parmi les formules " très équivoques " qui manquent à la méthode d'immanence, parce qu'elles brouillent les étapes et confondent le plan de la réflexion et celui de l'action[4]. Nous pensons que, si l'interprète voit ici et ailleurs une confusion, c'est parce qu'il entend autrement que Blondel le rapport que celui-ci établit entre la réflexion et l'action. Nous le montrerons plus tard, lorsque, ayant suivi la démarche de *L'Action* en quelques points essentiels, ayant saisi la méthode en son exercice même, nous serons mieux à même d'expliciter son concept. Accueillons, pour l'instant, les déclarations de Blon-

---

1. *Lettre*, p. 14.
2. *Lettre*, p. 38.
3. *Lettre*, p. 39. Cf. p. 85 : " La philosophie, usant d'une méthode complexe et contraignante, qui lui permet de traverser et d'entraîner dans le courant d'un même déterminisme toutes les formes de pensée et de vie, a pour rôle de montrer ce que nous avons inévitablement et ce qui nous manque nécessairement pour que nous puissions réintégrer dans notre action voulue tout ce qui est posé et postulé par notre action spontanée. "
4. *Blondel et la Religion*, p. 79.

del selon le 1r sens obvie. On verra que l'auteur attend de la réflexion philosophique et de la méthode d'immanence plus que ne le dit Duméry.

L'auteur de la *Lettre*, dans la phrase que nous avons citée, présente, sous un nom qu'il n'a pas choisi, la méthode qu'il avait déjà définie et appliquée tout au long de *L'Action*. Elle consiste à manifester, à chaque étape, une nouvelle discordance entre " volonté voulue " et " volonté voulante ", jusqu'à ce qu'apparaisse enfin la condition ultime de leur équation. Ce dévoilement ne s'effectue pas au moyen d'une introspection, mais par une réflexion. Les vulgarisateurs ont trop souvent donné de la pensée de Blondel une interprétation psychologique, que favorise parfois son langage, mais qu'écartent ses explications. C'est à juste titre que Duméry proteste contre une telle méprise[1], comme l'ont fait de leur côté le P. de Montcheuil[2], le P. Cartier[3] et plusieurs autres. La " volonté voulante " dont parle Blondel n'est pas un vouloir conscient ou subconscient qu'une introspection attentive nous permettrait de découvrir, et que nous pourrions comparer à la " volonté voulue " comme on compare deux projets pour examiner s'ils sont compatibles. Ainsi que l'indique la seconde édition de *L'Action*, la volonté voulante est à la volonté voulue ce qu'était, selon les Scolastiques, la *voluntas ut natura* par rapport à la volonté élicite[4]. Cela signifie qu'elle est, au cœur même d'une libre décision, le vouloir originaire que celle-ci implique nécessairement. Elle n'existe pas à côté de la volonté voulue, elle s'exerce en elle, comme son principe et comme la règle qui permet de la juger. Elle est, au sein même de " ce qui est voulu et fait ", " ce qui veut et ce qui agit[5] ". Comme telle, elle échappe à toute introspection. Elle n'apparaît qu'à une analyse régressive, comme condition de possibilité de la volonté voulue, qui seule est objet de connaissance directe. Quand on relève une discordance entre les deux volontés, il faut entendre par là une faille logique, une contradiction, intérieure à la volonté voulue elle-même.

Lors donc que Blondel, cherchant par la méthode d'immanence les conditions auxquelles le vouloir humain pourra s'égaler à lui-même, croit découvrir en ce vouloir un besoin, un appétit du surnaturel, n'imaginons pas qu'il croie lire dans notre conscience, comme à découvert,

1. *Blondel et la Religion*, p. 47-49, etc.
2. Introduction aux *Pages religieuses* de Maurice Blondel, Paris, Aubier, 1942, p. 13.
3. *Existence et Vérité*, P. U. F., 1955, p. 60-64. Ces pages offrent des explications très éclairantes. Cependant, écrites à propos de la critique blondélienne du dilettantisme, elles contiennent quelques formules qui ne conviendraient plus tout à fait aux étapes suivantes de *L'Action*.
4. *L'Action*, II (1937), p. 354.
5. *L'Action* (1893), p. 323.

une requête du surnaturel. On a parfaitement raison d'écarter une telle façon de le comprendre[1]. Non, Blondel n'entend pas découvrir, même dans l'homme concret, " une trace-témoin du surnaturel au plan psycho-empirique[2] ". Au contraire, s'adressant à l'incrédule, il suppose que le surnaturel est absent de la conscience et que nul besoin n'en est éprouvé. D'ailleurs, même ressenti de façon plus ou moins claire, ce besoin n'intéresserait en rien la philosophie, tant qu'il n'apparaîtrait pas revêtu d'un caractère de nécessité; et ce n'est pas par une constatation empirique qu'on établit une liaison de nécessité. Blondel le sait, et il le rappelle fortement dans la première partie de la *Lettre*.

Nous ne croyons pas cependant que, lorsqu'il parle du " besoin senti d'un surcroît ", il trahisse sa pensée, en conservant de façon inopportune le langage d'une psychologie introspective[3]. Quand il montre " que le progrès de notre volonté nous contraint à l'aveu de notre insuffisance, nous conduit au besoin senti d'un surcroît[4] ", il ne prétend pas faire *constater* par l'incroyant la conscience d'un besoin, mais il compte, par sa dialectique, la *susciter*, ce qui est tout autre chose et n'implique, en soi, aucun " psychologisme ".

Dirons-nous que le mot " besoin ", même employé sans le qualificatif " senti ", n'est pas heureux, parce qu'il " retourne au plan psychologique[5] " ? Y retourne-t-il nécessairement ? N'y a-t-il pas des besoins inconscients ? On peut assurément entendre de travers ce besoin ou ce vouloir du surnaturel, dont Blondel parle si souvent. (Pour d'autres raisons, des termes comme " exigence " ou " postuler " peuvent aussi prêter à équivoque.) Le mot " ouverture[6] " est plus net. Mais suffit-il à signifier tout ce que Blondel veut dire ? A vouloir trop purifier son langage, ne risque-t-on pas d'édulcorer sa pensée ? Dès qu'on accède à une certaine profondeur d'interrogation, tout vocabulaire devient inadéquat. L'essentiel est que le discours corrige les mots les uns par les autres et que le lecteur suive l'enchaînement de ce discours.

Blondel, nous l'avons dit, n'invite pas l'incroyant à constater un besoin du surnaturel par inventaire de la conscience psychologique. Cependant, il croit pouvoir l'amener, par la voie d'une réflexion rationnelle, à conclure que le surnaturel " est postulé par la pensée et l'action[7] ", même

1. Cf. DUMÉRY, *Blondel et la Religion*, p. 47, 49.
2. *Loc. cit.*, p. 49.
3. Comme semble le dire Duméry, *loc. cit.*, p. 47 et 54, note 1. (Rapprocher les deux passages).
4. *Lettre*, p. 44.
5. DUMÉRY, *loc. cit.*, p. 78, note 3.
6. Que Duméry préfère (*ibid.*).
7. *Lettre*, p. 21.

chez celui qui ignore ou refuse le christianisme, même chez celui qui écarte l'idée d'une telle requête.

" Simplement en suivant l'évolution continue de nos exigences rationnelles, j'arrive, dit-il, à faire jaillir de la conscience, au dedans, ce qui paraissait, à l'origine de ce mouvement, imposé à la conscience, du dehors. [...] Et si je parle du surnaturel, c'est encore un cri de la nature, un appel de la conscience morale et une requête de la pensée, que je fais entendre. [1] " " C'est dans notre action même, précise-t-il, que se découvre le besoin du surnaturel[2]. "

Il ajoute, certes, que la découverte et la reconnaissance de ce besoin ne préjuge en rien la réalité du surnaturel annoncé par le christianisme. En ressaisissant " le lien naturel de nécessité qui rattache les croyances et les pratiques les plus précises au déterminisme total des idées et des sentiments[3] ", on n'en affirme pas la vérité intrinsèque. C'est à la foi seule qu'apparaît la vérité du dogme, la réalité du surnaturel chrétien. On ne saurait trop insister sur la réserve que Blondel impose constamment à la réflexion philosophique.

Mais on ne doit pas non plus restreindre le rôle qu'il lui attribue, et qui va jusqu'à découvrir, dans l'action humaine elle-même, le besoin du surnaturel. La méthode d'immanence appliquée à l'action amènera, pense-t-il, l'incroyant à reconnaître qu'il veut malgré lui le surnaturel, et cela jusque dans l'acte par lequel il le refuse. Vouloir réel au sein même de l'effort qui le nie ; vouloir qui reste implicite par le fait qu'il est ignoré ou nié ; vouloir qui n'est autre chose que la contradiction intérieure à sa négation. Manifester ce vouloir implicite est le seul moyen, d'après Blondel, de faire reconnaître à l'incroyant que les exigences du christianisme le concernent et que la soumission à ces exigences est l'unique voie par laquelle s'achèvera son action.

Ce rôle de la philosophie est clairement énoncé dans un passage de *L'Action*, qui va nous apporter en outre une précision nouvelle :

" Que personne ne se méprenne sur le dessein proprement philosophique qui inspire cette recherche ; et c'est toujours cette même pensée : " comment égaler le terme voulu au principe même de l'aspiration volontaire ? " car on ne peut amener les hommes à la soumission qu'en leur faisant comprendre que c'est le secret de leur véritable indépendance : il faut donc viser à la véritable indépendance, pour comprendre le secret de la soumission nécessaire. Aussi, alors même qu'il est question du surnaturel, est-ce encore une préoccupation foncièrement humaine et

1. Lettre à la *Revue de Métaphysique et de Morale* (1894), reproduite dans *Études blondéliennes*, I, p. 102.
2. *Loc. cit.*, p. 103.
3. *Loc. cit.*, p. 103.

comme un cri de la nature qui se fait entendre. Il s'agit de voir comment cette notion du surnaturel est nécessairement engendrée, et comment le surnaturel semble nécessaire à la volonté humaine pour que l'action soit mise en équation dans la conscience. Il ne s'agit nullement de déterminer le contenu même de la Révélation divine. [...] Le rôle du philosophe c'est d'établir que, pleinement conséquents à notre vœu secret, nous allons jusqu'à la pratique littérale; c'est d'exprimer les inévitables exigences de la pensée et comme la prière naturelle de la volonté humaine. Rien de plus, mais rien de moins[1]. "

D'après Henry Duméry, Blondel emprunte l'idée de surnaturel à l'enseignement chrétien et établit en philosophe qu'elle " est intégrable et doit être intégrée à la logique interne de l'action[2]. " C'est exact. Mais on voit par ce texte que c'est insuffisant. Blondel veut montrer comment cette notion est " nécessairement *engendrée* ". Ce n'est pas là un lapsus. Au début du chapitre précédent, il explique pourquoi il est nécessaire de déterminer la " *genèse* " de l'idée de révélation[3]. " S'il fallait considérer, dit-il, que la révélation elle-même vient toute du dehors comme une donnée entièrement empirique, la seule notion d'un dogme ou d'un précepte révélé serait totalement inintelligible[4]. " " Ce n'est pas de la révélation même (dans l'hypothèse où elle est), ni des phénomènes naturels (dans l'hypothèse où elle n'est pas), que peut venir à l'homme l'idée de préceptes ou de dogmes révélés. C'est d'une initiative interne que jaillit cette notion[5]. " Oui, chaque fois que Blondel parle du surnaturel en philosophe, c'est comme un " cri de la nature " qu'il veut faire entendre. Il montre que ce qui paraît d'abord imposé du dehors jaillit aussi du dedans; que l'idée chrétienne répond à une requête de la pensée. Quand il affirme en philosophe la nécessité du surnaturel, il n'entend pas seulement qu'il est nécessaire d'envisager cette notion à titre d'hypothèse et qu'on sera amené ainsi à reconnaître sa cohérence logique : il déclare, de façon plus précise et plus exigeante, que le " surnaturel semble nécessaire à la volonté humaine pour que l'action soit mise en équation dans la conscience ", c'est-à-dire pour " égaler le terme voulu au principe même de l'aspiration volontaire ". Le philosophe, pense-t-il, doit aller jusqu'à établir cela, s'il veut montrer que la soumission est le secret de l'indépendance, s'il veut résoudre ainsi le conflit où l'autonomie de la raison se heurte à l'hétéronomie apparente du surnaturel chrétien.

1. *L'Action*, p. 406-407.
2. *Blondel et la Religion*, p. 75.
3. *L'Action*, p. 394. Cf. *Lettre*, p. 41.
4. *L'Action*, p. 394.
5. *L'Action*, p. 397.

Réduire le sens obvie de ces déclarations expresses, c'est édulcorer la pensée de Blondel. Mais le maintenir, n'est-ce pas l'exposer encore une fois aux critiques les plus légitimes des théologiens ? N'oublie-t-on pas que le surnaturel chrétien est un don gratuit de Dieu, quand on prétend établir en philosophe que sa notion est nécessairement engendrée et qu'il paraît nécessaire à l'achèvement de l'action humaine ? Nous avons dit que cette démonstration a pour but de préparer les esprits à reconnaître la réalité du surnaturel, mais qu'elle ne veut pas conclure elle-même à cette réalité, ni imposer à Dieu une nécessité. L'objection peut néanmoins rebondir : car il s'agit de savoir si la démonstration ne franchit pas en fait les limites que l'auteur voulait lui imposer.

Il n'y a pas d'autre moyen de le savoir que de la suivre en tout son parcours. À cette fin, la *Lettre* de 1896 ne peut plus suffire. Ses indications sommaires sont des rappels, qu'on ne peut guère comprendre si l'on n'a pas présente à l'esprit la démarche progressive de *L'Action*. D'autre part, s'adressant à des croyants pour leur expliquer les exigences de la philosophie en face du problème religieux, la *Lettre* fait croiser sans cesse la perspective du croyant et celle du philosophe : s'il n'en résulte pas de confusion dans l'esprit de l'auteur, le lecteur doit déployer une grande attention pour n'en pas commettre. Son meilleur guide sera le développement linéaire de *L'Action*, qui expose à des philosophes une suite enchaînée d'analyses philosophiques.

II. LES ÉTAPES DE LA GENÈSE
DE L'IDÉE DE SURNATUREL

Il n'est pas téméraire de supposer que, dans un ouvrage philosophique longuement mûri et composé avec soin, la division en parties ne tombe pas au hasard, mais marque des pas de la pensée. Cette présomption, légitime et sage, mais souvent négligée, amènera le lecteur de *L'Action* à faire la remarque suivante : la genèse de l'idée de surnaturel s'effectue là en trois étapes, qui correspondent respectivement à la troisième, à la quatrième et à la cinquième partie du livre. On voit établir successivement l'insuffisance de l'ordre naturel, puis la nécessité absolue de s'ouvrir à l'action divine, quelle qu'elle soit, enfin la nécessité de prendre au sérieux l'idée de l'ordre surnaturel défini par le christianisme.

Dès qu'on prête attention à cette marche graduelle et au caractère distinctif de chaque étape, on voit se dissiper la plupart des objections soulevées par la thèse de Blondel. En fait, peu de commentateurs ont observé cet état de choses; ou s'ils l'ont aperçu, ils n'en ont pas suffisamment tiré parti. Raison de plus pour que nous l'analysions avec quelque soin.

1. *Première étape.*

La première partie de *L'Action*, on s'en souvient, a établi, par une critique du dilettantisme, qu'on ne peut éluder le problème de la destinée. La seconde a montré, par une critique du pessimisme, qu'on ne peut s'en tenir à une solution négative, que la volonté du néant implique contradiction. Il y a quelque chose. " De cette donnée consentie, poursuit l'auteur, surgira, par une secrète initiative, qui apparaîtra de plus en plus clairement, tout l'ordre sensible, scientifique, moral et social. [...] Et en suivant jusqu'au bout de ses exigences l'élan du vouloir, on saura si l'action de l'homme peut être définie et bornée dans ce domaine naturel[1]. " Tel sera l'objet de la troisième partie de l'ouvrage, intitulée " Le phénomène de l'action ".

Là, comme en ce qui précède, l'auteur tente successivement de définir l'action humaine dans les limites que les diverses doctrines philosophiques prétendent lui imposer; à chaque essai, il montre que ces limites sont inévitablement dépassées par ceux mêmes qui tentent ou feignent de s'y arrêter. " L'homme ne peut borner sa destinée ni aux jouissances des sens, ni aux conquêtes des sciences positives, ni au développement de la vie individuelle, ni à l'expansion de la famille ou de la société, ni aux conceptions de la métaphysique ou de la morale indépendante, ni aux superstitions qu'il invente pour compléter et consacrer sa vie[2]. " Ainsi apparaît, par une constante inadéquation de la volonté voulue à la volonté voulante, que l'homme ne peut se borner à l'ordre naturel.

Il importe d'abord de bien comprendre ce que Blondel entend ici par ordre naturel. Dans la langue des théologiens modernes, cette expression désigne le plus souvent l'ordre de la création, y compris la relation fondamentale de la créature au Créateur ainsi que la connaissance de cette relation par la lumière naturelle de l'esprit. Blondel, dans la Trilogie, se conformera à cet usage. Mais, dans *L'Action* de 1893 et les

---

1. *L'Action,* p. 41.
2. Note rédigée par Blondel pour être insérée dans les volumes de *L'Action*; reproduite dans les *Études blondéliennes*, tome I, p. 78.

autres écrits de cette époque, il s'en tient à l'usage qu'a accrédité dans la philosophie moderne le développement des sciences physiques et naturelles et qu'a consacré l'apparition du positivisme. Nous en sommes avertis dès le début de la troisième partie. Il suffit de lire. " Faire entrer dans le champ de la connaissance et de la puissance humaines tout ce qui nous semble d'abord le moins accessible [...], fonder la vie individuelle ou sociale sur la Science seule, se suffire, c'est bien l'ambition de l'esprit moderne. Dans son désir de conquête universelle, il veut que le phénomène soit, et soit tel qu'il le connaît et qu'il en dispose; il admet que constater les faits et leur enchaînement, c'est les expliquer complètement; il considère comme à demi prouvée toute hypothèse qui lui permet d'éviter l'intervention de la Cause première; la crainte de la métaphysique n'est-elle pas le commencement de la sagesse ?[1] " Telle est la prétention que Blondel nomme " la volonté déclarée de borner et de contenter l'homme dans l'ordre naturel des faits[2] ". S'adressant aux philosophes qui sont ses contemporains, il donne le même sens qu'eux à l'expression qu'il emploie comme eux : le terme d' " ordre naturel ", loin d'inclure la relation fondamentale du monde et de l'homme à la Cause première, en fait systématiquement abstraction; il désigne simplement le champ de l'activité humaine.

Nous pouvons donc présumer que, lorsque l'auteur de *L'Action* en viendra à conclure que l'homme ne peut se borner à l'ordre naturel, il voudra dire simplement que l'homme ne peut se contenter d'exercer la domination de son savoir et de son pouvoir sur le monde. Nous pouvons présumer aussi, quitte bien entendu à le vérifier par la suite, qu'affirmer la nécessité du surnaturel, ce sera dire *d'abord*, non pas que l'ordre de création appelle un ordre de grâce, mais que " l'ordre naturel " doit être considéré finalement comme un ordre créé, que l'homme ne peut se passer de Dieu et doit reconnaître cette dépendance par une attitude religieuse.

Laissons toutefois de côté cette anticipation, et revenons à la démarche qui manifeste progressivement l'insuffisance de l'ordre naturel. Il n'y a pas lieu ici de la suivre d'un bout à l'autre; relevons seulement les derniers pas.

La vie humaine, dit Blondel, engendre forcément une morale utilitaire[3]. Celle-ci se dépassant elle-même, on assiste à la génération nécessaire d'une métaphysique au moins implicite[4] : en étreignant tout l'ordre naturel, l'homme en recueille " la notion d'un ordre idéal qui, fondé

1. *L'Action*, p. 44.
2. *L'Action*, p. 44.
3. *L'Action*, p. 279-290.
4. *L'Action*, p. 290-297.

relativement sur l'universelle réalité, semble la fonder absolument en la dépassant[1] ". La métaphysique devient à son tour promouvante : elle exige quelque chose qui la dépasse, une action proprement morale, impliquant l'absolu du devoir[2]. L'analyse des conditions de l'activité morale aboutit ainsi à cette conclusion : " Le terme auquel l'action réfléchie semble éprouver l'impérieux besoin de se suspendre, c'est un absolu, quelque chose d'indépendant et de définitif qui soit hors de l'enchaînement des phénomènes, un réel hors du réel, un divin[3]. "

Pour essayer d'achever son action et de se parfaire, l'homme tente d'absorber ce divin, de se fabriquer un dieu à sa façon et d'accaparer par sa seule force de quoi se suffire. C'est le phénomène de la superstition[4]. Celle-ci s'étend bien au delà du culte des idoles. Blondel la relève en maintes pratiques de l'homme civilisé, en diverses formes de mysticisme. Le moralisme kantien ne lui en paraît pas exempt; et le métaphysicien qui s'imagine que, par sa religion naturelle, il va mettre la main sur l'Être transcendant, lui paraît idolâtre à sa façon[5]. Car c'est toujours une superstition que de placer l'infini et l'absolu dans un objet dont l'homme dispose, ne serait-ce que par sa pensée.

Pareille attitude, dit Blondel, implique une contradiction. Elle consiste, en effet, à se retourner vers tel ou tel phénomène pour en faire quelque chose de plus qu'il n'est. Le déploiement de la dialectique de l'action a montré qu'aucun d'eux ne suffit à combler l'amplitude du vouloir; et l'on prétend cependant ne pas chercher ailleurs l'objet auquel s'attacher infiniment. " De toutes ces tentatives, il ne ressort que cette conclusion doublement impérieuse : il est impossible de ne pas reconnaître l'insuffisance de tout l'ordre naturel et de ne point éprouver un besoin ultérieur; il est impossible de trouver en soi de quoi contenter ce besoin religieux. *C'est nécessaire*; et *c'est impraticable*. Voilà, toutes brutes, les conclusions du déterminisme de l'action humaine[6]. "

Nécessaire et impossible à l'homme : Blondel dira plus loin que c'est la notion du surnaturel. Mais il importe de remarquer qu'il ne le dit pas ici et qu'il ne peut pas le dire : n'ayant pas encore vu surgir la pensée de Dieu[7], il ne peut employer le terme qui qualifie l'action divine. Il se

1. *L'Action*, p. 296.
2. *L'Action*, p. 297-303.
3. *L'Action*, p. 303.
4. *L'Action*, p. 304.
5. *L'Action*, p. 314.
6. *L'Action*, p. 319.
7. Sans doute, l'absolu ou le divin auquel l'action proprement morale se suspend, n'est autre, en soi, que Dieu lui-même. Mais cela n'a pas encore été manifesté. Quant à la prétention du métaphysicien qui croit pouvoir, par son système et par sa religion naturelle, disposer de l'Être transcendant, nous avons vu que Blondel la considère comme une subtile idolâtrie.

borne donc à énoncer, dans un langage aussi peu déterminé que possible, le résultat, tout négatif en apparence, de son enquête : la condition *nécessaire* d'achèvement de l'action humaine est *inaccessible* à l'action humaine.

2. Deuxième étape.

La dialectique ainsi amorcée va, par un déploiement ultérieur, nous conduire à l'idée de " l'unique nécessaire ", et par elle à " la suprême option qui est la grande et l'unique affaire de l'homme[1] ". Le nécessaire inaccessible recevra alors le nom de surnaturel. Mais ce terme, on le verra, sera d'abord entendu en un sens très général, non encore spécifiquement chrétien. Cette deuxième étape de la démonstration occupe la quatrième partie de l'ouvrage, intitulée " L'être nécessaire de l'action ".

Le fait que l'homme prétende trouver sa suffisance dans l'ordre naturel et qu'il n'y réussisse pas, constitue pour lui une crise. Celle-ci n'apparaît pas seulement au cœur de ses divers projets; elle est immanente à sa condition même. En effet, l'homme veut, mais il n'a pas voulu vouloir; dans ce qu'il veut, il rencontre partout l'obstacle et la souffrance; dans ce qu'il fait, se glissent d'incurables faiblesses ou des fautes dont il ne peut réparer les suites; enfin, la mort vient consacrer tous ces échecs. Mais, d'autre part, cet apparent avortement de l'action voulue manifeste l'indestructibilité de l'action volontaire, car je n'aurais pas conscience de cet avortement, s'il n'y avait en moi une volonté supérieure aux contradictions de la vie. Telle est donc ma condition : je ne puis me dérober à la nécessité de me vouloir moi-même, et il m'est impossible de m'atteindre directement. Je ne puis ni m'arrêter, ni reculer, ni avancer seul : de cette crise, de ce conflit interne, que va-t-il sortir[2] ?

" C'est ce conflit, poursuit Blondel, qui explique la présence forcée dans la conscience d'une affirmation nouvelle; et c'est la réalité de cette présence nécessaire qui rend possible en nous la conscience de ce conflit même. Il y a un " unique nécessaire ". Tout le mouvement du déterminisme nous porte à ce terme : car c'est de lui que part ce déterminisme même, dont tout le sens est de nous ramener à lui[3]. "

Issue nécessairement du dynamisme de la vie intérieure, l'idée de Dieu y produit nécessairement un effet. Par sa présence qui travaille

1. *L'Action*, p. 322.
2. *L'Action*, p. 323-338.
3. *L'Action*, p. 339.

sourdement les âmes, " la vie volontaire revêt forcément un caractère de transcendance. Le conflit se résout donc en une alternative qui [...] exige une option suprême et permet seule à la volonté de se vouloir librement elle-même telle qu'elle souhaite d'être à jamais[1]. " " Oui ou non, [l'homme] voudra-t-il vivre, jusqu'à en mourir, si l'on peut ainsi parler, en consentant à être supplanté par Dieu ? ou bien prétendra-t-il se suffire sans lui, profiter de sa présence nécessaire sans la rendre volontaire, lui emprunter la force de se passer de lui et vouloir infiniment sans vouloir l'infini ? [...] Non que cette tragique opposition se révèle à tous avec cette netteté et cette rigueur. Mais si la pensée qu'il y a " quelque chose à faire de la vie " s'offre à tous, c'en est assez pour que les plus grossiers soient appelés, eux aussi, à résoudre la grande affaire, l'unique nécessaire[2]. "

Blondel examine alors l'alternative, en vue d'expliciter les inévitables conséquences de chacune des deux options possibles. L'action volontaire, avons-nous vu, n'est mise en équation dans la conscience qu'autant qu'on reconnaît en elle la présence et le concours de l' " unique nécessaire ". Une première thèse en ressort aussitôt : " Estimer qu'on trouve en soi la vérité nécessaire à sa conscience, l'énergie de son action et le succès de sa destinée, non, ce n'est pas seulement se priver d'un don gratuit et facultatif qui, repoussé ou dédaigné, ne compromettrait pourtant pas le bonheur d'une vie moyenne; c'est, en vérité, mentir à sa propre aspiration, et, sous prétexte de n'aimer que soi, se haïr et se perdre[3]. " Se perdre, sans s'échapper à soi-même, et pour l'éternité. C'est la mort de l'action.

L'homme ne peut donc vivre qu'en s'ouvrant à une autre action que la sienne. Il faut qu'il " laisse la Cause première reprendre la première place[4] " dans son action à lui. Comment s'y prendra-t-il ? " Puisque l'acte ne peut s'achever que si Dieu se donne à nous, comment substituer en quelque sorte son action à la nôtre ? comment, sans même savoir qu'il a parlé, sans peut-être le connaître distinctement, participer à sa médiation secrète ? comment [...] se préparer, s'il en est une, à une révélation plus claire de la destinée humaine[5] ? " A cette question, unique sous ses diverses formes, Blondel répond en trois points, qui définissent les dispositions d'une volonté entièrement bonne et conséquente. Que l'homme fasse tout ce qu'il croit le bien, en esprit de soumission et de détachement, parce qu'il y sent l'ordre d'une volonté

1. L'Action, p. 338; cf. p. 351-354.
2. L'Action, p. 354-355.
3. L'Action, p. 372.
4. L'Action, p. 374.
5. L'Action, p. 375.

à laquelle il doit se subordonner. Qu'il accepte avec amour la souffrance, le sacrifice, la mortification. Enfin : " Après qu'on a tout fait comme n'attendant rien de Dieu, il faut encore attendre tout de Dieu comme si l'on n'avait rien fait de soi[1]. "

Ce troisième point nous importe particulièrement ici, car c'est à travers lui que l'auteur en vient à nommer le surnaturel. " Il semblait, dit-il, que l'effort suprême de la volonté, c'était de sacrifier tout ce qu'elle a et tout ce qu'elle est : voici pourtant que cet effort même est insuffisant, dès lors qu'on s'en attribuerait le mérite ou qu'on en admettrait l'efficacité[2]. " Ce qu'il porte en lui " n'est rien encore sans la conscience de l'impuissance naturelle, de l'impossibilité même où l'homme est d'atteindre par ses forces seules à sa fin nécessaire[3] ". " *Absolument impossible et absolument nécessaire à l'homme, c'est là proprement la notion du surnaturel* : l'action de l'homme passe l'homme ; et tout l'effort de sa raison, c'est de voir qu'il ne peut, qu'il ne doit pas s'y tenir. Attente cordiale du messie inconnu ; baptême de désir, que la science humaine est impuissante à provoquer, parce que ce besoin même est un don[4]... "

Voilà assurément un des textes qui ont le plus embarrassé les lecteurs bienveillants. Englober dans la notion du surnaturel l'idée qu'il est " absolument nécessaire à l'homme ", n'est-ce pas formellement contraire au dogme chrétien ? Ne faut-il pas reconnaître qu'ici une expression trop elliptique a trahi la pensée de l'auteur ? On explique donc que l'homme à qui le surnaturel est nécessaire n'est pas l'homme en son état de nature, mais l'homme placé dans un état transnaturel. Ou bien on insiste sur une déclaration souvent répétée par Blondel : seule la foi connaît la réalité du surnaturel ; la nécessité qu'établit le philosophe reste sur un plan idéal, elle n'est qu'hypothétique.

Ces remarques, croyons-nous, ne suffiraient pas à légitimer le texte qui nous occupe en ce moment, s'il fallait y entendre d'emblée par surnaturel le don que Dieu a fait de lui-même aux hommes en Jésus-Christ. Mais c'est justement cette interprétation qui serait inexacte. Trop attentifs à préciser ici le sens du mot " homme " et celui du mot " nécessaire ", beaucoup d'interprètes ont négligé d'examiner celui du mot " surnaturel[5] ". On n'a pas assez remarqué que Blondel, déterminant

1. *L'Action*, p. 385. Cette phrase, nous le préciserons plus loin, est la transposition d'une sentence de saint Ignace.
2. *L'Action*, p. 387.
3. *L'Action*, p. 388.
4. *L'Action*, p. 388. C'est nous qui soulignons.
5. Dans son étude, remarquable à bien des égards, *Hegel und Blondel*, P. HENRICI a déployé une subtile ingéniosité pour affaiblir ici le sens du mot " nécessaire " (Excursus III, p. 199-202). Sa démonstration ne nous paraît pas convaincante. C'est le sens du mot " surnaturel " qu'il eût fallu atténuer.

la genèse de l'idée de surnaturel, procède par étapes, qu'il est ici à la fin de la seconde, qu'il n'a pas encore introduit expressément, comme il va le faire au début de la troisième, l'idée que présente le christianisme ; il s'en tient encore à une idée plus générale, dépourvue de toute détermination positive et particulière.

Le mot " surnaturel " désigne simplement, ici, l'action divine qui, en tout homme, est à l'origine du mouvement volontaire et que chacun doit, au moins implicitement, reconnaître comme telle, s'il veut que ce mouvement puisse atteindre son terme. C'est en effet de cela qu'il s'agit dans toute la section concernant " l'alternative ". Recueillons, dans les dernières pages, quelques propositions nettes. " Jusqu'à notre désir de bons désirs, il faut que nous replacions hors de nous l'origine de ce mouvement volontaire. [...] A l'initiative absolue de l'homme, il est nécessaire de substituer, librement, comme elle y est nécessairement, l'initiative absolue de Dieu. [...] Notre rôle c'est de faire que Dieu soit tout en nous comme il y est de soi, et de retrouver au principe même de notre consentement à son action souveraine sa présence efficace[1]. " Autrement dit, il est nécessaire que, dans sa pensée et sa conduite, la créature spirituelle reconnaisse librement son inévitable dépendance à l'égard du Créateur : l'homme ne peut entrer en communion avec Dieu que par l'initiative de Dieu et son action souveraine. Cette action souveraine de Dieu, voilà ce qui est " absolument impossible et absolument nécessaire à l'homme " et que désigne ici le mot surnaturel.

Parler de nécessité *absolue*, dans un tel contexte, n'est pas seulement admissible, mais requis, exigé par la relation essentielle de la créature à son Créateur, ou, selon les termes plus généraux que préfère ici Blondel, de la volonté humaine à son principe. Supposons la révélation chrétienne inexistante, mais l'homme désireux néanmoins d'entrer en communion avec Dieu : il devrait reconnaître qu'une telle communion (quelle qu'elle soit) n'est possible que par l'initiative et l'action de Dieu.

Après avoir fait ressortir l'impossibilité où se trouve l'homme d'atteindre par ses forces seules à sa fin nécessaire, Blondel ajoute : " Aristote en avait le sentiment, quand il disait : il y a dans l'homme une vie meilleure que de l'homme; et cette vie, ce n'est pas l'homme qui la peut entretenir; il faut que quelque chose de divin habite en lui[2]. " Cette

1. *L'Action*, p. 386-387.
2. *L'Action*, p. 388. Dans une rédaction antérieure de *L'Action*, Blondel disait qu'à cette " vie vraiment divine aspiraient Aristote, les Platoniciens, les Alexandrins, les Mystiques, Spinoza, Maine de Biran ". Il précisait en marge qu'ils y aspiraient " théoriquement, plus que pratiquement, *in objecto, non in intimo affectu cordis* ". (" Projet de thèse ", rédigé entre le 14 juin 1890 et le 19 avril 1891, conservé aux Archives Blondel ; page 182 du manuscrit.) Dans la *Lettre* (p. 56-57), Blondel, se référant au même texte d'Aristote, écrira que, " loin de voir ici comme une pierre d'attente

phrase, on ne l'a pas assez remarqué, précède immédiatement celle qui nomme la nécessité absolue du surnaturel. Étant donné que l'auteur n'a certainement pas prêté à Aristote la connaissance explicite du surnaturel chrétien, il apparaît ici encore qu'il n'envisage pas le surnaturel sous sa forme spécifiquement chrétienne.

Ce qu'il voit surgir du déterminisme de l'action humaine, c'est l'idée d'un surnaturel indéterminé, c'est-à-dire de l'infini que tout homme, même ignorant le christianisme, veut obscurément, mais qui ne s'acquiert pas comme une chose ; en d'autres termes, l'idée de " l'unique nécessaire " qu'on ne gagne qu'en s'abandonnant à lui, l'idée de l'action divine à laquelle on doit s'ouvrir, quelle que soit la figure sous laquelle elle se présente. A ce stade, le besoin du surnaturel n'est rien d'autre que la soif de l'Absolu, mais de l'Absolu reconnu, par l'abnégation, en sa souveraine liberté.

On nous objectera peut-être que l'aveu de l'impuissance humaine est aussitôt appelé " baptême de désir ", " attente cordiale du messie inconnu[1] ". Ces qualifications sont évidemment empruntées à la théologie chrétienne. Elles ménagent le passage à l'étape suivante. Mais elles ne veulent désigner ici qu'un aveu de la raison. Certes, l'auteur précise que la science humaine (entendons : la philosophie) est impuissante à provoquer cet aveu, parce qu'il est lui-même un don[2]. Mais il n'en est pas moins vrai qu'elle en montre la nécessité, et qu'elle établit elle-même que son surgissement effectif ne peut être qu'un don. Ainsi, malgré l'emploi de termes empruntés à la théologie chrétienne, nous ne sortons pas encore de la sphère d'un surnaturel indéterminé.

Dirons-nous que Blondel a laissé provisoirement au mot " surnaturel " le simple sens de " transcendant ", selon un usage assez fréquent chez les philosophes, et même autrefois chez les théologiens[3] ? Si l'on veut. C'est un fait que, dans *L'Action* et dans la *Lettre*, il lui arrive d'employer les deux termes comme synonymes[4]. N'en concluons pas

pour le surnaturel ", il faut y reconnaître " comme la candidature permanente de la philosophie pure au rang suprême, quelque haut qu'on le mette ". Il se place alors dans une perspective différente. Les deux sont légitimes : nous dirons pourquoi à la fin de ce chapitre.

1. *L'Action*, p. 388.
2. *L'Action*, p. 388.
3. Saint Thomas d'Aquin disait que la création requiert un principe ou agent " surnaturel ". (Voir notre ouvrage, *Conversion et grâce chez saint Thomas d'Aquin*, Paris, 1944, p. 203). On dirait aujourd'hui " transcendant ", parce que l'usage s'est progressivement introduit chez les théologiens de réserver le terme " surnaturel " à la vie divine communiquée en Jésus-Christ.
4. *L'Action*, p. 40 (surnaturel) et p. 42 (transcendant ; rapprocher les deux passages) ; *Lettre*, p. 40-41. Ailleurs, dans la *Lettre* (p. 34), Blondel distingue le " surnaturel " du " transcendant au simple sens métaphysique du mot " ; mais il s'agit là du surnaturel au sens spécifiquement chrétien.

toutefois qu'il les considère comme rigoureusement équivalents, même quand il s'en tient à la notion philosophique du surnaturel et n'envisage pas encore la notion spécifiquement chrétienne. " Sous son aspect rationnel, expliquera-t-il plus tard, le mot surnaturel désigne ce qui dans le transcendant nous est essentiellement inaccessible[1]. " Il a donc un sens plus précis que le mot transcendant, quoiqu'il n'englobe pas la notion chrétienne[2]. Cette situation intermédiaire s'explique, si l'on se rappelle que Blondel veut opérer, en fin de compte, la genèse de l'idée chrétienne du surnaturel. Au cours de sa démarche progressive, il voit surgir d'abord une idée très générale, voisine de l'idée de transcendance. Mais, parce qu'elle est en route vers l'idée chrétienne, dont elle offre un pressentiment, elle est déjà plus que l'idée commune de transcendance, sans être encore l'idée positivement déterminée que va offrir l'enseignement chrétien.

3. *Troisième étape.*

L'introduction expresse de la notion chrétienne marque la troisième étape de la démonstration. Elle se fait au début de la cinquième partie de *L'Action*, intitulée " L'achèvement de l'action ". Qu'il s'agisse désormais de l'idée spécifiquement chrétienne, et non plus de l'idée indéterminée accessible à tout homme, cela apparaît dès les premières pages. Blondel y parle des témoins vivants de la foi[3], déclare qu'il ne serait pas " scientifique d'étudier la lettre et l'esprit de tous les cultes sauf d'un[4] "; et il annonce qu'il va considérer les dogmes, acceptés à titre d'hypothèse[5]. L'ordre surnaturel dont il veut dorénavant montrer la nécessité, c'est expressément celui " que, du dehors, les dogmes nous proposent[6] ". Remarquons bien le mot " du dehors ". Ce n'est pas de son fonds que le philosophe tire ici l'idée de l'ordre surnaturel; il recueille, pour l'envisager, celle que propose le christianisme historique[7].

1. *L'Action*, II (1937), p. 521.
2. *Loc. cit.*, p. 521, note.
3. *L'Action*, (1893), p. 390.
4. *L'Action*. p. 391.
5. *L'Action*, p. 391.
6. *L'Action*, p. 391.
7. Dans le manuscrit que Blondel avait déposé à la Sorbonne en mai 1892, pour obtenir le permis d'imprimer sa thèse, cela était indiqué par le titre même de cette cinquième partie : " La Critique de l'Action surnaturelle. La Philosophie du Catholicisme " (p. 355 du manuscrit conservé aux Archives Blondel). Titre dont la détermination positive s'opposait à la généralité de celui que portait la quatrième partie :

Certes, pour définir les conditions de la libre ouverture à une initiative divine encore indéterminée, Blondel s'était déjà laissé guider par les enseignements de la spiritualité chrétienne. Lui-même l'avoue[1], et nous aurons plus tard à le souligner. Mais là, le guide restait extérieur : il n'était pas introduit dans la démarche même de l'analyse, sous la forme d'une hypothèse à examiner.

A ceux qui veulent ignorer l'idée chrétienne du surnaturel ou l'écarter sans examen, Blondel répond que c'est contraire à l'esprit philosophique. En effet, la démarche progressive de la réflexion a eu jusqu'ici pour résultat " de nous amener à la conscience d'une incurable disproportion entre l'élan de la volonté et le terme humain de l'action[2] ". On a vu que l'homme ne peut s'achever " qu'en s'ouvrant à une autre action que la sienne[3] ". Il serait donc déraisonnable de se dérober à l'examen de la notion chrétienne du surnaturel révélé. Consciente à la fois de ses impuissances et de ses exigences, la philosophie doit se demander si cette notion ne serait pas conforme à la primitive visée de la volonté humaine[4].

Il ne s'agit pas de reconstruire rationnellement l'ordre surnaturel : ce serait contredire l'idée même qu'on veut examiner. D'après la doctrine chrétienne, en effet, il est illégitime " de prétendre découvrir, par la raison seule, ce qu'il faut qui soit révélé pour être connu[5] ". A vouloir déterminer le contenu même de la Révélation, le philosophe détruirait son caractère de révélation divine. " Dans son principe, en son objet et dans sa fin, la Révélation, pour être ce qu'il faut qu'elle soit si elle est, doit échapper à la raison; et nul effort de l'homme purement homme n'en saurait pénétrer l'essence[6]. " Dans son essence, en effet, le surnaturel révélé, c'est le mystère de la vie intime du Dieu-Trinité, communiquée à l'homme par grâce et reçue dans la foi et la charité[7]; c'est donc " une vérité impénétrable à toute vue philosophique, un bien supérieur à toute aspiration de la volonté[8] ".

Mais, s'il est interdit de vouloir découvrir ce mystère autrement que par la révélation, il est légitime, dit Blondel, de pousser la recherche

" La divine destinée de l'homme et l'éternité de l'action ". Nous verrons plus tard que l'auteur a changé ces titres pour rendre plus manifeste le caractère philosophique de son ouvrage.

1. *L'Action*, p. 390.
2. *L'Action*, p. 390.
3. *L'Action*, p. 356.
4. *L'Action*, p. 393.
5. *L'Action*, p. 391.
6. *L'Action*, p. 406-407.
7. *L'Action*, p. 407, note 1.
8. *L'Action*, p. 407, note 1.

philosophique " jusqu'au point où nous sentons que nous devons désirer intimement quelque chose d'analogue à ce que, du dehors, les dogmes nous proposent. Il est légitime de considérer ces dogmes non point sans doute d'abord comme révélés, mais comme révélateurs; c'est-à-dire de les confronter avec les profondes exigences de la volonté, et d'y découvrir, si elle s'y trouve, l'image de nos besoins réels et la réponse attendue. Il est légitime de les accepter, à titre d'hypothèses, comme font les géomètres en supposant le problème résolu et en vérifiant la solution fictive par voie d'analyse[1] ".

Ce texte définit au mieux la démarche de Blondel en cette troisième étape de la démonstration. Elle consiste à mettre entre parenthèses l'existence ou la réalité de l'ordre surnaturel annoncé et défini par la prédication chrétienne, à n'en retenir que l'idée, et à utiliser celle-ci comme un révélateur éventuel des exigences du vouloir, ou comme une grille qui permettrait de déchiffrer nos besoins. Si la tentative réussit, s'il apparaît que l'accueil du surnaturel est la condition indispensable de l'achèvement de l'action humaine, alors l'idée envisagée au départ comme une hypothèse apparaîtra désormais comme une hypothèse nécessaire[2]. On n'aura pas établi pour autant la réalité du surnaturel en question : affirmer qu'il est, ne vient pas de l'homme seul, cela ne relève donc pas de la philosophie[3]. On n'aura même pas établi sa possibilité intrinsèque[4] : car son essence, comme son existence, échappe à la raison humaine laissée à elle-même. Mais on aura fait voir comment " *quelque chose d'analogue* à ce que les dogmes nous proposent* " (remarquons la prudence de l'expression) semble nécessaire à la volonté humaine pour que l'action soit mise en équation dans la conscience; ou, ce qui revient au même, on aura établi l'obligation pratique d'accueillir le surnaturel annoncé par la prédication, s'il se manifeste effectivement à nous comme surnaturelle réalité.

Voilà par quelle méthode et dans quelles limites Blondel entend montrer que la notion chrétienne du surnaturel est " nécessairement engendrée[5] ". Mais, comme cette expression pourrait prêter à équivoque, il est utile d'en éclaircir encore une fois le sens, au moyen d'une comparaison avec une démarche analogue.

Dans un chapitre antérieur de *L'Action*, décrivant les origines du sens organique et la conscience de l'effort musculaire, l'auteur explique, entre autres choses, " comment *s'engendre* la notion originale du *corps* propre

1. *L'Action*, p. 391.
2. *L'Action*, p. 491.
3. *L'Action*, p. 491-492.
4. *L'Action*, p. 406.
5. *Ibid.*

à l'agent[1] ". Il s'agit de définir le point où le corps apparaît à la conscience et où la passivité entre dans l'action même, le point où surgit le sentiment de l'organisme. Sans qu'il ait à sortir de soi, dit Blondel, le sujet agissant trouve en son fond une passivité qui n'est pas impénétrable à son action, mais n'y est pas immédiatement ralliée. Il y a en moi quelque chose qui est *mien* sans être *moi*, et qui m'apparaît d'abord sous la forme d'une résistance matérielle ou d'un terme de déploiement extérieur. Cette perception de l'organisme implique, d'une part, la conscience d'une initiative subjective, conscience sans laquelle on ne s'attribuerait jamais le résultat de l'opération; elle implique d'autre part que l'élément nouveau apparaisse à la conscience comme étranger, même au moment où il en permet le progrès[2]. Par cette analyse, Blondel pense avoir montré comment s'engendre la notion du corps propre à l'agent. Poursuivant sa description, il fait voir que la conscience de l'effort organique est un aggloméré de données très complexes, rattaché à l'initiative de l'action consciente. Et il conclut : " La notion préalable de l'effort est comme le cadre préparé pour recevoir toutes les leçons précises de l'expérience effective. Ce qui est afférent dans la perception réelle n'est perçu comme tel qu'en suite d'une initiative encore indéterminée et grâce à l'accueil *a priori* de l'*a posteriori* attendu. Selon qu'on envisage la forme ou le contenu de la sensation organique, l'on doit donc dire également que tout y est l'effet de l'initiative subjective ou que tout y exprime l'impression passive de la réaction corporelle[3]. "

Cette genèse de la notion du corps propre et de l'effort organique nous paraît éclairer la genèse de la notion du surnaturel. Pas plus que Blondel ne prête à la réflexion le pouvoir d'engendrer l'essence et l'existence empiriques du corps humain, il ne prête à la philosophie le pouvoir d'engendrer l'essence et l'existence historiques du surnaturel chrétien. Il explique seulement comment leurs notions s'engendrent dans la conscience. De part et d'autre, cette genèse implique deux éléments corrélatifs : un *a priori* et un *a posteriori*, une initiative subjective encore indéterminée et un apport qui apparaît à la conscience comme étranger. Le premier détermine la forme de la notion; le second, son contenu. La différence entre les deux genèses réside en ceci : dans la genèse de la notion du corps propre ou de l'effort organique, l'apport nouveau, étant mien (quoiqu'il ne soit pas moi), surgit en moi; dans la genèse de la notion chrétienne du surnaturel, l'apport nouveau ne vient pas

---

1. *L'Action*, p. 153. (C'est nous qui soulignons.) On remarquera que Blondel anticipe ici la notion de " corps propre ", qui fera l'objet des analyses de Merleau-Ponty, dans la *Phénoménologie de la perception*.
2. *L'Action*, p. 153-154.
3. *L'Action*, p. 156.

de moi, il m'est transmis par une tradition qui me le propose comme révélation et communication de Dieu. Mais, au sein de cette différence vit un rapport semblable. " Ce qui est afférent dans la perception réelle n'est perçu comme tel qu'en suite d'une initiative encore indéterminée. " De même, ce que la tradition chrétienne me présente comme révélation divine ne m'apparaîtra tel que si j'y vois la réponse attendue à une initiative subjective encore indéterminée. Voilà pourquoi on doit dire : " C'est d'une initiative interne que jaillit cette notion " de révélation[1].

Faire voir comment la notion du surnaturel est nécessairement engendrée, c'est donc montrer que l'ordre surnaturel défini par les dogmes chrétiens répond à l'attente indéterminée du vouloir humain et, par le fait même, la détermine. En établissant cette correspondance dans l'ordre idéal, la philosophie proclamera elle-même l'inaccessibilité et l'indépendance absolue du surnaturel chrétien, puisqu'il lui apparaîtra nécessaire en tant même qu'inaccessible à l'action humaine.

Blondel consacre deux chapitres à sa démonstration. Il définit d'abord les caractères formels que doit présenter la révélation divine, si elle est[2]. Il détermine ensuite et surtout quelles conditions sont requises pour que la vérité révélée et la vie divine soient reçues comme elles doivent l'être : il y faut le pas de la foi et la pratique religieuse[3]. Pour cette étude, il n'est pas nécessaire, rappelle l'auteur, d'admettre la vérité du dogme et la réalité du don divin; il suffit de poser ce don à titre d'hypothèse, pour étudier les relations intrinsèques et les convenances certaines d'une telle hypothèse[4]. " Encore une fois, dit-il, la réalité de ce don reste, il est vrai, hors des prises de l'homme et de la philosophie; mais c'est l'œuvre essentielle de la raison d'en voir la nécessité, et de déterminer les convenances naturelles qui règlent l'enchaînement des vérités surnaturelles elles-mêmes[5]. "

Lorsque Blondel expose que l'idée de révélation divine implique celle d'un médiateur, d'un intercesseur et d'un sauveur[6], il ne fait que dérouler, à l'intérieur d'une hypothèse, une série de conditions formelles. La notion chrétienne du surnaturel garde ainsi un sens purement catégorial; elle n'indique pas une réalité effective. A l'inverse du théologien, qui la conçoit en fonction de la personne du Christ et de l'histoire du salut, le philosophe écarte d'abord, pour la définir, toutes les questions de fait ou de personne. Au terme seulement, à la fin du dernier chapitre

1. *L'Action*, p. 397.
2. *L'Action*, p. 394-399.
3. *L'Action*, p. 400-404, 405-422.
4. *L'Action*, p. 400-401, 403.
5. *L'Action*, p. 418.
6. *L'Action*, p. 398-399.

de *L'Action*, il fera apparaître le besoin de la réalité concrète du Verbe incarné : nous verrons plus tard avec quelles précautions[1].

4. *Rapport des trois étapes*

Retournons-nous maintenant, pour embrasser d'un coup d'œil les trois étapes qui marquent la route suivie jusqu'ici. En premier lieu, Blondel a établi l'insuffisance de l'ordre naturel; il a montré que la condition *indispensable* à l'achèvement de l'action humaine est *inaccessible* à cette action. Cette dialectique de l'indispensable inaccessible, ou du nécessaire impossible, commande et rythme toute sa démarche ultérieure. Il s'agit toujours de démontrer que l'exigence de la volonté dépasse son pouvoir. C'est de là que sort l'idée de la nécessité du surnaturel. Elle se dégage en deux temps. Au premier, la nécessité est absolue; mais le surnaturel, indéterminé. Au second, la nécessité est celle d'une hypothèse; mais cette hypothèse est l'ordre surnaturel chrétien. Ce qui apparaît au premier temps, c'est la nécessité absolue de s'ouvrir à l'action de Dieu, quelle qu'elle soit. Ce qui apparaît au second, c'est la nécessité d'accueillir la révélation positive de Dieu, si elle se manifeste au sujet à travers la prédication chrétienne. L'une nous invite à une sorte de foi de la raison, qui est générosité du cœur; l'autre nous invite à la foi théologale.

N'imaginons pas cependant que Blondel superpose deux étages de surnaturel. La seconde notion est une détermination ultérieure de la première. Détermination nécessaire en ce sens qu'il en faut une, mais non en ce sens qu'elle serait virtuellement incluse dans la première notion. Du surnaturel indéterminé au surnaturel chrétien, le passage n'est pas analytique, mais synthétique. Il y a progrès du même à l'autre par l'autre du même[2]. Encore faut-il préciser qu'ici " l'autre du même " est la détermination d'une historicité essentielle par une histoire contingente.

---

1. Cf. *Lettre*, p. 90-91.
2. Nous empruntons cette formule à une excellente remarque de Jean Trouillard concernant la dialectique blondélienne en général. La nécessité qui enchaîne les multiples conditions de notre propre équation, dit-il, " n'est pas une nécessité *analytique* ou d'inclusion, car la démarche principale de Blondel est ascendante et une étape inférieure ne contient pas celle qui la dépasse et la suit. [...] La nécessité qui nous fait monter de condition en condition est *synthétique*. Cela veut dire qu'elle impose rigoureusement le passage, non parce que l'inférieur inclut le supérieur, mais parce que le moins exige ici le plus pour soutenir un non-être qui, loin d'être néant, est manque concret. Il y a donc bien progrès du même à l'autre par l'autre du même, selon le modèle donné dans le *Sophiste* de Platon. " (*La structure de la recherche métaphysique selon Maurice Blondel*, dans *Les Études philosophiques*, 1952, n° 4, p. 370-371.)

Nous l'avons déjà dit : si l'on fait abstraction de la révélation chrétienne, l'homme n'en doit pas moins, pour atteindre sa fin nécessaire, s'ouvrir librement à l'initiative de Dieu, principe de sa vie. L'ordre surnaturel dont l'attestation surgit au sein de l'histoire, répond de l'extérieur à cette historicité essentielle : de telle sorte que la liberté humaine, sans pouvoir le produire, se voit dans l'obligation de l'accueillir, quand il se manifeste à elle. Comme on le voit, l'anneau qui relie le surnaturel chrétien au surnaturel indéterminé, n'est pas une nécessité naturelle, mais, selon le terme de Blondel, une " nécessité pratique[1] ", qui se dévoile à une liberté, et à une liberté insérée dans l'histoire.

Des trois étapes que le philosophe distingue dans la genèse de l'idée du surnaturel, la plus importante n'est pas la troisième, mais la seconde. Il importe d'insister sur ce point, que les controverses ont souvent méconnu et fait méconnaître.

Mettre en évidence la nécessité des dogmes et de la pratique religieuse, c'était naturellement, de la part d'un philosophe, étonner ses collègues rationalistes. Montrer que l'ordre surnaturel défini par le christianisme est indispensable à l'achèvement de l'action humaine, c'était inquiéter les théologiens. Inévitablement cette partie de l'œuvre blondélienne[2] a concentré l'attention des lecteurs. Par le fait même, elle a paru la plus importante. Là commençait une erreur de perspective. Cette partie, assurément la plus nouvelle à certains égards, marque à peu près le terme de la dialectique de *L'Action*. Mais elle n'en est pas le centre; et elle ne constitue pas le point décisif dans la démonstration de la nécessité du surnaturel.

L'étape décisive est celle où l'idée de Dieu, surgie du conflit intérieur à la volonté, place la conscience devant une alternative et lui impose d'opter pour ou contre l'ouverture à l'action divine, pour ou contre l'accueil d'un surnaturel encore indéterminé[3]. A qui ne l'aurait pas remarqué au cours même du développement, Blondel le répète vers la fin de la conclusion. " L'unique affaire ", dit-il, " est toute dans ce conflit nécessaire qui naît au cœur de la volonté humaine et qui lui impose d'opter pratiquement entre les termes d'une alternative inévitable, d'une alternative telle que l'homme ou cherche à rester son maître et à se garder tout entier en soi, ou se livre à l'ordre divin plus ou moins obscurément révélé à sa conscience[4]. "

1. *L'Action*, p. 426.
2. *L'Action*, cinquième partie, chapitres I et II.
3. *L'Action*, quatrième partie. Dans le manuscrit déposé à la Sorbonne pour obtenir le permis d'imprimer sa thèse, Blondel avait écrit, au lieu de " Quatrième partie ", " Partie décisive ".
4. *L'Action*, p. 487.

Voilà qui est net. Il importe de s'en souvenir, chaque fois que Blondel mentionne la nécessité du surnaturel sans rappeler la distinction des étapes. Ainsi, souvent, dans le dernier chapitre et la conclusion de *L'Action*, ou dans la *Lettre*. Sauf indication contraire donnée dans le contexte immédiat, on doit présumer qu'il s'agit alors du surnaturel au sens indéterminé qu'aperçoivent d'abord les philosophes, et non du surnaturel en tant qu'historiquement déterminé par le christianisme et spécifiquement défini par la théologie chrétienne.

Cette simple remarque suffit à faire évanouir certaines difficultés. Prenons par exemple cette formule qui a choqué ou embarrassé tant de lecteurs : " Il est impossible que l'ordre surnaturel soit sans l'ordre naturel auquel il est nécessaire, et impossible qu'il ne soit pas, puisque l'ordre naturel tout entier le garantit en l'exigeant[1]. " On a pris l'habitude d'entendre ici par " ordre surnaturel " l'ordre de grâce apparu en Jésus-Christ, en tant qu'il se distingue de l'ordre de la création. Ainsi comprise, la formule de Blondel est évidemment difficile à accepter : le moins qu'on puisse dire est qu'elle constitue un " raccourci équivoque[2] ". Entendons maintenant par " ordre naturel " le monde en tant que champ de l'activité humaine : nous avons vu que c'est le sens du mot dans *L'Action* de 1893. Entendons par " ordre surnaturel " la relation de l'homme et du monde à " l'unique nécessaire " qui dépasse absolument le monde et l'activité humaine. Alors la formule litigieuse signifie simplement que le monde ne peut se passer de Dieu, et que l'homme ne peut s'achever lui-même sans s'ouvrir à l'action de Celui qui l'a créé. Bref, elle n'énonce directement rien de plus que les preuves traditionnelles de l'existence de Dieu.

Dira-t-on que cette interprétation sollicite par trop le texte de Blondel ? Qu'on veuille bien se reporter aux pages de *L'Action* où sont précisément reprises les preuves classiques de Dieu. On y trouvera des expressions presque identiques à celles que nous commentons, avec le sens même que nous venons de dégager. " La preuve de " l'unique nécessaire " emprunte sa force et sa valeur à l'ordre entier des phénomènes. Sans lui, tout n'est rien, et rien ne peut pas être. Tout ce que nous voulons suppose qu'il est; tout ce que nous sommes exige qu'il soit[3]. " " Ainsi donc l'ordre entier de la nature nous est forcément un garant de ce qui le dépasse. [...] Les choses visibles, les sciences humaines, les phénomènes de la conscience, les arts et les œuvres, [...] tout en nous et hors de nous exige " l'unique nécessaire ". Et si, pour le porter, ces

---

1. *L'Action*, p. 462.
2. H. DUMÉRY, *La Philosophie de l'Action*, p. 149.
3. *L'Action*, p. 343.

ombres d'être sont un fondement solide, c'est qu'il en fait lui-même l'invisible appui[1]. " On voit aisément que le rapport ici défini entre l'ordre des phénomènes et " l'unique nécessaire " est identique au rapport établi, dans l'autre passage, entre l'ordre naturel et l'ordre surnaturel. Si ce dernier terme dit plus que celui d'unique nécessaire, c'est qu'il y ajoute l'idée d'une relation consentie de l'homme avec Dieu. Il évoque non l'objet explicite de la foi chrétienne, mais l'enjeu de l'alternative imposée à tout homme, " l'ordre divin plus ou moins obscurément révélé à la conscience[2]. "

On doit assurément remarquer aussi que Blondel ne limite pas son regard à ce surnaturel indéterminé. Nous l'avons déjà dit, ce n'est pour lui qu'une étape, une approche; il vise toujours au delà. Mais il sait qu'il ne peut aborder en philosophe l'idée chrétienne du surnaturel, qu'en passant (et en repassant chaque fois) par cette approche. Pour le philosophe comme tel, il n'y a pas d'autre accès.

Mettre en relief la fonction propre de cette étape médiane, c'est faire valoir le caractère proprement philosophique de l'entreprise blondélienne et la réserve qu'elle s'impose en face du donné chrétien. H. Duméry aurait pu en tirer argument. Il ne l'a pas fait. Dans la démonstration de la nécessité du surnaturel, il ne distingue que deux moments : une philosophie de l'insuffisance, et, greffée sur elle, une philosophie du surcroît possible (établissant la nécessité hypothétique du surnaturel annoncé par la prédication chrétienne)[3]. Le moment intermédiaire, qui nous a paru jouer un rôle décisif, est rattaché par lui soit au premier, soit au dernier; il perd ainsi de son caractère.

Dans l'essai, déjà ancien, sur *La Philosophie de l'Action*, ce moment intermédiaire est rattaché au premier. Joint à la critique de l'action superstitieuse (rapidement mentionnée), il constitue avec elle, et même plus qu'elle, la philosophie de l'insuffisance[4]. Les pages où Blondel détermine les dispositions d'une volonté entièrement bonne et conséquente[5] ne font, nous dit-on, que développer " la dernière exigence de l'affirmation théiste[6] ", " la thèse classique de l'attente religieuse et même de l'appel inefficace au surnaturel[7] ".

1. *L'Action*, p. 344.
2. *L'Action*, p. 487.
3. *Blondel et la Religion*, p. 47 (note 1), 52, 58-76.
4. *La Philosophie de l'Action*, p. 143-147.
5. *L'Action*, p. 374-388.
6. *La Philosophie de l'Action*, p. 146.
7. *Loc. cit.*, p. 145.

Cette philosophie de l'insuffisance, poursuit Duméry, " est insuffisante à son tour " ; elle n'est " qu'un nécessaire prélude à la philosophie de la religion[1] ". Blondel en effet ne s'en tient pas au plan des nécessités essentielles : il envisage l'homme en situation, dans son contexte historique ; il tient compte du fait que l'influence des religions positives, notamment du christianisme, a dilaté la raison humaine. Dans ce contexte précis, il n'hésite plus à parler de la nécessité du surnaturel. Duméry cite ici la phrase qui a nous a nous-même retenu : " Absolument impossible et absolument nécessaire à l'homme, c'est là proprement la notion du surnaturel[2]. " Après quoi, il déclare : " Ce ne peut être, de toute évidence, qu'une nécessité conditionnelle ou hypothétique[3]. " Et il s'applique à le montrer par l'analyse de textes, empruntés pour la plupart à la dernière partie de L'Action.

Pour que le lecteur puisse saisir l'évidence annoncée, il faudrait lui expliquer à quel titre Blondel peut déclarer absolue (" absolument nécessaire ") une nécessité hypothétique. D'autre part, nous ne voyons pas pourquoi arracher cette déclaration à la sphère de la simple attente religieuse, alors qu'on y maintient la phase suivante, où l'aveu de cette nécessité est identifié à l' " attente cordiale du messie inconnu [4]". Que cette attente soit elle-même un don[5], ne l'empêche pas de rester une attente. Il nous semble que l'interprète n'a pas exactement déterminé la visée propre des pages qui terminent la quatrième partie de L'Action. La nécessité absolue dont l'aveu constitue l'attente religieuse est celle d'une action divine ; il n'est pas encore question de l'ordre surnaturel défini par le christianisme. C'est seulement au début de la cinquième partie que Blondel introduit la notion spécifiquement chrétienne du surnaturel.

Dans l'essai critique sur la Lettre de 1896, au cours de quelques pages[6] consacrées à la dialectique de L'Action, on retrouve la même imprécision, quoique sous une forme un peu différente. D'après ce texte, la philosophie de l'insuffisance consiste essentiellement dans la réflexion qui surmonte la tentation superstitieuse, en montrant qu'elle atteste, par delà toute entreprise dans l'ordre naturel, un surcroît d'aspiration, un surplus d'exigence[7]. Ce qui, dans L'Action, suit la critique de l'acte superstitieux, ne semble plus ici rattaché à la philosophie de l'insuffisance, mais

---

1. *Loc. cit.*, p. 148.
2. *L'Action*, p. 388.
3. *La Philosophie de l'Action*, p. 148.
4. *L'Action*, p. 388.
5. *L'Action*, p. 388.
6. *Blondel et la Religion*, p. 58-62.
7. *Loc. cit.*, p. 58-60.

rapporté déjà à la nécessité de concevoir l'hypothèse du surnaturel. C'est ainsi du moins que nous croyons devoir entendre une page où l'enchaînement des idées apparaît mal[1]. En tout cas, cette obscurité est elle-même significative. La nécessité de poser le problème religieux et la nécessité de faire place à l'hypothèse du surnaturel chrétien ne sont pas distinguées. On ne mentionne pas que, d'après Blondel, une alternative s'impose à tout homme, même ignorant la notion chrétienne du surnaturel, et lui impose d'opter pour ou contre l'ouverture à une action divine, encore indéterminée à ses yeux. Or, c'est précisément cette thèse, nous le verrons bientôt, qui figure au premier plan dans la *Lettre* de 1896.

En chacun de ses deux essais, Duméry affirme que, dans la philosophie de Blondel, la nécessité du surnaturel est toujours hypothétique, même quand elle est dite absolue. C'est très juste en un sens[2]. L'auteur de *L'Action* déclare en effet, au cours du dernier chapitre, quand il embrasse d'un regard rétrospectif la série entière des conditions qui ont paru nécessaires pour constituer peu à peu l'action : " Malgré l'extrême diversité des éléments qui composent la série, tous, aussi bien l'intuition sensible ou les vérités positives que les conditions de la vie individuelle, sociale ou religieuse, participent à une seule et même nécessité hypothétique[3]. " Nous n'avons aucune raison d'y soustraire l'idée du surnaturel, même au stade où elle reste encore indéterminée. Dans un passage de la *Lettre* où il s'agit précisément (nous le montrerons bientôt) de l'idée indéterminée, Blondel dit expressément que la nécessité dont il parle est une " nécessité hypothétique[4] ". Il a même rappelé dans la phrase précédente le sens de cette qualification : " Ici, comme dans tous les cas où au point de vue de la méthode il est question de nécessité scientifique, la réalité ou mieux la réalisation de ce qui est proposé comme nécessaire, est subordonnée à un autre élément qui demeure étranger à la science : seule la pratique effective de la vie tranche, pour chacun dans le secret, la question des rapports de l'âme et de Dieu[5]. "

---

1. *Loc. cit.*, p. 60-62.
2. Nous éviterions cependant de dire que, pour le philosophe, le surnaturel est un " possible nécessaire " (*Blondel et la Religion*, p. 33-34). Cette expression insolite ne figure nulle part chez Blondel. Elle a même l'inconvénient d'associer deux termes qu'il oppose expressément : " Ce n'est, dit-il, ni à une réalité, ni à une possibilité, c'est à une nécessité qu'aboutit l'étude complète du déterminisme de l'action ". (*L'Action*, p. 406.) Duméry ne nous semble pas contredire cette déclaration de Blondel, parce qu'il donne un autre sens qu'elle au mot " possible ". Mieux vaut cependant éviter une telle équivoque.
3. *L'Action*, p. 458.
4. *Lettre*, p. 46.
5. *Lettre*, p. 45-46.

On verra, au cours de notre prochain chapitre, que ceci est en pleine conformité avec la doctrine générale de *L'Action* : " La science de la pratique établit qu'on ne supplée pas à la pratique[1]. " Nous pouvons donc conclure : si la nécessité de s'ouvrir à une action divine indéterminée est absolue au sein de la série idéale des conditions de l'action, elle participe néanmoins au caractère hypothétique de la série entière, tant que la pratique effective ne lui a pas conféré réalisation. A ce titre, elle est de même ordre que la nécessité du surnaturel spécifiquement chrétien.

Mais prenons garde. Après avoir affirmé que, dans la chaîne des conditions nécessaires de l'action, tout est continu et de même ordre[2], Blondel ajoute : " Chaque anneau moyen participe à la solidité du tout et existe à part comme un monde. [...] Dans la solidarité totale et la continuité universelle, toute synthèse particulière apparaît avec un caractère d'absolue hétérogénéité et d'entière originalité[3]. " En d'autres termes : au sein de la même suite nécessaire des besoins de la pratique, au sein de ce même ordre idéal de nécessités hypothétiques, apparaissent des types de nécessité dont chacun est original et hétérogène par rapport aux autres. Le passage de la superstition à l'idée de Dieu n'est pas de même type que le passage de la sensation à la science, ou de la famille à la patrie. Tous sont nécessaires, mais tous sont différents.

Ainsi en va-t-il quand il s'agit du surnaturel. Le passage à l'idée générale et indéterminée n'offre pas la même figure que le passage à l'idée spécifiquement chrétienne; la nécessité, de part et d'autre, n'est donc pas identique, ou du moins ne se dévoile pas de la même manière. La première est telle qu'elle se manifeste inévitablement à tout homme, au moins de façon implicite. La seconde est telle que sa détermination propre ne peut apparaître qu'à qui connaît le dogme chrétien et accepte de l'envisager, à titre d'hypothèse, comme révélateur éventuel des profondes exigences de la volonté. Assurément, les deux nécessités sont hypothétiques, en ce sens que seule la pratique effective permettra la réalisation de ce que la réflexion propose comme nécessaire. Mais, au sein même des liaisons idéales, la seconde est hypothétique à un autre titre encore : en ce sens qu'elle ne se dévoilerait pas sans l'hypothèse du dogme révélé.

La différence entre ces deux figures de nécessité apparaît nettement au lecteur attentif de *L'Action*. Dans la *Lettre*, elle est difficile à discerner. Blondel, nous le montrerons, y concentre son regard sur la première

1. *L'Action*, p. 463.
2. *L'Action*, p. 426.
3. *L'Action*, p. 433; cf. p. 453.

figure; il ne laisse apparaître la seconde qu'en fonction d'elle et de façon marginale. On ne saurait donc faire grief à Duméry, interprétant la *Lettre*, de n'y avoir pas relevé la distinction. Mais il ne l'a pas signalée non plus dans son commentaire de *L'Action*[1]. De part et d'autre, il contamine les deux types de nécessité et les deux degrés d'hypothèse. On verra bientôt l'inconvénient qui en résulte pour son interprétation de la *Lettre*.

5. *Reflets de* L'Action *dans la* Lettre.

Il est impossible en effet de comprendre ce que dit la *Lettre* touchant la nécessité du surnaturel, si l'on ne rapporte pas les divers passages aux étapes correspondantes de *L'Action*. L'auteur ayant négligé de le faire expressément[2], l'interprète doit y suppléer en comparant les deux textes : il lui faut discerner les reflets de *L'Action* dans la *Lettre*.

Il remarquera alors que le centre de gravité de la seconde est, comme celui de la première, la notion indéterminée du surnaturel. C'est ce qui apparaît dans un passage capital, par lequel doit commencer notre examen.

Après avoir expliqué que la méthode d'immanence considère le surnaturel " non comme réel sous sa forme historique, non comme simplement possible ainsi qu'une hypothèse arbitraire ", mais " comme indispensable en même temps qu'inaccessible à l'homme[3] ", l'auteur de la *Lettre* pose la question cruciale : " Parler de nécessité n'est-ce point jeter entre les deux ordres un pont téméraire, et faire illégitimement rentrer, semble-t-il, dans le déterminisme de l'action humaine la liberté même du don divin[4] ? " Et pour justifier sa réponse négative, il précise le sens que revêt ici le mot " nécessaire ".

---

1. Il distingue bien, au cours de ce commentaire, deux plans : un plan *naturel* et des *nécessités essentielles*, un plan *transnaturel* et des *nécessités hypothétiques* (*La Philosophie de l'Action*, p. 159). Mais, comme nous l'avons relevé plus haut, la nécessité du surnaturel est située par lui tout entière au second plan, sans que soit notée la distinction des deux dernières étapes marquées par Blondel.

2. Il l'a dit lui-même dans une lettre du 4 avril 1897 à l'abbé Bricout : " Dans ma *Lettre* aux Annales, je touchais simplement, et sous un angle restreint, à une question de " méthode " : je n'avais donc point à indiquer le contenu matériel des doctrines philosophiques que je crois conformes aux exigences communes de la raison et de la foi. C'est dans mon étude de *L'Action* que j'ai marqué plutôt la suite des idées philosophiques. "

3. *Lettre*, p. 43.
4. *Lettre*, p. 43.

" Ce qui est nécessaire, dit-il, c'est que, sous une forme dont il est impossible de fixer la définition singulière et concrète pour chacun, les pensées et les actes de chacun composent dans leur ensemble comme un drame dont le dénouement ne se produit pas sans que la décisive question ait tôt ou tard surgi en la conscience. Chacun, par le seul usage de cette lumière qui éclaire tout homme venant en ce monde, et par l'emploi de ses forces, se trouve pour ainsi parler mis en demeure de se prononcer sur le problème de son salut. Car, pour porter la plus simple affirmation réfléchie sur la réalité des objets qui composent notre pensée, pour produire délibérément le plus élémentaire des actes qui entrent dans le déterminisme de notre volonté, il faut implicitement passer par le point où l'option devient possible, et où, faute d'autres lumières, elle devient nécessaire et décisive entre les sollicitations du Dieu caché et celles de l'égoïsme toujours évident[1]. "

Citant les deux premières phrases de ce passage, Duméry y voit affirmer " la nécessité de prendre comme hypothèse la notion de surnaturel ". (Il entend par là la notion chrétienne, celle que Blondel trouvait dans le catéchisme[2].) " Ce qui est nécessaire, dit-il, c'est la mise en demeure de prendre parti sur le terrain religieux. Le surnaturel est nécessaire, parce qu'il est impossible de l'éluder comme solution possible[3]. " Cette interprétation ne nous paraît pas tenir compte du contexte. Bien loin de considérer ici la nécessité de prendre comme hypothèse la notion chrétienne du surnaturel, Blondel inclut sous son regard des hommes qui ne peuvent pas la prendre comme hypothèse, parce qu'ils n'en ont aucune connaissance explicite. Il envisage une mise en demeure qui, sous une forme impossible à définir pour chaque cas singulier, surgit inévitablement en toute conscience. Chaque homme, dit-il, même ignorant la révélation chrétienne, se trouve amené à se prononcer sur le problème de son salut, en ce sens que la logique interne de l'action le fait inévitablement passer par le point où l'option devient nécessaire entre les sollicitations du Dieu caché et celles de l'égoïsme. Ceci résume manifestement le développement central de la quatrième partie de *L'Action* : " Le conflit ", troisième moment[4].

Continuons la lecture de la *Lettre*. En analysant le " drame " qui vient d'être évoqué, le philosophe montrera, dit Blondel, que " le progrès de notre volonté nous contraint à l'aveu de notre insuffisance, nous conduit au besoin senti d'un surcroît, nous donne l'aptitude, non à le produire ou à le définir, mais à le reconnaître et à le recevoir, nous ouvre

1. *Lettre*, p. 44.
2. *Blondel et la Religion*, p. 51, 63.
3. *Loc. cit.*, p. 92.
4. Voir surtout la fin, p. 353-356.

en un mot, comme par une grâce prévenante, ce baptême de désir qui, supposant déjà une touche secrète de Dieu, demeure partout accessible et nécessaire en dehors même de toute révélation explicite, et qui, dans la révélation même, est comme le sacrement humain immanent à l'opération divine[1] ".

Nous avons déjà rencontré le mot " baptême de désir " au dernier alinéa de la quatrième partie de *L'Action*[2]. Qu'on veuille bien confronter ces deux fragments : on verra que le second répète, sous une forme plus nette et plus explicite, le contenu du premier. On comprendra mieux alors ce qui apparaît déjà à son seul examen : le surcroît dont Blondel prétend dévoiler en tout homme le besoin ne revêt pas encore ici la forme spécifique et positivement déterminée que définit la révélation chrétienne. Ce qui est désigné, c'est la nécessité de s'ouvrir à une action divine encore indéterminée. L'aveu de notre insuffisance, en quoi consiste le baptême de désir, est accessible, dit l'auteur, " en dehors même de toute révélation explicite[3] "; il est appel du " médiateur ignoré[4] ". Bien entendu, cet appel " cesse d'être efficace ", " si l'on se ferme au sauveur révélé[5] "; et dans la révélation même, il est " comme le sacrement humain immanent à l'opération divine[6] ". Mais, en lui-même, il est essentiellement aptitude à " reconnaître " et à " recevoir[7] " un surcroît qui n'a pas encore été déterminé.

On altère donc le mouvement de la pensée de Blondel en déclarant que ce passage de la *Lettre* concerne la nécessité de prendre comme hypothèse la notion chrétienne du surnaturel[8]. Cette nécessité ne peut être introduite qu'à une étape ultérieure.

Montrer que tout homme est nécessairement mis en demeure d'opter " entre les sollicitations du Dieu caché et celles de l'égoïsme toujours évident ", ce n'est assurément pas faire rentrer la liberté du don divin dans le déterminisme de l'action humaine; c'est seulement marquer le point où ce libre don pourra venir s'insérer. Voilà pourquoi Blondel peut parler des " exigences naturelles de l'âme[9] " aussitôt après avoir rappelé que l'ordre surnaturel demeure toujours au delà " des exigences de notre nature et même de toute nature concevable[10] ". Car, par " exi-

---

1. *Lettre*, p. 44-45.
2. *L'Action*, p. 388.
3. *Lettre*, p. 44-45.
4. *L'Action*, p. 388.
5. *L'Action*, p. 388.
6. *Lettre*, p. 45.
7. *Lettre*, p. 44.
8. *Blondel et la Religion*, p. 92.
9. *Lettre*, p. 45.
10. *Lettre*, p. 44.

gences naturelles de l'âme ", il entend " cette exigence secrète qui fait que tous rencontrent forcément les données du problème et les moyens de le résoudre[1] ". Il est évidemment regrettable que l'emploi du même mot " exigence " crée une ambiguïté, où achoppent bien des lecteurs. Le contexte doit chaque fois nous éclairer. Ici, le sens est nettement exprimé : les exigences naturelles de l'âme sont une " pierre d'attente ", un " point d'insertion préparé[2] "; relativement à l'ordre surnaturel, qui constitue " un surcroît ineffable et imprévu[3] ", elles nous donnent " l'aptitude non à le produire ou à le définir, mais à le reconnaître et à le recevoir[4] ".

Cette dernière formule, toutefois, ne signifie pas que Blondel entendrait déterminer seulement " les conditions sans lesquelles il serait inassimilable pour nous[5] ". L'intention du philosophe va plus loin. Il s'agit de définir " la *nécessité* qui relie les deux ordres hétérogènes, sans en méconnaître l'indépendance[6] ". Du point de vue philosophique, elle réside dans cette logique de l'action, en vertu de laquelle il apparaît un jour à tout homme, sous une forme ou sous une autre, qu'il faut inévitablement opter pour ou contre l'ouverture à l'action de Dieu[7]. " Sans ce caractère de nécessité interne qui, exprimant l'ultimatum auquel nous nous subordonnons en agissant, définit du même coup notre vraie responsabilité, les rigueurs de la sanction ne sauraient se justifier. En sorte qu'il faut mettre toute philosophie, autre que celle dont il est ici parlé, au défi soit d'affirmer qu'il y a quelque chose de nécessaire dans la vie morale et religieuse, sans compromettre le sens de la liberté et de la grâce, soit d'admettre les représailles de la vie présente et future, sans violer toute notion d'équité et de bonté[8]. "

On voit ici comment Blondel répond à la question que lui posait la rencontre de la philosophie et du christianisme. S'il est vrai que l'accueil du surnaturel chrétien est obligatoire sous peine de perte éternelle, il faut, disait-il, qu'il y ait dans l'homme une trace, et dans la philosophie un écho, de cette exigence[9]. Cette trace et cet écho, nous le savons maintenant, c'est la logique même de l'action, au moment où elle place tout homme en face de l'alternative inexorable : opter pour ou contre l'ouver-

1. *Lettre*, p. 45.
2. *Lettre*, p. 45.
3. *Lettre*, p. 45.
4. *Lettre*, p. 44.
5. Comme le pense Duméry (*Blondel et la Religion*, p. 85-86).
6. *Lettre*, p. 45.
7. *Lettre*, p. 44, 67-68.
8. *Lettre*, p. 68.
9. *Lettre*, p. 37.

ture à un surnaturel encore indéterminé, avec la conscience confuse des suites inévitables de cette option. C'est cette logique, cette nécessité intérieure à l'action, qui justifie les rigueurs de la sanction contre ceux qui refuseraient la lumière de la foi. Et c'est elle qui constitue l'*a priori* grâce auquel nous pouvons reconnaître que la prédication chrétienne nous concerne.

Ainsi donc, au point décisif, l'auteur de la *Lettre* concentre son attention sur la notion du surnaturel qu'a dégagée la quatrième partie de *L'Action* : notion encore indéterminée, mais qui prépare l'esprit à saisir le sens des déterminations offertes par le dogme chrétien.

Ailleurs, il analyse ce rapport comme il le faisait dans la cinquième partie de *L'Action*. En montrant que l'homme subit une déchéance positive quand il se ferme à la vie supérieure dont il n'a pas la source en soi, la philosophie, dit-il, éclaire d'une nouvelle lumière non seulement la doctrine du dam, mais aussi celle de " la satisfaction vicaire " du Christ[1]. Voilà qui se réfère au passage concernant la notion de dogmes. Et voici qui reprend un thème du dernier chapitre, que nous commenterons plus loin : " Il semble que la philosophie, en requérant pour concevoir la réalisation effective de l'ordre intégral des choses un élément distinct à la fois de la nature et de Dieu même son auteur, éclaircirait et justifierait à son point de vue ce qui est peut-être un dogme implicite, l'Emmanuel, cause finale du dessein créateur[2]. "

Dans la *Lettre*, toutefois, Blondel accentue les réserves qu'il avait déjà eu soin d'énoncer dans *L'Action*. " En déterminant, dit-il, la genèse de l'idée de révélation ou en indiquant la nécessité de dogmes ou de préceptes révélés, nous ne ferons jamais autre chose que tracer des cadres vides, dont rien de nôtre ne saurait fixer la réalité ou remplir le dessin abstrait[3]. " Pourquoi ce redoublement de précautions ?

C'est la cinquième partie de *L'Action*, on le sait, qui a amené des philosophes rationalistes et des apologistes chrétiens à méconnaître (de façon diverse) l'intention proprement philosophique de l'ouvrage. Blondel veut réaffirmer cette intention et montrer qu'il distingue fort bien les domaines de la raison et de la foi. Il se trouve amené par là, d'une part, à mettre l'accent sur la notion générale de surnaturel que

1. *Lettre*, p. 87-88, Cf. *L'Action*, p. 399.
2. *Lettre*, p. 90. Cf. *L'Action*, p. 460-461, 463-464.
3. *Lettre*, p. 41.

tout homme peut pressentir, même s'il ignore le christianisme; d'autre part, à reconnaître que la tentative de déchiffrer les exigences du vouloir au moyen des dogmes chrétiens comporte, pour le lecteur, quelque risque de confusion.

Écoutons cet aveu : " Sans doute, pour déterminer précisément les insuffisances de notre nature, et pour aller jusqu'au bout des requêtes de la raison ou des prières de la vie, ce spectacle [des dogmes et des préceptes] est incomparablement instructif; mais il faut d'autant plus se défier de la tentation de confondre domaines et compétences, et de *retrouver* plus qu'on ne saurait *trouver*[1]. " La première phrase désigne manifestement ce que Blondel a voulu faire dans la cinquième partie de *L'Action*. La seconde est un avertissement donné aux apologistes chrétiens qui n'ont pas su voir comment il y distinguait les domaines, et qui ont confondu son intention et sa méthode avec celles d'autres penseurs[2].

Il ajoute alors cette déclaration capitale, qui exprime avec vigueur le point d'impact et les limites de la réflexion philosophique, quand elle touche les dogmes et les préceptes chrétiens : " La philosophie s'applique au christianisme selon la mesure même où le christianisme a, dans le fond des choses, empire ou judicature sur les hommes mêmes qui l'ignorent ou l'excluent[3]. " En d'autres termes, la notion chrétienne de l'ordre surnaturel ne relève de la philosophie que dans la mesure où elle apparaît comme l'ultime détermination de l'idée indéterminée qui surgit en tout homme, même en dehors de l'enseignement chrétien. C'est toujours à travers cette idée indéterminée que le philosophe accède au sens formel de la notion chrétienne. Voilà pourquoi Blondel peut dire : " La philosophie ne considère le surnaturel qu'autant que la notion en est immanente en nous[4]. "

Mais il sait, disant cela, qu' " au delà du drame déjà divin qui se joue en la conscience de tout homme se place dès à présent, pour les âmes croyantes et vivantes, un nouveau mystère de grâce dont la Révélation seule peut nous soulever quelques voiles[5] ". Cette proposition confirme doublement notre interprétation. Quand l'auteur de la *Lettre* parle du drame qui se joue en tout homme, il envisage le surnaturel en un sens très général et non encore comme le " nouveau mystère de grâce " que la Révélation seule dévoile. Corrélativement, le mystère de grâce dont vivent les croyants est une nouveauté qui dépasse l'idée de surnaturel immanente à tout homme.

1. *Lettre*, p. 47.
2. Cf. *Lettre*, p. 12-26.
3. *Lettre*, p. 47.
4. *Lettre*, p. 86-87.
5. *Lettre*, p. 88-89.

6. *Gratuité du surnaturel.*

Il est évident qu'on ne saurait négliger ces remarques, quand on veut saisir comment la thèse blondélienne de la nécessité du surnaturel sauvegarde la gratuité ou le caractère strictement surnaturel du don divin annoncé par la prédication chrétienne.

On pourrait croire, au premier abord, que l'auteur de la *Lettre* ne s'est nullement soucié du parti qu'il pouvait en tirer. Il semble faire appel de façon exclusive à une considération différente, que nous analyserons au chapitre suivant : l'idée que la philosophie est pure phénoménologie, qu'elle dévoile les relations nécessaires entre phénomènes sans se prononcer elle-même sur l'être réel. La méthode d'immanence, dit-il, montre que " nos pensées s'organisent inévitablement en un système lié ", " sous-jacent à l'usage même de la liberté[1] ". La nécessité qu'elle manifeste est hypothétique; " la portée légitime des conclusions philosophiques s'arrête au seuil de l'opération réelle en laquelle seule l'acte humain et l'acte divin, la nature et la grâce peuvent s'unir[2]. " C'est à cause de cette réserve que la philosophie peut montrer la nécessité du surnaturel, sans impliquer une continuité réelle entre le monde de la raison et celui de la foi. " L'affirmation immanente du transcendant, fût-ce du surnaturel, ne préjuge en rien la réalité transcendante des affirmations immanentes[3]. " Le passage qui précède immédiatement cette déclaration montre que l'auteur désigne ici par " affirmations immanentes " aussi bien la nécessité des croyances et des pratiques révélées que l'idée nécessaire et efficace de Dieu. Il semblerait donc que la distinction établie dans *L'Action* ne l'intéresse pas ici, qu'il n'a pas besoin d'elle pour faire ressortir que la Révélation chrétienne et la foi sont un don de Dieu, qu'il lui suffit pour cela de maintenir avec rigueur la distinction entre le plan formel de la réflexion et le plan réel de l'action.

Ayant pour objet de définir la nature, la portée et les limites de la méthode d'immanence, la *Lettre* devait naturellement insister sur cet aspect. Mais cela ne nous autorise pas à négliger la distinction des étapes successives de *L'Action*, distinction dont la *Lettre* offre encore des traces aux yeux du lecteur averti.

Rassemblons en quelques propositions ce par quoi l'ouvrage princi-

1. *Lettre*, p. 43.
2. *Lettre*, p. 46.
3. *Lettre*, p. 40.

pal nous a paru non seulement respecter, mais encore mettre en relief la transcendance et la gratuité du surnaturel.

1. La notion immanente de surnaturel est engendrée par voie négative : par l'échec de l'homme à trouver son achèvement dans l'ordre naturel, c'est-à-dire dans les objets sur lesquels s'exerce son activité. Avant même d'avoir été nommé, le surnaturel apparaît au philosophe " comme indispensable en même temps qu'inaccessible à l'homme[1] ". Le second caractère est aussi essentiel que le premier : " le surnaturel ne restera conforme à l'idée que nous en concevons qu'autant qu'il demeurera, de notre aveu, hors de nos prises humaines[2]. "

2. Cette idée négative est déterminée par une confrontation avec les dogmes chrétiens envisagés comme des hypothèses. En procédant ainsi, on reconnaît que le contenu de la révélation ne peut être engendré dans la conscience, qu'il vient du dehors, qu'il a une origine historique.

3. Enfin, en établissant que la science de l'action ne supplée pas à l'action, on aide à comprendre que seule l'expérience de la foi pourra discerner, dans le message chrétien, le don de Dieu, en sa nouveauté inouïe, en son ineffable gratuité.

Grâce aux diverses distinctions que Blondel introduit dans sa démarche, au cours de *L'Action* de 1893, il peut manifester en l'homme un besoin du surnaturel, sans établir pour autant une continuité réelle entre le monde de la raison et celui de la foi, sans faire entrer dans le déterminisme de l'action l'ordre surnaturel lui-même. Encore une fois, sa philosophie n'exige pas que Dieu se révèle; elle dévoile simplement l'*a priori* grâce auquel on peut saisir et admettre les exigences de la Révélation.

III. LA NÉCESSITÉ DU SURNATUREL DEVANT LA THÉOLOGIE

Blondel saura-t-il faire valoir sa perspective propre, quand les théologiens vont l'interroger ou le critiquer ? quand ils mettront en doute ou contesteront que l'on puisse établir en philosophie la nécessité du surnaturel, sans faire naturaliser, sans faire évanouir son absolue gratuité ? Au début, il le fera en parfaite conformité avec la pensée de *L'Action* et de la *Lettre*. On le voit par une brève indication donnée à Dom Delatte dans

1. *Lettre*, p. 43.
2. *Lettre*, p. 41.

une lettre du 31 août 1894[1]. On le voit surtout dans un autre document que nous allons examiner. Mais bientôt, Blondel expliquera sa pensée d'une autre manière, et progressivement il la modifiera.

1. *Première explication.*

Le 14 juillet 1896, au moment où venait de paraître, dans les *Annales de Philosophie chrétienne*, le dernier des six articles composant la *Lettre*, un barnabite italien, le P. Semeria, écrivait à Blondel[2] pour lui soumettre la difficulté que soulevait en son esprit la lecture de ces articles. " Si le surnaturel est nécessaire à la nature humaine (considérée à la lumière de la raison telle qu'elle est en elle-même), il cesse d'être surnaturel pour devenir naturel. " On peut assurément, expliquait-il, éviter cette conséquence, si l'on tient avec les " thomistes " que la nature humaine en son état actuel est corrompue, " c'est-à-dire abaissée au-dessous du niveau d'une hypothétique *nature pure* ". Le surnaturel paraît alors indispensable comme remède aux déficiences positives de la nature causées par le péché. Mais une telle idée de la corruption complique singulièrement la doctrine du péché originel. " Les non-thomistes jugent que la nature actuelle est *de fait* à l'état de nature pure, tout en étant de droit, en vertu des antécédents historiques de la condition actuelle, une nature déchue[3]. " Dans cette perspective, " il paraît difficile de reconnaître qu'un *surnaturel* au sens véritable du mot soit nécessaire, c'est-à-dire indispensable pour nous. Car *surnaturel* veut dire chose supérieure non seulement aux forces, mais aussi aux exigences de la nature humaine. Étant donné

1. " Je n'ai jamais songé à marquer une continuité réelle entre le monde de la raison et celui de la foi, ni à faire rentrer dans le déterminisme de l'action l'ordre surnaturel lui-même; j'ai affirmé à diverses reprises (notamment dans la note de la page 406) que nous ne pouvons ni concevoir par l'effort de la pensée ni atteindre par le développement de l'action cet ordre surnaturel qui élève l'homme au-dessus de tout être créé ou concevable. J'ai donc simplement cherché à montrer que le déterminisme de notre propre volonté nous contraint à l'aveu de son insuffisance, nous conduit au besoin senti d'un surcroît qui ne peut venir de nous, nous donne l'aptitude non à le produire ou à le définir, mais à le reconnaître et à le recevoir, nous ouvre en un mot ce baptême de désir qui demeure partout accessible même à qui n'a aucune notion de la révélation. "

2. Cette lettre, rédigée en italien, est conservée aux Archives Blondel. Nous la citons d'après une traduction que Mlle Panis a fait faire à notre intention.

3. On voit que le P. Semeria entend par " nature pure " la nature humaine en tant qu'elle n'est pas viciée en elle-même par le péché originel. Il se conforme ainsi à l'usage de son temps. Depuis une trentaine d'années, l'usage s'est progressivement établi de désigner, sous le nom de nature pure, la nature humaine en tant qu'elle n'aurait pas une destinée surnaturelle.

qu'actuellement celle-ci est intègre de fait, un élément dont elle aurait *besoin* deviendrait par conséquent (ou pourrait devenir) naturel. " La seule chose que l'on puisse démontrer, c'est que le surnaturel ne s'oppose pas à la nature, qu'il la favorise au contraire. Si l'on croit pouvoir établir que quelque chose manque à la nature humaine altérée par le péché, on ne montre pas pour autant que ce soit quelque chose de vraiment surnaturel.

Après avoir ainsi exposé sa difficulté, le P. Semeria concluait : " Je serais désireux de savoir comment vous-même, illustre Monsieur, vous entendez la chose. Car, d'une part, je ne crois pas que vous acceptiez l'interprétation thomiste de la nature humaine (conception qui me semble contraire à l'idée de la justice et de la bonté divine), et d'autre part, je ne vois pas comment, dans l'hypothèse des non-thomistes, on garde sauves une vraie nécessité et une vraie surnaturalité. Si le surnaturel est un véritable surnaturel, il me semble qu'il ne peut être nécessaire, si ce n'est en un sens *très vague* et *très large*. S'il est nécessaire, au sens véritable du mot, à une nature qui n'est pas intrinsèquement corrompue par le péché originel, je ne vois pas comment il peut rester vraiment et proprement surnaturel. "

La réponse de Blondel, en date du 19 août 1896, constitue un document remarquable par sa netteté. Sans la reproduire en entier, car elle est très longue, nous la citerons assez largement au cours de notre résumé et de notre commentaire. On verra qu'elle confirme l'interprétation que nous avons donnée de *L'Action* et de la *Lettre*, en ce qui concerne la nécessité du surnaturel.

" Ma réponse sera très simple, écrit Blondel, et je la résume en ces deux propositions : 1º parmi les différentes doctrines théologiques qui définissent le raccord de l'ordre surnaturel avec l'ordre naturel et entre lesquelles vous me demandez de prendre position, je n'ai pas à choisir; car 2º pour parler d'un rapport de nécessité entre ces deux ordres, je me place sur un tout autre terrain, et la relation que j'indique est d'un tout autre sens et a une autre portée que celle dont discutent les théologiens. "

Cette déclaration a une importance capitale. Mis en présence de la problématique qui occupait alors les diverses écoles théologiques, Blondel remarque qu'il n'a aucune compétence pour en traiter, et que sa problématique à lui est toute différente. Voici d'abord comment il s'explique sur le premier point.

" En effet, je me déclare incompétent (et toute philosophie, à mon avis, le sera toujours également) pour déterminer le contenu positif et la nature concrète du surnaturel, pour le considérer dans l'absolu et sous son aspect ontologique, pour spéculer sur le caractère des liens par lesquels Dieu l'a rattaché à l'ordre naturel. Bref, ce surnaturel je ne le prends pas d'abord *en soi* ou en Dieu, pour l'étudier ensuite par rapport à nous ou *en nous*. Cela, seule la théologie, fondée sur la Révélation, peut le discerner avec autorité.

" J'ajoute même que je ne considère pas non plus la *nature humaine en elle-même* comme une entité fixe ou comme une réalité connue dans son fond, que je n'ai point, dès lors, à définir les troubles causés en elle par le péché originel, ni à rechercher en quel sens notre actuelle nature tolère ou postule ou exige un complément d'importation supérieure à sa puissance propre...

" Ainsi je ne me place ni au point de vue d'un surnaturel qui, par décret divin, s'imposerait à notre nature, ni au point de vue d'une nature humaine, absolument caractérisée, qui requerrait un ordre surnaturel. Or les différentes hypothèses que vous me proposez rentrent dans l'une ou l'autre de ces catégories. Et tout mon effort a été justement d'établir que la philosophie, si elle est ce qu'elle doit être, n'a à se prononcer ni pour ni contre des doctrines qui restent du ressort exclusif de la théologie. "

Quelle est donc la problématique propre à Blondel ? Il l'énonce aussitôt. " Je me borne à étudier, selon les exigences et les limites de la méthode d'immanence, l'enchaînement des phénomènes qui, en nous, constituent " la foi subjective " ou qui, à défaut d'un *credo* connu et défini, ouvrent à toute âme de bonne volonté sous une forme indéterminable ce " baptême de désir " qui reste toujours possible et nécessaire pour le salut. [...] Je cherche uniquement à décrire les dispositions subjectives et l'attitude pratique d'un esprit sincère, d'une âme conséquente avec elle-même[1]. Et si nous avons déjà connaissance de ce que j'ai nommé " la foi objective ", c'est-à-dire de la vérité révélée, et définie par l'autorité de l'Église, la philosophie n'a pas pour cela le droit de se prévaloir d'une telle connaissance afin de l'introduire dans la série de ses affirmations autonomes; elle peut seulement constater que ces données dont nous ne saurions inventer la teneur répondent avec une précision incomparable à son appel et à ses besoins. — Comme elle doit s'appliquer à toute raison et à toute volonté humaine, il faut qu'elle parle de ce surnaturel en un sens assez " large " et assez " vague " pour que personne

---

1. Il semble que cette phrase puisse être considérée comme la définition du terme de " foi subjective " employé plus haut. La phrase suivante donne expressément la définition du terme de " foi objective ", avec l'indication de son rapport à la foi subjective. Nous avons là de quoi éclaircir le sens d'une déclaration assez obscure de la *Lettre* (p. 40) : " Formellement identique à la foi objective, la foi subjective est tout entière livrée à la critique rationnelle, sans que la première puisse être atteinte dans son fond. " Cette identité formelle n'est pas une identité de contenu : la foi subjective n'a par elle-même qu'un contenu très indéterminé.

ne soit absolument empêché d'y participer; — comme elle doit faire comprendre l'obligation, où sont ceux qui en ont une connaissance suffisante, d'y adhérer, il faut qu'elle définisse rigoureusement cette nécessité qui rend notre adhésion indispensable au salut; — comme elle ne doit faire intervenir aucun des dogmes révélés, il faut qu'elle laisse en suspens la question de la déchéance originelle et des désordres de notre nature actuelle. "

Ces dernières déclarations sont particulièrement nettes en faveur de notre interprétation. La philosophie n'accède à la notion explicite du surnaturel chrétien qu'à travers l'idée indéterminée qui surgit en tout homme. Le passage de l'une à l'autre idée n'est pas analytique : la philosophie ne saurait inventer la teneur de la notion chrétienne. Elle peut seulement constater que celle-ci, connue de l'extérieur, répond à l'autre avec une précision incomparable. Si elle prétend trouver à cette correspondance un caractère de nécessité, c'est parce qu'elle doit faire comprendre, à qui connaît le surnaturel chrétien, l'obligation d'y adhérer. Mais là s'arrête sa fonction : elle ne peut aller jusqu'à définir la relation ontologique unissant le surnaturel considéré en soi à la nature humaine (même actuelle) considérée en soi. Cette relation n'est discernée que par la théologie, sur le fondement de la Révélation.

Lors donc que Blondel établit que l'ordre naturel exige l'ordre surnaturel, la nécessité qu'il manifeste ne relie pas les deux réalités que sont, aux yeux du théologien, la nature et la grâce, mais les deux figures de l'esprit que sont, aux yeux du philosophe, la logique de l'action et les exigences énoncées par la prédication chrétienne. C'est pourquoi il estime ne pas avoir à prendre parti entre les diverses doctrines théologiques qui ont tenté de préciser le rapport de la nature au surnaturel.

Cependant, à la fin de la même lettre au P. Semeria, il indique en quelques mots comment sa façon d'envisager le problème est " compatible avec l'enseignement théologique qui le considère sous un aspect tout différent ". Il signale des correspondances entre les implications de sa méthode et la doctrine de la blessure originelle ou celle de la vocation surnaturelle. Cette réponse plus directe au vœu du théologien qui l'interroge est sommaire. Peu importe ici, puisqu'elle reste extrinsèque à la démarche propre du philosophe.

2. *Deuxième explication.*

On éprouve quelque surprise à trouver une autre attitude dans une lettre du 26 novembre 1900 au même destinataire. A la question de savoir " comment nous pouvons, par une exigence spontanée, requérir ou postuler le surnaturel, sans que ce surnaturel cesse d'être gratuit et, par lui-même, inaccessible à l'homme ", Blondel répond cette fois de façon notablement différente. Il explique qu'il se place *in concreto*, en face d'un homme en chair et en os, qu'il essaie de lui faire prendre conscience de l'appel divin, d'être ainsi l'instrument de la grâce prévenante. " Prenez garde, dit-il à cet homme, si c'est l'heure de Dieu, si la grâce met en vous une motion surnaturelle, vous ne pouvez pas imprudemment vous soustraire à cette vocation; [...] car de même que le don naturel de la raison vous crée un devoir moral positif auquel vous ne pouvez vous dérober sans trahir votre propre vouloir et sans manquer à votre sincérité intérieure, de même le don de la grâce prévenante, incorporé en votre être, sans d'ailleurs être jamais confondu avec votre nature, puisqu'il vous apporte quelque chose d'incommunicable et d'in-naturalisable, vous constitue un devoir religieux, une dette. Donc, à supposer que vous soyez, *hic et nunc*, travaillé par la grâce, je dis que le développement intégral de votre être requiert le complément de la vie divine telle qu'elle est proposée *ab extrinseco* par le christianisme, comme suite de la touche préalable *ab intrinseco*. "

Pareil langage ne laisse sans doute rien à désirer du point de vue de l'orthodoxie. Mais c'est le langage d'un prédicateur ou d'un directeur de conscience, plutôt que celui d'un philosophe. Blondel a-t-il jugé que son correspondant ne pouvait comprendre autre chose ? Peut-être. Ses publications ultérieures nous montreront toutefois que le changement de perspective d'une lettre à l'autre n'était pas purement *ad hominem*.

Que s'est-il donc passé entre le mois d'août 1896 et l'année 1900 ? Rappelons-nous qu'en septembre 1896 paraissait l'attaque virulente du P. Schwalm, que deux mois plus tard commençait celle de l'abbé Gayraud, et que toutes deux allaient être reprises par beaucoup d'autres. Blondel fut désarçonné par ce qui lui paraissait une incompréhension radicale. Accusé de pratiquer la méthode kantienne poussée à ses dernières conséquences phénoménistes, il ose de moins en moins, et bientôt n'osera plus du tout, faire valoir le caractère phénoménologique de sa philosophie. Accusé, d'autre part, de naturalisme, il croit devoir, pour se défendre, faire appel à des données théologiques.

Dès 1897, Laberthonnière vient à son secours par un article intitulé *Le problème religieux*, publié dans les *Annales de Philosophie chrétienne*[1]. " M. Blondel, comme il convenait pour faire œuvre philosophique, est parti de l'ordre naturel pour regarder de bas en haut les relations de cet ordre avec le surnaturel. Mais on peut procéder inverse-

---

1. Reproduit dans les *Essais de Philosophie religieuse*, Paris, Lethielleux, 1903.

ment, c'est-à-dire supposer le problème résolu et le christianisme admis, et rechercher de ce point de vue les conditions de la solution dont la philosophie est capable. Et peut-être sera-t-on frappé de voir comment, en regardant ainsi les choses de haut en bas, on retrouve encore spontanément, par une régression analytique, les conclusions auxquelles M. Blondel est arrivé par sa libre investigation[1]. "

C'est ainsi, en particulier, que Laberthonnière retrouve la thèse de la nécessité du surnaturel. " Puisqu'il existe un ordre surnaturel, écrit-il, puisque tout homme en fait — nous ne disons pas en droit — est appelé à vivre surnaturellement, c'est que Dieu agit par sa grâce sur le cœur de tout homme et le pénètre de sa charité; c'est que l'action même qui constitue fondamentalement notre vie est en fait comme informée surnaturellement par Dieu. [...] Voilà comment dans la nature même peuvent se trouver et se trouvent des exigences au surnaturel. Ces exigences n'appartiennent pas à la nature en tant que nature, mais elles appartiennent à la nature en tant que pénétrée et envahie déjà par la grâce. [...] Par conséquent, en faisant la science de l'action humaine, puisque cette action est en même temps notre action et l'action de Dieu, on devra trouver en elle l'élément surnaturel qui entre dans sa constitution[2]. "

Quoique Blondel eût très vite conscience de ce qui distinguait sa pensée de celle de Laberthonnière, il adopta[3] et conserva longtemps ce système de défense (et les théologiens qui ont été ses amis, ou qui ont voulu bénéficier de son œuvre, se sont placés souvent dans la même perspective). On peut lire, par exemple, dans son étude célèbre, publiée en 1904, sur *Histoire et Dogme*, " que l'état de nature reste une pure abstraction qui n'existe pas et n'a jamais existé, et qu'en étudiant notre nature d'homme, telle qu'elle est en fait, ce n'est pas cet état de nature que nous pouvons connaître en nous connaissant, pas plus qu'en vivant nous ne pouvons nous soustraire à cette radicale et universelle pénétration de quelque chose qui empêchera toujours l'homme de trouver son équilibre dans l'ordre humain[4]. " Blondel demande aussitôt qu'on veuille bien ne pas lui attribuer ici " une confusion entre *la vie surnaturelle*, telle que le baptême et la grâce habituelle la constituent en nous, et *l'état surnaturel* où l'homme est placé avant et afin de pouvoir réaliser cette vie de grâce[5] ". Pour mieux marquer cette distinction, il va bientôt créer un terme nouveau, celui de " transnaturel ".

---

1. *Essais*, p. 153.
2. *Essais*, p. 171-173.
3. Dans une lettre du 9 mai 1897 au P. Beaudouin, O. P., il prenait lui-même la défense de l'article du P. Laberthonnière.
4. *Histoire et Dogme*, dans *Les Premiers Écrits*, t. II, p. 224.
5. *Ibid.*, en note.

Nous le trouvons dans les articles de 1909-1910 sur *La Semaine sociale de Bordeaux*. Voici comment le même thème y est repris. " On ne peut que par une erreur indéniable raisonner comme si l'*état naturel* de l'incroyant, de l'ignorant, de l'apostat était l'état de " pure nature ", cet état qui sans aucun doute eût pu être, mais qui n'est pas, qui n'a jamais été et dont nous ne pouvons même définir précisément les conditions réelles. " Tous les hommes ont en fait une vocation surnaturelle. " Cet état qui n'est ni l'état de nature, ni l'état de grâce et que pour abréger nous appellerons un état *transnaturel*, afin de marquer le déséquilibre d'une destinée traversée par une déchéance et travaillée par un intime rappel ", ce serait une erreur de penser qu'il ne s'en " traduit rien à la conscience[1] ".

Ces remarques avaient pour but de légitimer l'entreprise blondélienne aux yeux des théologiens. On demandait à l'auteur de situer sa problématique par rapport à la doctrine classique des divers états de l'humanité. Il devait préciser que, sans nier la possibilité d'un état de nature pure, il envisageait l'homme réel, appelé en fait, malgré sa déchéance, à la vie surnaturelle.

Mais autre chose était de situer la problématique du philosophe par rapport à une doctrine théologique, autre chose était de la laisser transformer par elle, au point de brouiller parfois les perspectives. On peut se demander si Blondel n'a pas cédé quelque peu à cette pente. Dans la *Lettre*, on s'en souvient, son problème était le suivant : s'il est vrai, comme le dit la prédication chrétienne, que l'accueil du surnaturel est nécessaire à tout homme, il faut qu'il y ait trace de cette nécessité dans la logique de l'action humaine. A l'époque où nous sommes, le problème semble souvent devenir celui-ci : puisque, d'après la théologie, l'homme réel, quoique pécheur, garde sa vocation surnaturelle, il doit avoir conscience de cette grâce première qui le sollicite sans cesse. La différence est nette : au lieu de chercher un lien entre deux figures de l'esprit, Blondel semble chercher un reflet de la grâce dans la conscience psychologique.

" Assurément, dit-il, la grâce demeure secrète, voilée, inénarrable ; elle ne se fait pas connaître et reconnaître du dedans sous son nom, en sa définition, en son être propre. Mais elle détermine des faits psychologiques, qui sont connaissables en tant que tels, des faits vérifiables et

---

1. *Annales de Philosophie chrétienne*, décembre 1909, p. 268 ; dans la brochure qui reproduit ces articles, *La Semaine sociale de Bordeaux et le Monophorisme*, p. 62. Voir dans le *Vocabulaire de la Philosophie*, publié par A. Lalande, la remarque de Blondel au mot *Transnaturel* (qui a été introduit là à sa demande). Voir aussi les précisions données par Blondel au P. Aug. Valensin dans une lettre du 21 janvier 1912, ainsi que les références indiquées en note par l'éditeur de la correspondance (*Correspondance Blondel-Valensin*, II, p. 264-265).

utilisables, des faits qui entraînent une responsabilité, et dont on peut constituer la science, déterminer l'enchaînement, guider l'emploi. Faute de cet élément conscient, encore qu'anonyme, la correspondance de la volonté intelligente et libre à l'appel divin perdrait tout caractère raisonnable et moral[1]. "

On voit ici que la transformation de la problématique première entraîne un renforcement de ce " psychologisme " qu'on a parfois reproché au langage de *L'Action*. Là, nous l'avons signalé, le défaut était corrigé par des indications expresses et par le mouvement général de la pensée. Il ne l'est plus de façon aussi nette dans le texte que nous venons de citer ou en d'autres écrits de la même époque.

C'est que Blondel emprunte alors une part de son langage à l'œuvre du cardinal Dechamps, dont l'existence lui a été révélée en 1904, et qui lui fournit une autorité et des arguments pour garantir l'orthodoxie de son apologétique philosophique. Qu'on lise les articles qu'il a consacrés à cette œuvre et publiés en 1905-1906, sous la signature de l'abbé Mallet : on y verra que son vocabulaire psychologiste lui vient des exposés du cardinal Dechamps sur le " fait intérieur[2] ". " Dechamps, remarque-t-il lui-même, proteste que le surnaturel nous est d'abord présent comme un fait de conscience, qu'il est perceptible non en lui-même *ut est*, mais en ses effets internes *ut agit*, non pour être défini, mais pour être accueilli, fût-ce sous un pseudonyme[3]. "

Blondel relève assurément que ce fait psychologique consiste d'abord, selon Dechamps, dans la prise de conscience de l'insuffisance de la philosophie à résoudre les problèmes essentiels de la pensée et de la vie humaine[4]. D'autre part, il met en garde contre " une certaine inconsistance philosophique " de l'œuvre qu'il commente[5]. Cela nous autorise à penser qu'il n'était pas (ou du moins pas toujours) dupe du langage psychologiste. Mais, moins avertis, bien des lecteurs ont pu s'y tromper.

Quoi qu'il en soit de ce point, notre philosophe trouvait chez Dechamps, comme il l'avait déjà trouvée chez Laberthonnière, l'idée que, dans l'état actuel de l'humanité, tout homme porte en soi " la présence anonyme " d'un " surnaturel immanent[6] ", et que celui-ci peut se traduire à sa conscience sous la forme d'une insuffisance, d'un besoin.

1. *La Semaine Sociale de Bordeaux*, dans les *Annales...*, décembre 1909, p. 268-269; dans la brochure, p. 62-63.
2. Voir en particulier le premier article, dans les *Annales de Philosophie chrétienne*, octobre 1905, p. 68-91.
3. *Annales...*, mars 1907, p. 582.
4. *Annales...*, mars 1907, p. 564.
5. *Annales...*, mars 1907, p. 564.
6. *Annales...*, mars 1907, p. 585.

Or, chez ces théologiens, le surnaturel immanent qui informe toute vie humaine était entendu directement en un sens théologique, au sens où la tradition chrétienne affirme la vocation surnaturelle de tout homme et la grâce prévenante. En adoptant cette perspective, Blondel abandonnait la notion philosophique d'un surnaturel indéterminé, qui lui avait servi d'étape intermédiaire dans la démarche de *L'Action*.

Il importe de le remarquer : Laberthonnière, pour qui le christianisme était lui-même *la* philosophie, ne pouvait attacher un prix quelconque à cette notion intermédiaire. Dechamps n'avait pas à la faire intervenir : après avoir montré que " le fait intérieur, c'est le besoin qu'éprouve incontestablement la raison d'une autorité divine enseignante en matière de religion[1] ", il lui suffisait de faire voir que le fait extérieur qui y correspond, c'est cette autorité elle-même, savoir l'Église catholique, dont les caractères sont " invinciblement démonstratifs de leur origine[2] ". En empruntant cette voie de la correspondance entre un fait interne, témoin du surnaturel immanent, et un fait externe, révélateur du surnaturel, Blondel, à son tour, n'avait plus besoin d'une étape intermédiaire. Aussi cesse-t-il de la mentionner. La thèse suprême de la philosophie, écrit-il, est " la connaissance d'un vide réel, si l'on peut dire, d'un vide que nous ne pouvons par nous-mêmes ni supprimer, ni remplir, ni oublier[3] ". " C'est ce *vide* qui est, en nous, la place ménagée à la destinée surnaturelle, parce qu'elle est déjà préparée et comme creusée par la grâce[4]. "

Blondel remarquera plus tard que cette manière de présenter les choses était moins celle d'un philosophe que d'un théologien-philosophe exposant la méthode de l'apologétique. Quand il rééditera, en 1932, la série d'articles consacrés à l'œuvre du cardinal Dechamps, il signalera, dans plusieurs notes, ce déficit. " Il reste beaucoup à faire, dira-t-il, pour préciser et justifier les thèses philosophiques qui servent de *praeambula* aux perspectives théologiques[5]. " Il y a lieu de préciser " ce que la phi-

---

1. *Œuvres complètes du cardinal Dechamps*, Malines, Dessain, t. XVI, p. 406.
2. *Œuvres complètes...*, t. XVI, p. 406.
3. *Annales...*, mars 1907, p. 569.
4. *Annales...*, mars 1907, p. 564-565. Blondel nous l'indique ici (p. 564, note) : c'est à Dechamps qu'il emprunte ce mot de *vide*. Il en fera par la suite un fréquent usage (qui ne sera pas toujours heureux). Il s'en servira notamment pour définir la philosophie chrétienne telle qu'il l'entend (*Bulletin de la Soc. fr. de Philo.*, séance du 21 mars 1931, p. 88). Il n'est pas inutile de relever cette précision qu'il donnera dans *L'Être et les êtres* (p. 454) : " A certains égards les assertions philosophiques créent un vide là où les données religieuses apportent un plein, sans que d'ailleurs le raccord ou la compénétration puissent jamais devenir ni la constatation d'un fait psychologique ni la conclusion d'une preuve discursive et proprement démonstrative. "
5. *Le Problème de la Philosophie catholique*, p. 106, note.

losophie doit présenter comme nécessaire en toute hypothèse et ce qu'elle peut reconnaître et organiser dans l'ordre concret et d'après l'expérience qui sont les nôtres[1] ". L'auteur le fera, annonce-t-il, dans sa Trilogie[2]. Nous trouverons précisément, dans la seconde édition de *L'Action*, une reprise de l'idée philosophique du surnaturel, mais dans un autre contexte et sous une autre forme que dans la première édition.

3. Nouvel élément.

Dans *Le Problème de la Philosophie catholique*, qui reproduit, outre les articles sur Dechamps, des extraits de la *Lettre*, Blondel signale que " ce qui a sans doute suscité tant de malentendus et de confusions, c'est le mélange, dans la théorie et les controverses, de différents états qui sont en effet unis dans la réalité, mais qu'il est essentiel de distinguer dans la science que nous devons en acquérir[3] " : état de nature, état de justice originelle, état de déchéance, état transnaturel, vie surnaturelle[4]. En fait, dès 1905 au moins, lui-même les distinguait, en principe, fort bien. Mais il déclarait n'envisager en philosophe que l'état transnaturel ; et il considérait le vide réel que la philosophie manifeste en l'homme comme la marque de la vocation surnaturelle qui est celle de l'humanité déchue et rachetée.

Désormais, ainsi que nous l'avons indiqué au chapitre précédent, il veut envisager aussi et d'abord l'état de nature, qui pourrait, dit-il, subsister, encore qu'il n'ait jamais existé dans l'ordre historique et concret. " Quoique faute de données observables qui servent d'appui à une connaissance scientifique (et une telle connaissance demande toujours, pour les réalités vivantes, un point d'appui expérimental), il est cependant possible, légitime, utile d'examiner ce que, en tout état de cause, comporte ou requiert l'être spirituel, capable d'affirmer, par raison, que Dieu est, qu'il est Cause première, Fin dernière, Source unique de la Béatitude et de la Perfection infiniment souhaitables[5]. " Cette étude manifestera dans l'esprit un *desiderium naturale videndi et habendi Deum*, désir inefficace, mais qui ouvre à l'idée d'un ordre transcendant à toute nature concevable, et qui marque ainsi la place du surnaturel dans la

1. *Le Problème de la Phil. cath.*, p. 104, note. Cf. p. 113, note.
2. *Loc. cit.*, p. 63, note.
3. *Loc. cit.*, p. 25.
4. *Loc. cit.*, p. 25-27.
5. *Loc. cit.*, p. 25.

philosophie même[1]. Blondel le dit expressément : il reprend ici à son compte la thèse exposée en 1924 par le P. de Broglie dans son article *De la place du Surnaturel dans la philosophie de saint Thomas*. Cette doctrine lui paraît confirmer et justifier sa visée constante. " Elle sert, dit-il, de lieu géométrique aux rencontres de la spéculation rationnelle, de l'enseignement révélé, des faits historiques et moraux[2]. " C'est elle qui va lui permettre de distinguer et de relier la condition universelle et nécessaire de l'esprit — et les états réalisés dans l'ordre historique et concret. Elle va guider tout ce qui sera dit du surnaturel dans la Trilogie. Elle introduira à la considération des états historiques de l'humanité (y compris l'état transnaturel), qui sera faite dans l'ouvrage ultérieur, *La Philosophie et l'Esprit chrétien*.

Nous n'avons pas l'intention d'étudier tout cet ensemble. Prenons simplement le second tome de *L'Action*, réédition, passablement différente, de l'ouvrage publié sous le même titre en 1893 ; et demandons-nous quelle forme y revêt la genèse de l'idée de surnaturel.

Remarquons d'abord que la troisième étape a disparu, renvoyée à l'ouvrage suivant. Elle consistait, on s'en souvient, à examiner d'un point de vue philosophique, à titre d'hypothèses, les dogmes et les pratiques du christianisme, en vue de découvrir leurs relations intrinsèques et leur correspondance aux exigences du vouloir. A la fin de la seconde édition de *L'Action*, l'auteur annonce que cet examen fera l'objet de *La Philosophie et l'Esprit chrétien*. C'est là qu'on cherchera si le message évangélique offre " un ensemble intrinsèquement cohérent et compatible avec un organisme rationnel[3] ". La même indication nous est donnée au cours de cet ouvrage[4]. Elle est répétée dans la dernière publication préparée par Blondel, *Exigences philosophiques du Christianisme*. Expliquant là pourquoi il a mis à part de la Trilogie l'étude sur *la Philosophie et l'Esprit chrétien*, il en définit l'objet avec les termes mêmes qu'il avait employés en 1893 pour définir celui de la cinquième partie de *L'Action*[5]. Il nous indique ainsi, de façon nette, où nous devons chercher l'équivalent de ce qui était alors la troisième étape dans la genèse de l'idée de surnaturel.

1. *Loc. cit.*, p. 25-26.
2. *Loc. cit.*, p. 165, note.
3. *L'Action*, II (1937), p. 401.
4. *La Philosophie et l'Esprit chrétien*, I, p. 211.
5. *Exigences philosophiques du Christianisme*, p. 298 : " Comme le mathématicien qui peut légitimement supposer un problème résolu pour analyser ensuite et justifier rigoureusement les données et les déductions qui rendent raison de ce qui n'était d'abord qu'une hypothèse, nous trouvons dans la religion positive une conclusion à vérifier, et cela indépendamment même de savoir si cette hypothèse est fondée en soi. " Cf. *L'Action* (1893), p. 391 (texte que nous avons cité plus haut, p. 93).

Trouverons-nous aussi l'équivalent des deux premières ? La nouvelle édition de *L'Action* étant divisée autrement que l'ancienne, les titres des parties (et souvent des chapitres) étant différents, un coup d'œil sur la table des matières ne suffit pas à nous fixer. Mais il apparaît vite à la lecture que l'enchaînement des thèmes est resté le même et qu'on peut discerner les correspondances.

Dans *L'Action* de 1893, on s'en souvient, la troisième partie établissait l'insuffisance de l'ordre naturel. La même démonstration se retrouve dans le texte de 1937, où elle occupe les parties III, IV et V, — avec cette différence que le mot " ordre naturel " a été constamment remplacé par " ordre immanent ", parce qu'il est réservé dorénavant pour désigner ce que les théologiens appellent l'ordre de nature pure[1]. Après avoir fait jaillir, par la critique du pessimisme, cette affirmation : " il y a quelque chose ", l'auteur annonce qu'il va déployer à partir d'elle l'ordre des objets du vouloir, et qu'on sera ainsi préparé peu à peu à la question suprême : " Oui ou non, pour qui se borne à l'ordre immanent, y a-t-il concordance entre la volonté voulante et la volonté voulue[2] ? " Ou encore : " Il s'agit de savoir si la conscience et la volonté même d'agir seraient possibles dans l'hypothèse où le terme de la pensée et de l'action se trouverait dans les objets constituant le devenir immanent de ce monde[3]. "

La réponse est donnée par la critique de la superstition, qui conclut à une double impossibilité, une double nécessité. " Il est impossible de ne pas reconnaître, de ne pas éprouver l'inadéquation de tout l'ordre immanent où se déploie notre action à la capacité, aux exigences de notre vouloir et de notre agir. Il est donc nécessaire de chercher au delà la véritable et suprême fin où tend tout l'effort humain. — Il est impossible, pour rester conséquent avec la volonté voulante et indélébile, de trouver en nous-même et dans nos volontés voulues la satisfaction à laquelle nous aspirons nécessairement et que nous avons à poursuivre librement. [...] Indéclinable, impraticable, voilà les deux caractères qui, en face de la transcendance, nous paraissent s'imposer en fait et à la fois pour que notre action suive son cours[4]... "

Nous retrouvons ainsi, au même point du développement, la même

1. Nous en verrons plus loin un exemple.
2. *L'Action*, II (1937), p. 87. Cf. *L'Action* (1893), p. 42. Même texte de part et d'autre, sauf qu' " immanent " a remplacé " naturel ".
3. *L'Action*, II (1937), p. 93. Cf. *L'Action* (1893), p. 44 : " la volonté déclarée de borner et de contenter l'homme dans l'ordre naturel des faits quels qu'ils soient, est-elle d'accord avec la volonté plus profonde "...
4. *L'Action*, II (1937), p. 338. Cf. *L'Action* (1893), p. 319, 321. Même idée en termes différents. Encore une fois, " ordre naturel " a été remplacé par " ordre immanent ".

conclusion que dans le premier ouvrage : insuffisance de l'ordre naturel (appelé désormais ordre immanent).

Nous allons retrouver pareillement la deuxième conclusion, la deuxième étape : nécessité absolue de s'ouvrir à l'action divine quelle qu'elle soit. Mais, alors que la démonstration constituait, dans le texte de 1893, un bloc homogène et continu (l'ensemble de la quatrième partie), elle se trouve scindée, dans le texte de 1937, en deux éléments bien distincts.

Aussitôt après avoir établi l'inadéquation de l'ordre immanent aux exigences de notre vouloir, l'auteur montre comment elle nous impose la nécessité d'affirmer un Dieu transcendant, comment l'idée de ce Dieu nous place devant une alternative à résoudre, quelles sont les conséquences de l'une et l'autre solution, quelles dispositions spirituelles doivent être les nôtres, si nous voulons, fidèles à l'élan total de notre aspiration foncière, configurer notre volonté à la volonté divine, être ainsi à Dieu[1]. On reconnaît aisément ici la suite d'idées qui occupait la quatrième partie de la première édition. Mais, cette fois, elle est traitée brièvement, et présentée simplement comme la dernière des ondes concentriques en lesquelles se déploie l'action humaine. Cette apparente réduction de ce qui formait autrefois la partie décisive s'explique par le fait que Blondel, ayant déjà exposé les preuves de Dieu et traité de l'option dans *La Pensée*, dans *L'Être et les êtres*, devait se contenter ici d'un simple rappel. Une autre différence importe beaucoup plus, celle qui éclate à la fin du développement, dans la définition de l'attente religieuse.

De part et d'autre, on aboutit à cette conclusion qu'il est impossible à l'homme " d'atteindre par ses forces seules à sa fin nécessaire[2] ", que " le terme auquel il est obligatoire de tendre " demeure " inaccessible à l'action la plus généreusement confiante[3] ". Mais, dans *L'Action* de 1893, l'idée de cette fin " absolument impossible et absolument nécessaire à l'homme " est appelée " notion du surnaturel[4] ". Dans *L'Action* de 1937, l'idée de ce " destin plus qu'humain " qui est celui de l'homme[5] est nommée " sentiment d'une transcendance[6] ", ou " notion très rationnelle du transcendant[7] "; et c'est une démarche ultérieure de la pensée qui nous fait ajouter à cette notion " l'idée très humaine et le sentiment très religieux d'un surnaturel[8] ", " l'hypothèse philosophique d'un don

1. *L'Action*, II, (1937), p. 340-364.
2. *L'Action* (1893), p. 388.
3. *L'Action*, II (1937), p. 364.
4. *L'Action* (1893), p. 388.
5. *L'Action*, II (1937), p. 364.
6. *Loc. cit.*, p. 365.
7. *Loc. cit.*, p. 375.
8. *Loc. cit.*, p. 375.

tout gratuit[1] ", une " conception rationnelle du surnaturel[2] ". Ainsi la nécessité absolue de s'ouvrir à l'action divine quelle qu'elle soit, est établie en deux temps : ouverture à la transcendance, ouverture à un surnaturel hypothétique. La démonstration ancienne est scindée. Ou plutôt sa portée première est réduite, et c'est un nouvel élément qui la conduit à son terme.

Pourquoi cela ? Parce que Blondel, cédant aux instances des théologiens qui le lui demandaient, a voulu inscrire dans le tissu même de son développement philosophique la possibilité d'un état de nature pure. Il avait déjà beaucoup insisté sur ce point dans *L'Être et les êtres* : " Une donnée primordiale reste à maintenir : un état de pure nature est concevable et effectivement réalisable[3]. " " Oui, au regard de la raison comme selon les possibilités et les exigences de la nature, cet état d'incomplétude est concevable sans qu'aucune nécessité interne, aucune juste réclamation aient vraiment à intervenir[4]. " " Ce serait déjà une très noble destinée que de chercher indéfiniment Dieu sans trouver l'infini, dans une humble, courageuse et insatiable générosité, en pratiquant cette maxime de Malebranche : " tendre au parfait sans y prétendre "[5]. " Telle est justement l'idée que Blondel reprend, au point où nous sommes arrivé de *L'Action* : " Ce serait une belle destinée que d'affirmer le mystère de la Déité, que d'adorer humblement le secret inviolé dont la lumière indirecte éclaire sans se dévoiler tout homme venant en ce monde, en lui conférant le pouvoir de dominer les choses et de se maîtriser soi-même. Qu'on ne dise donc pas que, dans l'ordre naturel, la vie humaine serait indigne d'être vécue[6]. "

Cependant, ajoute l'auteur, la philosophie peut et doit ouvrir une autre perspective : l'hypothèse d'un complément offert, d'un surcroît gratuitement apporté, d'un don que la nature humaine ne peut exiger, mais qu'elle serait mise en état de recevoir, et qu'elle pourrait accueillir

---

1. *Loc. cit.*, p. 371.
2. *Loc. cit.*, p. 513.
3. *L'Être et les êtres*, p. 497. Dans *La Pensée*, déjà, Blondel affirmait sans ambiguïté qu'un état de nature pure serait concevable et réalisable (II, p. 336); mais il insistait beaucoup plus sur le devoir de dépasser cette vue, sur l'inachèvement de la nature humaine. Il refusait de partager Dieu " en deux tronçons, la portion que l'on serait censé tenir humainement, la portion qui demeurerait inaccessible et où serait censé se réfugier tout le vivant mystère " (II, p. 312; cf. p. 507). Les objections de quelques théologiens l'ont amené à donner plus de relief à l'idée de nature pure.
4. *L'Être et les êtres*, p. 292.
5. *Loc. cit.*, p. 293.
6. *L'Action*, II (1937), p. 365. A l'inverse de ce qu'il faisait dans la première *Action*, Blondel, on le voit, inclut ici sous le terme d'ordre naturel l'idée du rapport de la créature au Créateur. Il emploie le mot au sens théologique d'état de pure nature, et non plus au sens philosophique de monde des phénomènes.

sans se renier, parce qu'il comblerait ses aspirations[1]. C'est là l'objet de la sixième partie de l'ouvrage. Ce don hypothétique, explique Blondel, procéderait directement d'une initiative divine; il aurait une originalité absolue et ne dériverait en aucun point du don primitif qui constitue la nature raisonnable et la volonté essentiellement propre de l'homme[2]. Une telle hypothèse est métaphysiquement possible et convenable, parce qu'elle est appelée par la disproportion entre l'indéfini de l'aspiration religieuse et l'infini de l'objet auquel elle tend[3]. En outre, elle offre une vraisemblance positive, quand on considère les misères et les souillures dont l'homme voudrait se libérer et qui lui font sentir le besoin d'un rédempteur[4].

Remarquons que, malgré une certaine analogie, le processus de la pensée se distingue ici de celui qui occupait la dernière partie de *L'Action* en 1893. Là, Blondel envisageait le dogme chrétien à titre d'hypothèse, en vue d'examiner sa correspondance aux aspirations humaines. Ici, il fait abstraction du dogme[5], en vue de montrer que, même en son absence, les aspirations humaines conduisent à faire l'hypothèse d'un ordre surnaturel gratuit. C'est dans *La Philosophie et l'Esprit chrétien*, nous l'avons dit, qu'il reprendra la première perspective. Il montrera alors comment les mystères chrétiens résolvent les énigmes de la philosophie. Pour l'instant, il s'en tient à ce que la philosophie peut tirer de la simple analyse du vouloir humain. Il ne dépasse pas le terme où aboutissait la quatrième partie de son premier ouvrage, c'est-à-dire la deuxième étape dans la genèse de l'idée du surnaturel.

La différence essentielle, on le voit mieux maintenant, consiste à procéder en deux temps. Il montre d'abord que toute volonté humaine porte implicitement en soi le désir naturel et inefficace d'accéder à Dieu. Il explique ensuite que ce désir resterait " vague, irrationnel ou même déraisonnable si l'on ne montrait pas en même temps comment le vouloir suscite l'hypothèse d'une sublime et gratuite effusion de la charité divine[6] ". De là résulte l'obligation de chercher si une telle hypothèse ne serait pas réalisée; ce qui conduit à l'examen philosophique du christianisme lui-même (lequel examen invitera à entreprendre la vérification personnelle et active dont nul ne saurait se dispenser).

Nous n'étudierons pas ici cet équivalent de la troisième étape. Il serait trop long d'analyser les ressemblances et les différences entre la cinquième

1. *L'Action*, II (1937), p. 367, 371-374.
2. *Loc. cit.*, p. 372, 385.
3. *Loc. cit.*, p. 375-376.
4. *Loc. cit.*, p. 377-378.
5. *Loc. cit.*, p. 377, 402.
6. *L'Action*, II (1937), p. 386.

partie de la première *Action* et le contenu (beaucoup plus vaste) de *La Philosophie et l'Esprit chrétien*. Notons seulement que Blondel évite, dans son dernier ouvrage, certaines expressions qui avaient choqué les théologiens. Il ne dit plus que le résultat de son investigation est de poser, " à titre d'hypothèse nécessaire, l'ordre surnaturel comme un postulat scientifique[1] ". Mais il maintient que son étude aboutit à considérer le christianisme " comme le couronnement de l'édifice universel et la seule solution du problème entier de la destinée[2] ".

Blondel, on le voit, a déployé dans ses derniers ouvrages un effort considérable pour tenir compte des objections que lui ont longtemps adressées des théologiens. Cet effort a eu sa récompense. Si *La Pensée* a soulevé encore quelques critiques, les ouvrages suivants ont été jugés compatibles avec la théologie la plus classique : qu'on admît ou non leurs exposés relatifs au surnaturel, on n'en suspecta pas l'orthodoxie.

Mais, parmi les philosophes ou les théologiens qui avaient apprécié favorablement les premiers écrits, un double courant s'est fait jour. Les uns ont salué dans la Trilogie la maturation et l'épanouissement équilibré des premières découvertes; les autres ont été déçus de voir Blondel insérer dans son œuvre philosophique des éléments théologiques qui leur paraissaient troubler la netteté de l'ancienne démarche. Nous n'examinerons pas ici la question de savoir si la thèse thomiste du désir naturel de voir Dieu doit être entendue comme le fait Blondel à la suite du P. de Broglie, et s'il n'y a aucun autre moyen d'écarter, comme on le doit en toute hypothèse, l'idée que Dieu ne pourrait pas créer des êtres doués d'intelligence sans les ordonner et les appeler à la vision béatifique. Nous ne pouvons, dans le cadre de cette étude, ni reprendre avec assez de soin l'exégèse de la pensée de saint Thomas, ni traiter le problème théologique qu'elle soulève. Nous poserons simplement la question suivante : à supposer que la doctrine théologique adoptée par Blondel s'impose en tous points au croyant, était-il nécessaire de l'introduire au sein même d'une démarche qui se veut purement philosophique ? N'y avait-il pas quelque inconvénient à le faire ?

L'idée de nature pure, comme celle de nature intègre, de nature déchue, d'état transnaturel ou de vie surnaturelle, est un concept théologique. Tant que le philosophe prétend faire abstraction de l'enseignement chrétien, il ne le rencontre pas. Il peut parler de la nature humaine; mais il n'a pas compétence pour la situer par rapport à l'histoire

---

1. *L'Action* (1893), p. 491; cf. p. 406.
2. *La Philosophie et l'Esprit chrétien*, I, p. 289, note.

du salut qu'atteste la prédication chrétienne. Or, dans la Trilogie, nous l'avons vu, Blondel déclare expressément qu'il veut faire abstraction de l'enseignement du christianisme. Il semble donc qu'il aurait dû s'abstenir d'envisager l'idée d'un état de pure nature, et réserver cette considération à *La Philosophie et l'Esprit chrétien*. Il l'envisage cependant, tout en reconnaissant qu'il n'aurait pu songer à le faire s'il n'avait été instruit déjà par la théologie chrétienne[1]. Il note lui-même que ce procédé peut surprendre. " En un sens, dit-il, il paraît y avoir un artifice dans notre procédure qui feint de nous placer dans l'ignorance de ce que nous savons par ailleurs et nous permet ainsi d'inventer ce que nous n'aurions pu discerner si nous n'avions déjà possédé ce que nous semblions conquérir[2]. " Pour se défendre contre le reproche de fiction insidieuse ou de prétention téméraire, il ajoute aussitôt : " Autre chose est la découverte d'un inconnu dont on n'aurait pas même le droit de savoir s'il peut être, autre chose est l'étude de l'organisation intrinsèquement intelligible d'une réalité hypothétique sur laquelle nous possédons certaines clartés guidant notre analyse intellectuelle sans en gêner la sincérité critique[3]. " Cette remarque nous paraît justifier les développements de *La Philosophie et l'Esprit chrétien* beaucoup plus que ceux qui les anticipent dans la Trilogie.

Cette anticipation offre en effet un sérieux inconvénient : elle fait interférer sans cesse deux perspectives, dans un tel entrecroisement que le lecteur met longtemps à s'y retrouver. Blondel philosophe, considérant la condition universelle et nécessaire de l'esprit, abstraction faite de l'enseignement chrétien, veut montrer que tout homme porte en son être, en sa pensée, en son vouloir, quelque chose qui l'oblige à prendre au sérieux le message évangélique d'un don gratuit de Dieu. Blondel instruit par les théologiens déclare que l'homme, quoique désireux de ce don, aurait fort bien pu s'en passer. Certes, les deux perspectives se situent à des plans différents, et ainsi l'auteur ne se contredit pas. D'un côté, il veut orienter le philosophe incroyant vers le christianisme; de l'autre, il veut montrer au théologien que cette démarche philosophique est compatible avec son enseignement. Mais l'exposé eût été plus clair, si ces deux desseins avaient reçu un traitement séparé. Leur perpétuel entrecroisement dans les mêmes passages risque d'égarer. On croirait souvent que l'auteur, en un va-et-vient embarrassé, retire dans une page ce qu'il avançait à la page précédente. Il eût rendu grand service au lecteur, s'il était resté fidèle jusqu'au bout au dessein et à la méthode

1. *L'Être et les êtres*, p. 307-308.
2. *L'Action*, II (1937), p. 379.
3. *L'Action*, II (1937), p. 379.

propres de la Trilogie (qui veut faire abstraction de l'enseignement chrétien), s'il avait en conséquence réservé pour l'ouvrage ultérieur la considération de l'état de nature pure.

On dira peut-être qu'il devait nécessairement l'envisager, même dans la Trilogie, puisqu'il prétend y examiner ce que requiert, en toute hypothèse, en tout état de cause, l'être spirituel capable de connaître, par raison, que Dieu est sa fin dernière. Nous pensons que le souci de borner l'examen à ce qui est nécessaire en tout état de cause s'indiquait suffisamment par la volonté expresse de faire abstraction de ce qu'enseigne le christianisme. Quand il aborde la notion du surnaturel, l'auteur de la Trilogie déclare encore qu'il se borne à " l'aspect strictement philosophique[1] ", c'est-à-dire à ce que peut connaître " de façon indéterminée" " tout esprit conscient de ses virtualités congénitales[2] ". Cela suffisait, nous semble-t-il, à préciser que le philosophe se limite alors à ce qui est nécessaire en toute hypothèse.

La même réserve était fort bien signifiée dans *L'Action* de 1893, par le fait que Blondel y distinguait nettement : d'une part l'idée indéterminée du surnaturel, idée confusément accessible à tout homme et que le philosophe, même ignorant le christianisme, peut dégager, — d'autre part, la notion déterminée, positive et spécifique, du surnaturel chrétien, notion que seul le message évangélique fait connaître. La véritable raison des malentendus suscités par cet ouvrage et par la *Lettre* de 1896 n'est pas le fait que l'auteur a omis d'y mentionner expressément la possibilité d'un état de nature pure; c'est le fait qu'on a omis de remarquer la distinction capitale que nous avons mise en relief. Beaucoup n'ont pas vu que l'auteur abordait l'idée de surnaturel par l'aspect familier aux philosophes et non par celui que considèrent d'emblée les théologiens. On n'a pas assez observé que les mots clés : ordre naturel, nécessité, exigence, etc., avaient sous sa plume un sens très différent de celui auquel les théologiens sont accoutumés. Blondel lui-même, entraîné par la force des choses dans les débats théologiques, a modifié son langage et sa perspective, au lieu de développer ses premières explications.

Il était assurément indispensable qu'il montrât la compatibilité de son entreprise avec l'enseignement théologique. Mais il eût pu le faire sans introduire cette confrontation au sein même de la démarche proprement philosophique. Il était indispensable aussi de supprimer, ou tout au moins d'expliquer, certaines expressions qui étaient équivoques aux yeux des théologiens. Mais on pouvait le faire sans adopter aussi souvent leur langage, dans une œuvre qui voulait rester philosophique.

---

1. *L'Action*, II (1937), p. 387; cf. p. 371-372, 375, 386-387.
2. *L'Être et les êtres*, p. 455.

4. *Besoin du surnaturel et désir naturel de voir Dieu.*

Même si Blondel avait entendu autrement qu'il ne l'a fait la thèse thomiste du désir naturel de voir Dieu, pouvait-il l'adopter sans modifier quelque peu sa première pensée ? Assurément, il transforme l'idée qu'il accueille, il la plie à son propre mouvement. Il pense toutefois en garder l'essentiel, et il estime que cet essentiel est identique à l'idée qu'il a toujours fait valoir d'un besoin du surnaturel. Or cette identification ne figurait pas dans les premiers écrits, et l'on peut se demander si elle correspond exactement à leur contenu.

Constatons d'abord que, dans *L'Action* de 1893, l'idée thomiste du *desiderium naturale videndi Deum* n'est jamais mentionnée. Il n'y est même jamais traité de la " vision béatifique ". Absence d'autant plus frappante que le contraire de cette vision, l'enfer, tient une place considérable. Voulant justifier l'idée d'une damnation éternelle, qui constitue un scandale pour beaucoup d'esprits, l'auteur s'est appliqué à démontrer que la peine du dam est l'inévitable conséquence de l'orgueilleuse suffisance d'une volonté solitaire qui a refusé de s'ouvrir à Dieu et a placé son tout où il n'y a rien pour la combler[1]. Il définit ainsi " la mort de l'action ", terme de l'option négative. Mais quand il passe à " la vie de l'action ", il en laisse le terme à l'horizon, et définit simplement les conditions sans lesquelles on ne pourrait l'atteindre : " Nul ne voit Dieu sans mourir. Rien ne touche à Dieu qui ne soit ressuscité; car aucune volonté n'est bonne si elle n'est sortie de soi, pour laisser toute la place à l'invasion totale de la sienne[2]. " C'est d'ailleurs de façon incidente et furtive que la vision de Dieu est ainsi nommée. Ce n'est pas l'attrait de cette vision future, mais l'élan originel du vouloir, qui meut la dialectique de *L'Action*. Et la conclusion de cette dialectique n'est ni la nécessité ni même la possibilité de la vision béatifique, mais le devoir qui s'impose à l'homme de vouloir ce que Dieu veut.

En effet, le premier ouvrage de Blondel, on s'en souvient, constitue une science de la pratique. Quand il traite de " la vie de l'action ", cela consiste à montrer quels sont " les succédanés et les apprêts de l'action parfaite[3] " : accomplissement généreux du devoir, accueil de la souffrance et de la mortification, reconnaissance de l'initiative divine. Quand il en vient à parler de l'ordre surnaturel chrétien, il s'applique principa-

1. *L'Action*, p. 371-372.
2. *L'Action*, p. 384.
3. *L'Action*, p. 374.

lement à définir ce que doit être la coopération humaine appropriée à l'action divine : nécessité du pas de la foi, nécessité d'une pratique religieuse. Au terme de chaque développement, la conclusion est la même : " L'homme, par son intention délibérée, n'égale la plénitude de son aspiration spontanée qu'à la condition d'anéantir sa volonté propre, en installant en soi une volonté contraire et mortifiante[1]. " " Quand nous voulons pleinement, c'est lui [Dieu], c'est sa volonté que nous voulons. [...] Notre vraie volonté, c'est de n'en avoir point d'autre que la sienne. [...] Lorsque, par cette libre substitution, nous reconnaissons qu'il fait tout en nous, mais par nous et avec nous, c'est alors qu'il nous donne d'avoir tout fait. [...] Nous n'arrivons à l'indépendance que par l'abnégation[2]. " Émile Boutroux l'avait fort bien noté dans son rapport sur la thèse de Blondel : " Selon lui, ce que nous voulons en définitive, que nous nous en rendions compte ou que nous l'ignorions, c'est la substitution en nous du vouloir divin à notre vouloir propre. "

Voilà qui diffère passablement d'un désir naturel de la vision béatifique. La perspective, d'abord, est autre. Blondel considère la conduite que l'homme doit adopter au cours de la vie présente, non la béatitude qu'il peut souhaiter pour la vie future. Lors même qu'il parle de la vie éternelle, il pense d'abord à celle dont on jouit dès ici-bas par la foi explicite ou implicite[3]. Mais il y a une différence plus importante encore, située au cœur même du vouloir ou du désir envisagé de part et d'autre.

Assurément, le vouloir que la dialectique de *L'Action* décèle au principe de toute activité humaine est vouloir de l'infini. Plus précisément encore, il exprime, il est la relation fondamentale et nécessaire de l'homme à Dieu. Par là, il s'apparente au désir naturel de voir Dieu, dont parlent saint Thomas et ses disciples. Ce n'est donc pas sans raison plausible que Blondel et ses amis ont fait appel à l'idée thomiste, pour montrer le caractère traditionnel de la thèse exposée dans *L'Action* de 1893. Cependant, l'assimilation des deux idées ne saurait être que partielle.

Chez saint Thomas, en effet, le désir naturel de voir Dieu semble viser directement son terme, comme tous les appétits naturels, sans être traversé par une opposition interne. Chez Blondel, au contraire, le vouloir de l'infini ou besoin du surnaturel a pour objet la substitution en nous du vouloir divin à notre vouloir propre; il ne peut donc viser son terme qu'à travers l'acceptation d'une sorte de mort. Saint Thomas montre que notre vouloir ne peut être comblé que par Dieu lui-même se communiquant à nous. Blondel ajoute, au cours même de la dialectique

1. *L'Action*, p. 383.
2. *L'Action*, p. 423.
3. *L'Action*, p. 464.

qui établit une conclusion analogue, que l'homme ne peut s'ouvrir à cette action divine qu'à travers une purification passive, une constante mortification, le sacrifice de cette tendance qui le porte à se retrancher, comme dit Claudel, " sur sa différence essentielle ". Il ne montre pas seulement que notre action exige plus qu'il ne nous est possible de faire seul; l'aveu auquel il aboutit, c'est que " l'ordre naturel ne suffit pas à notre nature qui répugne pourtant au surnaturel[1] ". Il discerne donc au fond de l'être fini (et non pas seulement de l'être déchu) comme deux tendances antagonistes, également naturelles, également radicales : un désir du surnaturel et une répugnance à son égard; de telle sorte que la première ne peut ni recevoir satisfaction ni même être reconnue sans un sacrifice foncier. Voilà pourquoi le " besoin du surnaturel " que dévoile la dialectique de *L'Action* a une autre texture que le " désir naturel de voir Dieu " manifesté dans la *Somme théologique* ou la *Somme contre les Gentils*.

En vertu de cette texture, son idée même laisse voir de façon plus immédiate que le surnaturel n'accomplira le vouloir de l'homme qu'en le soumettant à un renversement. Elle prépare ainsi plus directement à comprendre, dans la foi, la transcendance de la vie divine dont l'Évangile annonce la communication.

Dans la Trilogie, Blondel n'a pas évacué les traits qui distinguaient son idée de celle de saint Thomas. Mais il les a obscurcis, en voulant identifier les deux idées. La ligne de sa première pensée était plus nette.

En exprimant notre préférence pour cette première pensée, nous n'entendons pas dire qu'il n'y ait rien d'utile dans les précisions apportées par la Trilogie et l'*Esprit chrétien*. La sympathie avec laquelle nous parlons de *L'Action* et de la *Lettre* ne signifie pas non plus qu'elles représenteraient à nos yeux le dernier mot sur la place de l'idée de surnaturel dans la philosophie. Répétons-le : nous ne faisons pas profession de blondélisme. Un chrétien n'a d'autre maître que l'Évangile commenté par l'Église; un philosophe n'est pas enchaîné à une philosophie. Mais peut-on refuser les suggestions d'une grande œuvre, dans la mesure où elle est cohérente et introduit vraiment à l'Évangile ? Dût-on même préférer une autre voie et parler alors en simple historien, il faut encore que la sympathie aille jusqu'à comprendre exactement la pensée qu'on interprète.

1. *Lettre*, p. 83.

III

L'AFFIRMATION ONTOLOGIQUE
ET L'OPTION RELIGIEUSE

Après avoir établi la nécessité du surnaturel, des dogmes et de la pratique religieuse, l'auteur de *L'Action* annonce qu'un dernier anneau va s'ajouter à la série des relations enchaînées dans la conscience sous la contrainte des nécessités pratiques. Il veut montrer " comment se forme inévitablement en nous l'idée d'existence objective; comment nous affirmons invinciblement la réalité même des objets de notre connaissance; quel est précisément le sens nécessaire de cette existence objective; à quelles conditions cette réalité, forcément conçue et affirmée, est réelle en effet[1] ".

" Ce qui jusqu'ici, dans une analyse régressive, était apparu comme une série de conditions nécessaires et de moyens successivement requis pour constituer peu à peu l'action, va désormais, par une vue synthétique, se révéler comme un système de vérités réelles et d'êtres simultanément ordonnés. [...] Tandis que l'action avait paru première, et l'être, dérivé, c'est la vérité, c'est l'être qui vont paraître premiers, mais sans que leur subsistance et leur nature même cessent d'être déterminées par l'action qui y trouve sa règle en même temps que sa sanction[2]. "

Il s'agit, on le voit, de montrer comment la science de l'action restaure l'ontologie, en la renouvelant. C'est l'objet du dernier chapitre de l'ouvrage, intitulé : " Le lien de la connaissance et de l'action dans l'être ".

Ce chapitre, on le sait, ne figurait pas dans la thèse soutenue en Sorbonne le 7 juin 1893; il a été ajouté, après la soutenance, dans les exemplaires destinés au commerce, qui furent mis en vente en novembre de la même année. Pour des raisons d'ordre pratique, Blondel en avait différé la rédaction définitive[3]. Ce qu'on ignore généralement, c'est

1. *L'Action*, p. 424.
2. *L'Action*, p. 425.
3. Lettre de Blondel à Valensin, 16 mai 1912 (*Correspondance*, tome II, p. 320-322). Voir aussi *Archivio di Filosofia*, 1932, p. 7, note 1; cité par B. ROMEYER, *La philosophie religieuse de Maurice Blondel*, p. 305, note 61.

qu'une rédaction antérieure figurait déjà, à la même place, dans le manuscrit déposé par l'auteur à la Sorbonne en mai 1892 pour obtenir le permis d'imprimer. Texte beaucoup plus court, et orienté de façon différente. Il s'intitulait : " L'universelle et l'éternelle consistance de l'action ". Il montrait que la personne humaine, quand on la suppose élevée à la vie divine par grâce surnaturelle et participation au sacrement, est le lien total des choses et leur véritable raison d'être. Il n'avait pas formellement la prétention, comme le texte publié en 1893, de justifier l'idée d'existence objective et de constituer une ontologie.

Qu'est-ce qui a déterminé l'auteur à opérer ce changement ? Nous inclinons à croire que c'est une objection que lui a faite son ami Victor Delbos, après lecture de la thèse, en mai 1893. " Il me semble, lui écrivait celui-ci, que tu fais la part un peu restreinte à la Métaphysique : elle vient, d'après toi, comme un moment dans le développement de l'action et tu la considères beaucoup plus d'après son efficacité que d'après sa nature intrinsèque. Je suis disposé comme toi à me tenir en garde contre une métaphysique qui voudrait s'ériger en Religion; mais il semble qu'elle ait plus à faire qu'à élever l'action ou la préparer : elle peut avoir à la consacrer ou pour mieux dire à la justifier[1]. " " Ce que tu as montré merveilleusement, selon moi, ce sont les nécessités que requiert, que postule, dont vit l'action. Ne serait-il pas logique de leur conférer, par la métaphysique, une valeur et comme une objectivité absolue[2] ? "

C'est pour répondre, nous semble-t-il, à cette invitation, que Blondel a modifié l'orientation première de son dernier chapitre, qu'il en a fait " une sorte de Métaphysique à la seconde puissance[3] ", destinée à justifier " la subsistance extérieure de la vérité intérieure à l'homme[4] ", l'être objectif de tout ce qui est apparu comme condition de l'action.

Le texte est célèbre par son obscurité. On a expliqué celle-ci par le fait que l'auteur a dû écrire très vite, sans avoir le temps de mûrir suffisamment sa pensée. C'est exact. Mais on peut préciser davantage, quand on a reconstitué l'histoire de la rédaction, grâce aux documents conservés aux Archives Blondel[5]. L'auteur de *L'Action* a voulu incorporer au texte définitif du dernier chapitre celui qu'il avait écrit auparavant. Il a eu beau le modifier profondément, il n'a pas fait disparaître tout ce qui attestait une visée différente. D'autre part, après avoir gonflé de surcharges le manuscrit destiné à l'impression, il a inséré,

1. Lettre de Delbos à Blondel, 14 mai 1893.
2. Lettre de Delbos à Blondel, 30 mai 1893.
3. *L'Action*, p. 464.
4. *Ibid.*
5. En particulier le manuscrit déposé à la Sorbonne en mai 1892, et les corrections faites sur les épreuves d'imprimerie. On trouvera ces documents, publiés par nous, dans les *Archives de Philosophie*, numéro du centenaire de Blondel, 1961.

sur les épreuves, des additions nombreuses et parfois très longues, qui ont modifié sérieusement la marche de certains développements. L'ensemble n'a pas été assez fondu. Le lecteur doit déployer une attention soutenue et répétée pour discerner le fil conducteur.

Malgré ces défauts, le chapitre en question est un des textes les plus remarquables de Blondel. Comme il a occasionné de nombreuses méprises (nous les avons signalées plus haut), nous voudrions ici l'analyser de façon précise et suivie, dégager ses articulations principales, expliquer le sens et le lien des diverses thèses qu'il fait interférer. On verra ainsi en quel sens très particulier l'auteur a entendu lier l'affirmation ontologique à l'option religieuse. On remarquera, nous l'espérons, que, sous un vocabulaire insuffisamment précis, à travers l'expression parfois maladroite d'une pensée qui se cherche encore, apparaissent des vues profondes. Peut-être estimera-t-on qu'il convient d'en retenir quelque chose, même si l'on juge que certaines réserves s'imposent et que le meilleur s'exprimerait mieux autrement.

I. CONNAISSANCE THÉORIQUE ET CONNAISSANCE PRATIQUE

En abordant la question ontologique au début du dernier chapitre de *L'Action*, l'auteur précise qu'il l'a jusqu'alors réservée. Il a analysé la dialectique de l'action, telle qu'elle apparaît à la conscience ; il a exposé à la réflexion la série des conditions nécessaires au déploiement et à l'achèvement de l'action humaine ; il a déroulé une chaîne de nécessités pratiques. Mais, " quoi que des habitudes contraires d'esprit aient pu persuader au lecteur[1] ", il n'a affirmé l'existence objective d'aucune de ces conditions.

Ainsi Blondel " phénoménise ", si l'on peut dire, tous les développements antérieurs. Ce procédé a déconcerté de nombreux lecteurs. Il est bon de savoir que l'auteur lui-même s'est demandé sérieusement s'il n'aurait pas mieux valu introduire la question ontologique plus tôt, ou s'abstenir de la soulever. C'est ce qui ressort de la correspondance échangée avec Delbos.

Après avoir rédigé son texte, Blondel, qui hésite à l'insérer, consulte

1. *L'Action*, p. 425.

son ami. Celui-ci approuve l'addition du chapitre et répond ainsi aux questions qui lui sont posées : " Avec ta façon de comprendre l'action tu ne pouvais, je crois, traiter et soulever ces problèmes qu'à la fin. [...] Ce chapitre sert à relier *ta* façon philosophique de traiter *ton* sujet à la façon générale de comprendre le problème philosophique[1]. "

Plus significative encore, une lettre de Blondel écrite plusieurs mois après la parution de son livre, et demandant à Delbos ses impressions dernières sur " la place, le rôle et la validité du dernier chapitre ". " Tu te souviens de tes anciennes critiques métaphysiques; tu sais en outre que j'ai longtemps hésité à insérer ce chapitre, sans réussir peut-être à le justifier. Il me semble pourtant, plus encore aujourd'hui qu'il y a un an, que le problème de la réalité objective ne peut être utilement abordé qu'après qu'on a déployé le déterminisme intégral de l'action, jusques et y compris les conditions définies de la vie proprement religieuse. A ce prix seulement, me semble-t-il, la transposition de la vieille ontologie est complète et efficace[2]. "

On voit clairement ici que la perplexité de Blondel concernait de façon particulière l'endroit où il convenait de traiter le problème ontologique. On voit aussi qu'elle n'a pas encore disparu, que l'auteur cependant devient plus assuré de sa position.

Il le deviendra tout à fait, semble-t-il, durant un certain nombre d'années (avant le changement qui manifestera ses effets dans la Trilogie). On lit, par exemple, dans *L'Illusion idéaliste*[3], article de 1898 qui constitue en quelque sorte un résumé du dernier chapitre de *L'Action* : " Avant de chercher ce que vaut notre pensée, il faut savoir ce que nous pensons en effet. [...] La première tâche qui s'impose à toute recherche philosophique, c'est de dérouler aussi intégralement que possible la chaîne continue de la pensée, sans préjugé réaliste ou idéaliste d'aucune sorte[4]. " C'est ainsi qu'on pourra faire apparaître " la seule manière effective de nier ou d'affirmer l'être[5] ".

Voilà qui nous invite à prendre au sérieux, malgré les hésitations de Blondel, la raison pour laquelle il s'est finalement décidé à n'aborder la question ontologique qu'après avoir déployé la dialectique intégrale de l'action. Rappelée dans *L'Illusion idéaliste*, cette raison se trouvait dûment exposée et même répétée au cours du dernier chapitre et dans la conclusion de l'ouvrage principal.

---

1. Lettre de Delbos à Blondel, 26 septembre 1893.
2. Lettre de Blondel à Delbos, 25 septembre 1894.
3. Article publié dans la *Revue de Métaphysique et de Morale* en 1898; reproduit dans *Les Premiers Écrits de Maurice Blondel*, Paris, 1956. Nous renvoyons à cette édition.
4. *L'Illusion idéaliste, loc. cit.*, p. 108-109.
5. *Loc. cit.*, p. 116.

" Pour poser avec une précision et une compétence scientifiques le problème de la connaissance et de l'être, il faut auparavant avoir exactement déterminé le système complet des relations qui sont intercalées entre les deux termes extrêmes : du volontaire au voulu, de l'idéal conçu au réel opéré, et de la cause efficiente à la cause finale, les intermédiaires doivent être tous franchis avant qu'on ait le droit de se retourner et de voir, dans la fuyante succession des phénomènes, la solidité même de l'être[1]. " Placer l'être ou l'absolu dans l'un ou l'autre des objets intermédiaires, c'est " tomber dans l'idolâtrie de l'entendement[2] ". Blondel se demande si toutes les doctrines philosophiques n'ont pas cédé plus ou moins à cette tentation[3]. On est porté à chercher l'absolu de la vérité et de l'être soit dans les données sensibles, soit dans les sciences positives, soit dans un déterminisme exclusif de la liberté, ou dans une liberté exclusive de tout déterminisme, soit dans une métaphysique fermée sur elle-même, soit dans une morale qui se refuse à toute recherche ultérieure. On constitue ainsi des doctrines qui s'excluent mutuellement[4]. Pour dégager de ce qui est controversé ce qui n'est pas controversable, il faut suspendre d'abord l'affirmation ontologique, considérer les objets de la connaissance comme ils apparaissent, c'est-à-dire comme hétérogènes et solidaires (et non pas exclusifs les uns des autres), ne pas chercher dans un ordre de phénomènes la vérité de l'autre, mais estimer que chacun doit avoir sa vérité et sa solidité propre[5]. Ainsi, au moment où l'on posera la question ontologique, on pourra affirmer la réalité de l'ensemble des objets de la connaissance[6].

Remarquons-le, pour éviter toute méprise : c'est au niveau de la science philosophique et selon les nécessités de l'analyse régressive que Blondel suspend l'affirmation ontologique jusqu'au terme de sa réflexion. Par cette méthode, il montrera précisément que la connaissance spontanée l'incluait dès le point de départ. Le rôle et la force de la connaissance réfléchie, dit-il, c'est de nous contraindre " à l'aveu de la vérité qui est en nous avant d'être en elle, et qu'elle n'atteint qu'au terme tandis que nous en vivons dès le principe[7] ". " Tout le mouvement de la vie intérieure aboutit à l'affirmation nécessaire de l'être, parce que ce mouvement est fondé sur cette nécessité même[8] " : voilà ce que va montrer, à son terme, la science de l'action.

1. L'Action, p. 427.
2. L'Action, p. 428.
3. L'Action, p. 481.
4. L'Action, p. 483-486.
5. L'Action, p. 481-483.
6. L'Action, p. 435, 447-450, 452-453.
7. L'Action, p. 427.
8. L'Action, p. 472.

Là encore, précise l'auteur, cette science va procéder par analyse régressive; elle continue à déployer la série des conditions nécessaires de l'action, la suite inévitable des besoins de la pratique[1]. Elle semble d'abord " ne porter que sur les rapports internes qui rendent tous les phénomènes solidaires dans notre conscience; mais, au terme, ce seront ces phénomènes mêmes qui se trouveront constituer l'être des choses. La nécessité pratique de poser le problème ontologique nous amène nécessairement à la solution ontologique du problème pratique[2]. "

Le dernier chapitre de *L'Action* établit d'abord deux thèses, au cours d'une déduction alternée procédant par paliers successifs. Il montre d'une part " qu'il y a en nous une connaissance certaine de l'être, à laquelle nous ne pouvons nous dérober ", et même " qu'il y a entre l'être et le connaître une absolue correspondance et une parfaite réciprocité[3] ". Il montre d'autre part " qu'entre la connaissance et l'être il subsiste une radicale hétérogénéité, qu'entre la vue et la possession de l'être la distance demeure infinie, et que, s'il y a un être nécessaire de l'action, l'action n'a pas nécessairement l'être en elle[4] ". Par cette distinction, dit l'auteur, le problème de la connaissance et de l'être prend un sens nouveau : méthode et solution sont transformées[5].

Pour établir la première thèse, Blondel montre, au plan de la réflexion et par une analyse phénoménologique, comment s'engendre nécessairement en nous l'idée d'existence réelle ou objective, puis comment nous affirmons inévitablement la réalité des objets de notre connaissance et des fins de notre action.

Voici d'abord la déduction de l'idée d'existence objective. Elle s'opère par simple manifestation de ce qu'implique la dialectique intégrale de

1. *L'Action*, p. 424, 426-427.
2. *L'Action*, p. 425.
3. *L'Action*, p. 427-428.
4. *L'Action*, p. 428.
5. *L'Action*, p. 428. Le développement du chapitre que nous analysons s'effectue en trois points : 1. Comment l'affirmation de l'être surgit nécessairement (section I). 2. Comment elle subsiste, avec un caractère privatif, chez celui qui se ferme à " l'unique nécessaire " (section II). 3. Comment elle devient possession de l'être, quand on s'ouvre à l'action divine (sections III, IV et V). Nous considérons pour l'instant les deux premières sections, avec le début de la troisième : cela forme un tout, c'est le bloc qui n'a été rédigé qu'après la soutenance de la thèse. Notre propos n'étant pas de faire un commentaire littéral, nous ne suivrons point le texte pas à pas. Il nous a paru plus utile de dégager et d'expliquer les thèses essentielles. Au paragraphe suivant, nous analyserons ce qui fait l'objet de la troisième partie du chapitre (sections III, IV, V).

l'action, telle qu'elle a été décrite jusqu'ici. " Quoi qu'on pense et quoi qu'on veuille, du fait seul qu'on pense et qu'on veut, il suit l'ordre universel du déterminisme. Vainement essaye-t-on de le nier ou de le briser ; par l'effort qu'on fait pour le ruiner ou s'y soustraire, on le pose et on le ratifie[1]. " Il nous apparaît donc toujours comme indépendant de notre volonté délibérée et de notre pensée réfléchie : c'est pour nous une nature. En outre, puisque son rôle est d'imposer une alternative à notre liberté, nous voyons que ce déterminisme, quoique nôtre par la production spontanée de la pensée, est en même temps hors de nous comme un terme pour l'opération voulue[2]. Ainsi, " la nature des choses nous apparaît comme une réalité objective parce qu'elle s'impose à nous par l'unité du déterminisme et parce qu'elle nous impose une libre option[3] ".

On voit par là que le problème intellectuel de l'être est posé en même temps que le problème moral de notre être. Corrélatifs et irréductibles, la série des objets enchaînés devant l'entendement et le système des fins offertes à la volonté sont pareillement impliqués dans la genèse de l'idée d'existence réelle. Ce lien du déterminisme et de la finalité justifie devant la réflexion notre inévitable croyance : " il y a une affirmation de l'être antérieure et intérieure à toute tentative de négation même complète[4] " ; " nous sommes incurablement, les choses sont incurablement pour nous[5] ".

Ce n'est encore là, précise Blondel, que la notion abstraite et générale de l'existence objective. Mais, ajoute-t-il, la marche inévitable de la réflexion fait apparaître aussitôt qu'elle se réalise nécessairement dans des objets concrets. En effet, la chaîne du déterminisme n'est que par ce qu'elle enchaîne et détermine. Donc, en affirmant la réalité du système, nous affirmons nécessairement celle des objets qui le constituent et sans lesquels il n'est pas[6].

Nous affirmons chacun d'eux avec sa nature singulière et sa qualité irréductible. " Sa nature et sa vérité, c'est d'être ce qu'il a d'hétérogène et de propre : tel il est donné à l'intuition, tel il est ; et ce qu'il y a d'antérieur ou d'ultérieur à découvrir en lui est le nouvel objet d'une investigation ultérieure ou antérieure qui révélera la nature distincte d'autres synthèses également irréductibles[7]. " Ne cherchons pas la vérité de la sensation derrière la sensation, ni, d'une façon générale, la réalité d'un

1. *L'Action*, p. 431.
2. *L'Action*, p. 431.
3. *L'Action*, p. 431.
4. *L'Action*, p. 431.
5. *L'Action*, p. 432.
6. *L'Action*, p. 433.
7. *L'Action*, p. 435.

phénomène dans un substrat placé derrière lui, ou dans un phénomène ultérieur. Il n'y a pas de phénomène privilégié, ni de phénomène à éliminer. Chacun porte en soi sa propre vérité et sa propre réalité.

" Mais, en même temps, chaque terme, sans cesser d'être hétérogène à l'égard de tous les autres, est lié à eux par une solidarité telle que l'on ne peut en connaître et en affirmer un sans les impliquer tous. Les objets qu'enchaîne ce déterminisme ne sont donc ni plus ni moins réels en un point de la série qu'en un point voisin : ni il ne faut chercher le secret de l'un dans l'autre, ni il ne faut croire que l'un puisse être admis sans l'autre[1]. "

Cette nécessité d'affirmer la réalité de tous les phénomènes (c'est-à-dire de tous les objets de la connaissance et du vouloir) dans leur originalité irréductible et dans leur infrangible solidarité, constitue un leitmotiv du dernier chapitre de *L'Action*. L'auteur la répète à chacun des paliers successifs de sa déduction. Nous la verrons réapparaître quand il voudra maintenir, à l'encontre du criticisme, l'identité ou la réciprocité de la connaissance et de l'être. Mais il va la faire intervenir d'abord pour montrer que cette identité nécessaire se réalise toujours à travers une hétérogénéité possible, que la connaissance est " vive ou morte, selon que l'être, dont elle porte en elle la présence nécessaire, n'y est qu'un poids mort ou y règne par l'effet d'une libre adhésion[2] ". Ainsi, avant de déployer toutes ses conséquences et pour les déployer, la première thèse engendre la seconde. Du fait que subsiste dans la pensée une présence nécessaire de la réalité, va ressortir que la réalité n'est pas nécessairement présente à la pensée; et cette seconde thèse, loin de détruire la première, va la confirmer.

Voici d'abord comment s'opère sa genèse. Parmi les phénomènes que la dialectique de l'action fait inévitablement apparaître à la conscience, avant de les englober enfin sous l'affirmation nécessaire de l'être, figure, on s'en souvient, l'idée de la grande alternative qui impose à tout homme d'opter pour ou contre l'accueil de la volonté et de l'action divines, ainsi que l'idée des conséquences vivifiantes ou meurtrières de cette option. Or, s'il est vrai, comme on vient de le voir, que nous ne pouvons poser aucun objet dans l'être sans y poser la série totale, il s'ensuit que nous ne pouvons affirmer la réalité d'aucun phénomène, sans passer par le point où l'alternative nous est imposée de nous ouvrir à l'initiative divine ou de nous replier sur nous-mêmes. Et comme il est apparu que, selon le choix, l'action humaine vit ou meurt de l'être nécessaire qu'elle porte en elle, il apparaît aussi maintenant que, selon la

---

1. *L'Action*, p. 435.
2. *L'Action*, p. 429.

même option, la connaissance nécessaire de l'être est vive ou morte, possessive ou privative. L'affirmation ontologique se trouve ainsi affectée d'une certaine manière par l'option qui est la grande affaire de la vie.

Cette thèse est si délicate qu'il convient de citer le passage où Blondel l'énonce. Après avoir expliqué que l'affirmation ontologique porte nécessairement sur la série entière des objets hétérogènes et solidaires qu'enchaîne la dialectique de l'action, il continue en ces termes :

" Il n'est donc aucun objet dont il soit possible de concevoir et d'affirmer la réalité sans avoir embrassé par un acte de pensée la série totale, sans se soumettre en fait aux exigences de l'alternative qu'elle nous impose, bref sans passer par le point où brille la vérité de l'Être qui illumine toute raison et en face de qui il faut que toute volonté se prononce. Nous avons l'idée d'une réalité objective, nous affirmons la réalité des objets; mais, pour le faire, il est nécessaire que nous posions implicitement le problème de notre destinée, et que nous subordonnions tout ce que nous sommes et tout ce qui est pour nous à une option. Nous n'arrivons à l'être et aux êtres qu'en passant par cette alternative : selon la façon même dont on la tranche, il est inévitable que le sens de l'être soit changé. *La connaissance de l'être* implique la nécessité de l'option; *l'être dans la connaissance* n'est pas avant, mais après la liberté du choix[1]. "

Nous avons déjà signalé et discuté brièvement les griefs que cette thèse a fait surgir autrefois, à l'époque des grandes controverses. Il nous faut la réexaminer ici plus en détail, en tenant compte d'interprétations plus récentes.

Écartons d'abord une sérieuse confusion, commise par plusieurs interprètes d'autrefois et d'aujourd'hui. L'option dont Blondel parle en ce chapitre n'est pas l'option en face du christianisme, mais l'option en face de l'unique nécessaire. Ce n'est pas la foi chrétienne, qui supposerait une connaissance explicite de la Révélation; c'est l'acte d'ouverture à " l'Être qui *illumine toute raison* et en face de qui il faut que *toute volonté* se prononce ". Voilà ce que dit le texte que nous venons de citer, et nous rencontrerons plus loin des expressions analogues. Assurément, quiconque connaît le christianisme et comprend qu'il est révélation de Dieu, ne peut s'ouvrir au Verbe qui illumine toute raison, sans croire au Verbe incarné. Mais ce n'est pas cela que Blondel envisage ici. Il ne

1. *L'Action*, p. 435-436.

parle directement que de l'option *religieuse*, dont la quatrième partie de *L'Action* a montré le caractère inéluctable. Il laisse en marge l'option explicitement *chrétienne*, dont la cinquième partie de *L'Action* a montré la nécessité; il n'y reviendra qu'à la fin de la Conclusion.

C'est donc l'option religieuse, considérée sous sa figure indéterminée, qui, d'après lui, affecte d'abord l'affirmation ontologique. Même ainsi précisée, la thèse fait difficulté pour beaucoup d'esprits. Comme si l'auteur prenait plaisir à les déconcerter, il insiste : " Ce que nous ne pouvons nous dispenser de penser et d'affirmer, c'est là, en apparence, ce qu'il y a de plus réel et de plus assuré en dehors de nous. Qu'on se détrompe : [...] c'est dans ce qu'il est possible d'agréer ou de refuser, qu'il faut voir la véritable réalité des objets imposés à la connaissance[1]. " Beaucoup de lecteurs ont cru que Blondel, dans *L'Action*, subordonnait la valeur objective de la connaissance à un choix existentiel : n'est-il pas clair ici qu'il leur donne raison ? Si l'on veut trouver un sens légitime à ses déclarations, ne doit-on pas en restreindre quelque peu le sens littéral ? Mais peut-être suffirait-il de bien lire pour apercevoir, à travers l'apparence irrationnelle, une vérité profonde.

" La connaissance qui, avant l'option, était simplement subjective et propulsive devient, après, privative et constitutive de l'être[2]. " Cette proposition, qui répète les précédentes sous une autre forme, a l'avantage d'énoncer directement la double distinction introduite par Blondel. Avant l'option, il y a " connaissance subjective de la vérité[3] ", connaissance nécessaire qui a pour effet de nous proposer une alternative inévitable[4]; après l'option, il y a en outre " connaissance objective de la réalité[5] ". Selon que l'option est négative ou positive, cette connaissance objective est privative ou possessive de l'être.

Envisageons d'abord la distinction entre l'avant et l'après. Plusieurs interprètes ont pensé qu'il fallait en réduire la signification temporelle. Ainsi, par exemple, Henry Duméry, dans son essai sur *La Philosophie de l'Action*. Pour Blondel, dit-il, l'option est coextensive à la connaissance; elle n'intervient pas " au bout du compte, mais à tout instant et en face de chaque réalité singulière[6] ". Elle n'est en effet " que la reconnaissance de l'*a priori* normatif et une identification à son mouvement[7] "; en d'autres termes, elle ne fait que ratifier le jugement ontologique qui s'exerce

1. *L'Action*, p. 436.
2. *L'Action*, p. 437.
3. *L'Action*, p. 439.
4. *L'Action*, p. 437.
5. *L'Action*, p. 439.
6. *La Philosophie de l'Action*, p. 113.
7. *Loc. cit.*, p. 113.

tout le long de la régression analytique, et non pas seulement à son terme[1]. " Elle devient constitutive d'être parce que, à la manière plotinienne, elle retrouve l'être comme la trace de l'Un[2]. " Les déclarations de Blondel sur le rôle de l'option dans la connaissance ne signifient qu'une seule chose : " la portée purement hypothétique du déterminisme analytique, et par conséquent la nécessité pour l'appliquer au réel d'y inclure le jugement ontologique. Or, que l'option soit bonne ou mauvaise, l'immanence mutuelle des deux dialectiques reste indissociable, même ignorée, même méconnue. Il n'y a donc jamais, si ce n'est par abstraction, une connaissance purement subjective suivie par une seconde connaissance objective[3] ". Lorsque l'auteur de L'Action semble dire le contraire, les exigences de la double dialectique imposent de ne pas le prendre à la lettre : on doit remarquer que " l'expression étale dans le temps ce qui est au contraire simultané dans l'unité d'un acte à plusieurs dimensions[4] ".

Nous aurions plus d'une réserve à faire sur l'ensemble de cette interprétation. Elle nous paraît, d'une part, plotiniser la pensée blondélienne, d'autre part, mêler la perspective de la première Action et celle de la Trilogie. Mais la seule question qui nous intéresse directement ici est de savoir dans quelle mesure il convient de réduire la signification temporelle de la distinction entre connaissance antérieure et connaissance postérieure à l'option[5].

Cette même réduction a été opérée, quoique dans une perspective générale assez différente (disons : non plotinienne) par le P. Albert Cartier. Ce n'est qu'au plan de la réflexion, dit-il, que la " connaissance subjective ", connaissance des conditions nécessaires de l'action, peut être dite " avant l'option ". Dans la réalité, elle n'est pas un acte complet de connaissance, mais " l'aspect pensant de la pensée, qui n'est rien hors de l'option concrète qui s'y oppose ou s'y conforme ". " Dans cette ren-

---

1. *Loc. cit.*, p. 111-112.
2. *Loc. cit.*, p. 114.
3. *Loc. cit.*, p. 116.
4. *Loc. cit.*, p. 114, note.
5. C'est par une autre voie que Duméry procédera dans ses études postérieures (*Blondel et la Religion, Critique et Religion*). L'option réalisatrice y apparaîtra comme un second temps qui succède à celui de la réflexion analytique (*Blondel et la Religion*, p. 81, 85). Celle-ci, dira l'auteur, *prépare* l'option; elle somme la liberté vivante d'opter conformément aux significations dégagées par elle (*Critique et Religion*, p. 131-132 ; *La Tentation de faire du bien*, p. 186-187). Mais, sous le nom d'option, il envisagera de façon principale et privilégiée l'option en face du surnaturel chrétien, l'acte de foi : ainsi fera-t-il tout au long de *Blondel et la Religion*. (Voir aussi *La Tentation de faire du bien*, p. 179). Dans cette perspective, la connaissance apportée par l'option sera autre que la connaissance temporellement antérieure. Nous examinerons plus loin les difficultés de cette nouvelle interprétation.

contre avec la volonté voulue — quelle qu'elle soit — elle devient " connaissance objective ", mouvement nécessaire vers l'être, mais, suivant le choix, pour s'en remplir ou s'en priver[1]. " En d'autres termes, " ce n'est que par un artifice méthodologique que l'action intervient seulement au terme pour donner consistance à un phénomène évanescent "; " en fait elle est, au plan transcendental, de tout point contemporaine à l'être et à la vérité[2]. "

Cette interprétation, comme celle de Duméry, contient une remarque fort juste et une autre qui l'est moins, nous semble-t-il. Il est exact qu'on se méprendrait sur la pensée de Blondel, si l'on croyait que, d'après lui, l'option n'intervient, dans la vie et la pensée concrète, qu'au terme d'une réflexion analytique intégrale, comme celle que doit déployer le philosophe. La connaissance subjective antérieure à l'option n'est pas le versant d'une montagne qu'il faudrait gravir jusqu'en haut, avant de franchir en un clin d'œil le faîte de l'option, pour se trouver soudain et définitivement sur le versant de la connaissance objective. L'option se monnaie tout au long de la vie; la connaissance est donc toujours à la fois antérieure à une option et postérieure à une autre; en ce sens, elle est toujours à la fois subjective et objective.

Mais cela ne signifie pas que l'option (si du moins on entend par là, comme le fait généralement Blondel, l'option devant l'unique nécessaire) serait de tout point contemporaine ou coextensive à la connaissance[3], qu'il n'y aurait donc jamais, si ce n'est par abstraction ou artifice de méthode, une connassance subjective suivie d'une connaissance objective. Connaissance et option alternent; la première prépare la seconde, et la seconde enrichit la première; en ce sens, la connaissance, d'abord subjective, devient ensuite objective, c'est-à-dire possession de l'être connu.

La pensée de Blondel a donc deux aspects corrélatifs et complémentaires, qu'il importe de maintenir simultanément. Il l'a indiqué lui-même à un de ses correspondants. " C'est la nécessité de l'analyse, écrit-il, qui nous force à réunir en bloc et à scinder en deux parts symétriques ce qui précède et ce qui suit l'action. En réalité le rythme de la connaissance et de la pratique est une progression infinitésimale; et comme

---

1. A. CARTIER, *Existence et Vérité*, p. 185.

2. *Loc. cit.*, p. 186.

3. Cela ne signifie pas non plus que l'option interviendrait à tout instant et en face de chaque réalité singulière. L'auteur de *L'Action* déclare, il est vrai, que " tout objet particulier peut devenir, pour la volonté, la matière d'une option et nous amener à résoudre l'alternative qui décide de la vie ". (*L'Action*, p. 433-434; cité par DUMÉRY, *La Philosophie de l'Action*, p. 113.) Mais ce qu'il affirme, on le voit, c'est une possibilité, et non une nécessité, ni même une réalité constante.

nous agissons sans cesse pour connaître, comme nous connaissons sans cesse pour agir, jamais la spéculation ne reste purement spéculative. [...] Il ne faut donc pas raisonner comme si la connaissance n'avait pas son appui dans une possession au moins implicite mais réelle de l'être ; seulement je dis que cette connaissance, une fois dégagée par la réflexion, n'est pas une fin en soi, un terme d'arrêt, mais un moyen, une mise en demeure pour agir, et par là même pour obtenir davantage de l'être[1]. " Blondel, on le voit, explique sa pensée en deux assertions : d'une part, il reconnaît qu'il y a " un artifice dans la méthode qui consiste à examiner, par masses opposées, ce qui précède l'action, ce qui procède de l'action[2] " ; d'autre part, il affirme qu'il doit y avoir, au cours de la vie, permanente alternance de la connaissance et de l'action. Il tient à la fois que " nous avons à aller à l'être " et que " nous sommes déjà et toujours en lui[3] ", sans qu'aucune de ces deux propositions détruise l'autre.

Il n'est donc pas possible d'effacer entièrement la signification temporelle de sa distinction entre une connaissance subjective, qui précède et prépare l'option, et une connaissance objective, qui la suit et en dépend. Si l'on doit trouver à cette distinction un " sens acceptable[4] ", un " sens légitime[5] ", ce sera par une autre voie. Pour l'instant, nous sommes toujours en face de cet apparent scandale : une connaissance subjective qui devient objective par un choix existentiel. Mais peut-être disparaîtrait-il, si nous prêtions attention au sens assez particulier que revêtent ici les mots " subjectif " et " objectif ".

Lorsque, dans le langage courant, on oppose une connaissance subjective à une connaissance objective, on entend que la première est affectée par les dispositions particulières du sujet individuel, de telle sorte que le discours où elle s'énonce ne peut être universellement reconnu comme expression adéquate de la vérité. Dans le langage du dernier chapitre de *L'Action*, la connaissance subjective qui précède et prépare l'option s'impose universellement et nécessairement à tout sujet, quelles que soient ses dispositions individuelles et même s'il déploie ses efforts pour la contester. Elle est " disposition subjective[6] ",

---

1. Lettre de Blondel à Dom Bède Lebbe, 3 avril 1903.
2. Lettre de Blondel à Dom Bède Lebbe, 3 avril 1903.
3. Lettre de Blondel à Dom Bède Lebbe, 3 avril 1903.
4. DUMÉRY, *La Philosophie de l'Action*, p. 114, note.
5. CARTIER, *Existence et Vérité*, p. 185.
6. *L'Action*, p. 438.

mais du sujet universel et non du sujet individuel. Est appelé " purement subjectif " ce qui est " nécessairement présent à la pensée[1] ", ce qui procède inévitablement du dynamisme interne de l'esprit, bref la logique de l'action, dont le terme est l'idée nécessairement engendrée en tout homme, " que les objets de sa pensée et les conditions de son action sont forcément réelles[2] ". La connaissance subjective est donc connaissance " *de la vérité*[3] ", et même " connaissance nécessaire de la vérité[4] ". Blondel le répète de bien des façons : elle est " représentation de l'objet dans le sujet[5] ", " vue de vrai[6] ", " connaissance de l'être[7] ", " vue de l'être[8] ". Elle constitue en nous cette "connaissance certaine de l'être, à laquelle nous ne pouvons nous dérober[9] ", connaissance " coextensive à son objet[10] ", de telle sorte qu' " il y a entre l'être et le connaître une absolue correspondance et une parfaite réciprocité[11] ". Peut-on souhaiter déclarations plus nettes ? Ce que Blondel nomme " connaissance subjective de la vérité[12] ", c'est identiquement ce que la langue courante appelle connaissance objective et à quoi la tradition aristotélicienne de la scolastique reconnaît une portée ontologique.

Pourquoi alors écrit-il qu'elle " *n'est encore qu'une représentation* de l'objet dans le sujet[13] " ? Pourquoi déclare-t-il qu'elle est encore " *purement* " subjective[14] ? Pourquoi l'oppose-t-il à la " connaissance objective de la réalité[15] " ? La réponse tient dans cette phrase toute simple : " La connaissance nécessaire de la vérité n'est encore qu'un moyen d'acquérir ou de perdre la possession de la réalité[16]. " La nommer purement subjective ne signifie donc pas qu'elle serait une représentation toute subjective de l'être, mais qu'elle n'a pas l'être en elle, qu'elle ne nous met pas en possession de la réalité véritable. Réciproquement, la connaissance que Blondel nomme " objective " n'est pas plus objective

1. *L'Action*, p. 438.
2. *L'Action*, p. 438.
3. *L'Action*, p. 439.
4. *L'Action*, p. 486.
5. *L'Action*, p. 438.
6. *L'Action*, p. 440.
7. *L'Action*, p. 436.
8. *L'Action*, p. 428.
9. *L'Action*, p. 427.
10. *L'Action*, p. 428.
11. *L'Action*, p. 428.
12. *L'Action*, p. 439, 440.
13. *L'Action*, p. 438.
14. *L'Action*, p. 438.
15. *L'Action*, p. 439.
16. *L'Action*, p. 486.

que la première, au sens ordinaire de ce mot[1], mais elle " unit à la vue du vrai l'entière possession du réel[2] " ou sa " privation positive[3] ". " Au lieu de nous mettre en présence de ce qui est à faire, elle recueille, dans ce qui est fait, ce qui est[4]. " Les deux connaissances ne s'opposent donc pas par l'absence ou la présence d'adéquation à leur objet; elles diffèrent comme la vue et la possession (ou la privation) de l'être. C'est en ce sens précis que Blondel place entre elles " une différence intellectuelle[5] ", et dit de la première, quand elle devient la seconde : " Sans changer d'objet, elle change de nature[6]. "

Une fois ce sens éclairci, on reconnaîtra volontiers que le langage de l'auteur était équivoque. Déclarer " purement subjective " la connaissance de l'être antérieure à l'option, c'était courir le risque d'égarer les lecteurs. Blondel s'en apercevra bien vite à leurs hésitations ou à leurs contresens. Dès 1897, sa correspondance atteste un changement de langage. Dans *L'Illusion idéaliste* (1898), qui constitue une reprise du dernier chapitre de *L'Action*, le terme de " connaissance subjective " est évité. On lit désormais à sa place : " connaissance spéculative ", ou " spéculation ", ou " idée abstraite ". Pour ne plus paraître monopoliser l'épithète d'objective, la connaissance postérieure à l'option se nomme " effective[7] ".

La possibilité de cette transposition apparaissait déjà dans la conclusion de *L'Action*[8]. Là, en effet, l'auteur distingue " science de la pratique " et " science pratique ". La première est expressément identifiée à la logique de l'action[9], telle que l'a développée tout l'ouvrage; son affirmation finale est qu'on ne supplée pas à la pratique. La seconde, qui au contraire peut se suffire à elle-même, résulte de l'expérience que constituent la générosité, le sacrifice, l'ouverture à Dieu, chez celui qui a

---

1. Plus loin, Blondel dit d'elle aussi qu'elle est " subjective ", en tant qu'elle est " volontaire ". (*L'Action*, p. 450). Il explique alors, nous le verrons, que ce qui est proprement réel et objectif dans notre connaissance, c'est ce qui distingue et unit la connaissance volontaire et la connaissance nécessaire.

2. *L'Action*, p. 440.

3. *L'Action*, p. 438.

4. *L'Action*, p. 438.

5. *L'Action*, p. 438.

6. *L'Action*, p. 437.

7. Lettre de Blondel à Dom Bède Lebbe, 3 avril 1903. Voir aussi le Plan pour une refonte de *L'Action* (14 octobre 1900), publié dans les *Études blondéliennes*, II, p. 24. — La distinction de la connaissance spéculative et de la connaissance effective deviendra plus tard celle de la connaissance notionnelle et de la connaissance réelle. Mais, comme nous l'avons dit au premier chapitre, ce sera avec un sens quelque peu différent; et plus tard encore, la distinction de la pensée noétique et de la pensée pneumatique répondra à une problématique plus complexe.

8. Et aussi dans l'introduction.

9. *L'Action*, p. 470-474.

opté pour l'unique nécessaire[1]. Cette " science pratique ", effet de l'option, est évidemment celle que le chapitre précédent appelait " connaissance objective de la réalité ". Pareillement, la " science de la pratique " est le déploiement de ce qui était nommé " connaissance subjective de la vérité ". Nous disons déploiement, pour signifier une distinction au sein de l'identité. La connaissance subjective qui prépare à l'option peut, en effet, rester rudimentaire; mais, même en ce cas, elle contient implicitement tout ce que déploie la science de la pratique, laquelle n'est science que si elle est intégrale. Blondel tient à la fois que " nous impliquons dans notre choix le total de ce que la spéculation essaie de déterminer " et que " pourtant, nous n'avons pas besoin de posséder cette connaissance explicite pour engager justement notre responsabilité[2] ". Moyennant ces précisions, on peut dire que la " connaissance subjective de la vérité " est identique à la " science de l'action ", donc connaissance théorique ou spéculative, distincte de la connaissance pratique ou expérimentale, par laquelle la réalité connue devient réalité possédée.

Or, pour Blondel, à cette époque, la " science de l'action " est " la Philosophie " par excellence[3]. Nous sommes donc autorisés à penser que, si l'affirmation nécessaire de l'être, dévoilée par cette science à son terme, est dite " purement subjective ", c'est au sens même où l'auteur définit les limites de la philosophie. Cela nous invite à chercher dans la *Lettre* de 1896 la raison d'une thèse qui a scandalisé ou gêné tant de lecteurs.

" La philosophie, lit-on dans la *Lettre*, a pour fonction de déterminer le contenu de la pensée et les postulats de l'action, sans jamais fournir l'être dont elle étudie la notion, contenir la vie dont elle analyse les exigences, suffire à ce dont elle fixe les conditions suffisantes, *réaliser cela même* dont elle doit dire qu'elle *le conçoit nécessairement comme réel*[4]. "

C'est la thèse même que développe le dernier chapitre de *L'Action*. Mais ici elle apparaît en conclusion d'un paragraphe qui en explique la genèse historique. La pensée antique, dit Blondel, " avait naïvement foi en son unique souveraineté et en sa propre suffisance[5] ". Son postulat tacite était " la divinité de la Raison, non pas seulement en ce sens que

---

1. *L'Action*, p. 474-480.
2. Lettre de Blondel à l'abbé J.-M. Bernard, 31 mai 1897.
3. *L'Action*, p. 488.
4. *Lettre*, p. 66. C'est nous qui soulignons.
5. *Lettre*, p. 56.

Dieu est Logos ou que le Verbe est Dieu, mais en ce sens que notre connaissance spéculative enferme la vertu suprême et d'elle-même *consomme en nous l'œuvre divine*[1] ". Chez Aristote, c'est l'acte de la contemplation rationnelle qui constitue *la vie divine* en l'homme, un acte qui a son origine et son terme en nous; " et c'est la métaphysique qui est la pleine science de l'être, qui *procure l'être* et, si l'on peut dire, *le salut* même[2] ". Chez Spinoza, la philosophie moderne révèle ses prétentions à l'hégémonie absolue, en voulant séculariser la religion même et " conduire, par ses seules ressources, l'homme à la *béatitude*[3] ". Cependant, sous l'action méconnue et refoulée de l'idée chrétienne, la pensée moderne se transforme peu à peu; elle est progressivement conduite à renoncer elle-même à l'autosuffisance[4]. La philosophie comprend enfin qu'elle ne peut " réaliser cela même dont elle doit dire qu'elle le conçoit nécessairement comme réel ".

On voit maintenant ce que veut dire cette proposition. La science de l'être ne suffit pas à procurer l'être, au sens où celui-ci est *le salut* et *la béatitude* de l'homme, *la vie divine* en lui. Le mot *être* ne signifie évidemment pas ici *l'étant*, au sens plat de l'existence empirique; il désigne ce qui se suffit à soi-même, *l'absolu*; il porte en sa visée quelque chose de la " substance " de Spinoza. Sa signification apparaît nettement, quand on rapproche deux propositions parallèles. A quelques pages d'intervalle, Blondel dit de la philosophie qu'elle n'a pas à " fournir *l'être* dont elle étudie la notion[5] ", et qu'elle " n'a pas à fournir *l'absolu* de la vérité *substantielle* et *salutaire* même alors qu'elle doit en rechercher les conditions[6] ". Pour lui donc, la philosophie doit se reconnaître incapable de nous mettre en possession de l'absolu, incapable de consommer en nous l'œuvre divine.

Cependant, notons-le bien, elle ne pourrait jamais avoir conscience de cette incapacité et de cette insuffisance, si elle n'avait la notion de l'absolu et si elle ne le concevait nécessairement comme réel. D'après Blondel, c'est au moment même où elle dévoile en l'homme l'affirmation nécessaire de l'être, qu'elle reconnaît l'inaptitude de la spéculation à mettre l'homme en possession de l'être. Elle ne peut proclamer sa propre insuffisance à résoudre pleinement le problème ontologique, que dans la mesure où elle contribue pour sa part à la solution. Elle se reconnaît donc inévitablement une portée ontologique.

1. *Lettre*, p. 55. Ici et dans les deux citations suivantes, c'est nous qui soulignons.
2. *Lettre*, p. 56.
3. *Lettre*, p. 61.
4. *Lettre*, p. 60-64.
5. *Lettre*, p. 66.
6. *Lettre*, p. 76. C'est nous qui soulignons.

Mais, en tant que connaissance *théorique*, elle n'est pas encore connaissance *vivifiante* et *possédante*. C'est en ce sens, et en ce sens seulement, qu'elle ne se suffit pas et ne nous suffit pas à nous-mêmes. Ce n'est pas le procès de la philosophie que Blondel intente, mais celui de la philosophie *séparée*. Il montre que, depuis l'apparition du christianisme, la contemplation rationnelle ne peut plus revendiquer l'autosuffisance qu'elle s'attribuait dans la pensée hellénique : elle doit conduire à autre chose qu'elle-même. Pour un penseur grec, on le sait, la connaissance de la vérité est *contemplation (thèôria)* de ce qui est *manifeste (alètheia)*. D'après l'Évangile et la Bible, elle est *communion* (alliance) avec ce qui est *solide* (Dieu et son œuvre). Blondel développe la première jusqu'au point où apparaît qu'elle appelle la seconde; il établit ainsi un lien philosophique entre le patrimoine, conservé, de la pensée grecque, et l'héritage, accepté (ou refusé), de la pensée évangélique. Par conséquent, lorsqu'il déclare que la solution philosophique du problème ontologique est " subjective et immanente ", qu'elle n'a pas une " valeur objective ou absolue[1] ", il faut entendre simplement que la *théorie humaine* de l'être ne suffit pas à mettre l'homme *en communion avec l'absolu*.

C'est cela même que veut dire l'auteur de *L'Action*, lorsqu'il expose, au dernier chapitre, que la connaissance nécessaire de la vérité est " purement subjective ", et que " l'être dans la connaissance " dépend de l'option religieuse. Loin d'être dépourvue de toute portée ontologique, cette " connaissance subjective " engendre elle-même, au plan de la réflexion qui est le sien, l'affirmation nécessaire de l'être, et cela, parce qu'elle est fondée sur cette nécessité même. Si elle est dite " purement subjective ", c'est pour signifier qu'elle ne nous met pas en possession de la réalité qu'elle conçoit.

Blondel l'a expliqué lui-même en plusieurs lettres au P. Auguste Valensin. " J'avais à faire, dit-il, le procès de la *philosophie séparée*; je voulais m'inscrire en faux contre la thèse selon laquelle la connaissance purement spéculative et exclusivement rationnelle et naturelle procure une science saturante et une solution suffisante; je voulais insister sur deux vérités capitales : c'est que, d'une part, pour " atteindre ", *posséder* la réalité des êtres et spécialement de l'Être, ce n'est pas assez de le connaître (au sens faible, au sens théorique); que, d'autre part, la connaissance (au sens fort, au sens johannique) implique une profondeur de vision qui manifeste la solidarité des choses, le secret de leur dépendance, le sens de notre actuelle et éternelle destinée. C'est pour cela que j'insiste tant sur deux sortes de connaissance (tout ce grand chapitre a cette distinction comme leitmotiv), l'une qui précède, propose, impose,

---

1. *Lettre*, p. 62.

point par point, l'Option; l'autre qui résulte de l'attitude même que nous avons prise, et qui, à la limite, est la révélation même que nous donnera sur nous la mort et le jugement de Dieu[1]. "

La science de l'action est, pour Blondel, la connaissance théorique qui ouvre l'esprit à la connaissance au sens fort, au sens johannique et biblique. " En s'appliquant à l'action, a-t-il écrit, la raison découvre plus qu'en s'appliquant à la raison même, sans cesser d'être rationnelle[2]. " Elle manifeste en effet ce qu'implique la logique de la vie humaine : " Tout dépend de l'attitude prise en face de l'unique nécessaire, puisque c'est le principe de la série entière, et puisque la suite du déterminisme total a pour effet de nous y ramener sûrement. Sans l'être, point d'autres êtres en nous; avec lui, tous seront présents[3]. "

On comprend maintenant en quel sens Blondel pose cette thèse qui, à première lecture, pouvait paraître choquante ou du moins énigmatique : " *La connaissance de l'être* implique la nécessité de l'option; *l'être dans la connaissance* n'est pas avant, mais après la liberté du choix[4]. "

Après avoir considéré principalement la connaissance nécessaire de l'être en tant qu'elle prépare le sujet à l'option et par suite à la connaissance pratique, il nous faut envisager celle-ci en tant qu'elle achève la première, de façon positive ou négative. Selon qu'on choisit de s'ouvrir ou de rester fermé aux exigences de l'unique nécessaire, dit en substance Blondel, la connaissance originaire de l'être devient possessive ou privative de l'être. Mais, comprenons-le : c'est l'être même affirmé par la connaissance originaire que possède ou repousse la connaissance pratique. De telle sorte que l'être nécessairement conçu porte, lui-même, et la connaissance qui le possède et celle qui le refuse.

Regardons d'abord la connaissance possessive : cette relation y est plus facile à saisir. Blondel l'exprime ainsi : " Pour que la vérité réside réellement dans la connaissance que nous en avons, il faut, dans ce qui est nécessaire en elle, que nous voulions ce qui peut n'être pas voulu, et que nous égalions ce qu'elle réclame de libre adhésion à ce qu'elle impose

1. Lettre du 8 mai 1912, dans la *Correspondance Blondel-Valensin*, tome II, p. 309-310. Voir aussi la lettre du 16 mai, p. 322 : connaître l'être, au sens plein et total, c'est " le connaître, non comme M. X. connaît Mme Z., mais si j'ose dire au sens biblique, et tout intime où Jacob connut Lia et Rachel ".
2. Lettre à la *Revue de Métaphysique et de Morale* (janvier 1894), reproduite dans *Études blondéliennes*, I, p. 102.
3. *L'Action*, p. 437.
4. *L'Action*, p. 436.

d'inévitable clarté[1]. " On pourrait reprocher à cette thèse de confondre les compétences et " d'attribuer à la connaissance un caractère qui n'est plus proprement intellectuel, puisqu'il paraît subordonné à un acte volontaire[2] ". L'auteur, qui prévient lui-même l'objection, y répond aussitôt; et son explication inclut précisément ce que nous entendons mettre ici en relief.

" Il ne s'agit pas, en voulant, de faire que la réalité subsiste en soi parce qu'un décret arbitraire l'aurait créée en nous; il s'agit, en voulant, de faire qu'elle soit en nous parce qu'elle est et comme elle est en soi. Cet acte de volonté ne la fait pas dépendre de nous ; il nous fait dépendre d'elle. C'est le rôle de cette connaissance nécessaire qui précède et prépare l'option, d'être une règle inflexible; mais, du moment où ce qu'elle a de nécessairement volontaire est librement voulu, elle ne cesse pas pour cela d'être une connaissance. Tout au contraire, elle y gagne de porter, réellement présent en elle, l'être dont elle n'avait encore que la représentation[3]. "

En montrant ainsi que, par la libre adhésion du sujet aux exigences de l'unique nécessaire, la connaissance de l'être ne cesse pas d'être une connaissance, mais devient au contraire connaissance " emplie[4] ", Blondel fait ressortir en même temps cette idée capitale : l'être qui emplit la connaissance après l'option est celui-là même dont l'affirmation nécessaire apparaît au terme de la connaissance théorique, comme la vérité dont nous vivons secrètement dès le départ. Autrement dit, l'être qu'une libre adhésion nous fait posséder est celui-là même que nous affirmons nécessairement. Voilà pourquoi l'option positive n'engendre pas une réalité qui n'eût pas existé sans elle, mais fait simplement que la réalité soit en nous comme elle est en soi. " L'ordre universel n'est réel, en notre connaissance, que dans la mesure où nous agréons pleinement ce qu'il a de nécessaire[5]. "

Comme la connaissance possessive, la connaissance privative est portée par l'affirmation nécessaire de l'être. Cela ressort du passage où Blondel explique que l'option négative, nous privant de la possession de la réalité connue, ne supprime pas pour autant la connaissance de la réalité. Celle-ci, dit-il, " garde tout ce qui est nécessaire en elle; elle perd tout ce qui eût dû être volontaire. En se tenant à ce qu'elle était, elle pervertit le sens du dynamisme qui était en elle, qui était elle-même; mais elle n'en supprime pas les effets : il allait à l'être, pour emplir la connaissance

1. *L'Action*, p. 440.
2. *L'Action*, p. 440.
3. *L'Action*, p. 440.
4. *L'Action*, p. 440.
5. *L'Action*, p. 441.

de la réalité qu'elle présentait à une libre adhésion; il va encore à l'être, mais pour vider la connaissance de cette réalité qu'elle continue à requérir par une nécessaire exigence[1] ".

Il résulte de là que la connaissance privative est " vraiment une connaissance objective ". Car elle est " conscience d'une lacune réelle et, si l'on peut dire, d'une privation positive[2] ". Ce qu'on renie et exclut en se fermant aux exigences de la pensée est de l'être. " La vérité, pour qui la repousse et refuse d'en vivre, n'est pas sans doute comme pour qui s'en nourrit, mais elle est encore; quoique entièrement différente en l'un et en l'autre, son règne n'est pas plus atteint en l'un qu'en l'autre[3]. "

Enfin, c'est de l'être refusé que la connaissance privative tire la sanction même de l'acte qui le repousse. " Dans l'homme qui agit comme si les êtres étaient sans l'Être, et qui accepte les moyens sans les orienter vers sa fin, la volonté continue à produire l'exigence de tout ce qu'il faut d'être à la connaissance, et la connaissance montre tout ce qu'elle exclut d'être nécessaire à la volonté : l'infini qu'il nous faut, elle l'affirme à qui l'a nié, mais pour refuser au négateur tout ce qu'elle lui affirme. Au-dessus des erreurs et des déviations de toute nature subsiste une vérité [...] qui, avec toute la précision et toute la rigueur de la nécessité, maintient sur toute raison et toute liberté ses droits souverains[4]. "

On peut mesurer maintenant l'erreur des interprètes anciens d'après lesquels l'option religieuse aurait la charge de conférer à la connaissance théorique une valeur objective et à la philosophie une portée ontologique, dont elles seraient par elles-mêmes entièrement dépourvues. D'après Blondel, on l'a vu, la philosophie établit elle-même qu'il y a une affirmation nécessaire de l'être, que celle-ci nous propose une alternative inévitable, que la possession ou la privation de l'être dépend de notre option, que l'affirmation originaire subsiste à travers ce choix, comme un juge et comme un glaive à deux tranchants. Si, disant cela, elle n'avait pas conscience de dire l'être, son propos serait vide et insensé. Seulement, l'être est tel que le dire et le posséder sont deux choses différentes. On ne fait que marquer cet intervalle, quand on énonce : " C'est dans ce qu'il est possible d'agréer ou de refuser, qu'il faut voir la véritable réalité des objets imposés à la connaissance[5]. "

1. *L'Action*, p. 438.
2. *L'Action*, p. 438.
3. *L'Action*, p. 438.
4. *L'Action*, p. 439.
5. *L'Action*, p. 436.

II. LA CONSISTANCE DU CONNU

Les développements qui suivent ceux que nous venons d'analyser ont pour but d'expliquer ce que l'adhésion pratique ajoute à l'être nécessairement conçu, en d'autres termes, comment l'action parfaite consomme tout ce qui a servi à la constituer. Ils déploient les multiples implications des deux thèses corrélatives établies jusqu'ici. Ils dessinent en quelque sorte une hélice dont chaque spire ramènerait les mêmes thèmes à des plans successifs. Mais la courbe de la pensée est encore plus difficile à saisir qu'en ce qui précède. C'est à partir d'ici[1] que Blondel a incorporé la rédaction antérieure dont nous avons parlé, et dont nous avons dit qu'elle avait d'abord une visée assez différente. C'est aussi au cours de ces développements qu'il a introduit, sur les épreuves, les additions les plus longues, si longues qu'il a dû partager en trois l'unique section d'abord prévue[2], et d'un contenu tel que le cours de la pensée a multiplié ses méandres. Il serait fastidieux et vain de suivre la courbe en tout son parcours. Nous nous bornerons à indiquer le mouvement général et à déterminer les coordonnées de quelques points cruciaux.

" Puisque la connaissance a besoin d'être complétée et comme emplie par une libre adhésion [...], que faut-il donc agréer en soi pour le mettre en elle ? comment s'insinue en nous cette plénitude de l'objet[3] ? " Blondel répond : " L'ordre universel n'est réel, en notre connaissance, que dans la mesure où nous agréons pleinement ce qu'il a de nécessaire. Or nous ne pouvons agréer toutes choses, nous ne pouvons nous agréer nous-mêmes sans passer par l' " unique nécessaire " où l'on a vu justement le principe du déterminisme total. Si notre volonté propre nous empêche de parvenir à notre volonté vraie, rien ne peut être réellement en nous, tant que nous n'avons pas résigné cette solitude de l'égoïsme par une substitution du vouloir divin à l'amour-propre qui perd tout en voulant gagner. Il faut donc comprendre cette double vérité : nous ne

---

1. Exactement, à partir des deux dernières lignes de la page 441.
2. A la fin de l'introduction du chapitre (à la page 429), l'auteur annonce une division en trois sections. Or, il y en a cinq. C'est que la troisième a été partagée sur les placards.
3. *L'Action*, p. 440.

saurions arriver à Dieu, l'affirmer vraiment, faire comme s'il était et faire en réalité qu'il soit, l'avoir à nous qu'en étant à lui et qu'en lui sacrifiant tout le reste : tout le reste ne communique à nous que par ce médiateur, et la seule façon d'obtenir le tous à tous c'est de commencer par le seul à seul avec lui[1]. "

Cet énoncé, on le voit, applique à la connaissance ce qui a été dit de l'action dans les pages concernant l'unique nécessaire et la grande alternative[2]. De même que l'action vit, de même la connaissance devient possessive de l'être, selon que l'homme s'ouvre aux exigences de l'unique nécessaire. Le fait que nous soyons ainsi renvoyés à la quatrième partie de l'ouvrage, et non à la cinquième, confirme ce que nous avons déjà noté : l'option qui, d'après Blondel, emplit la connaissance n'est pas directement la foi explicite au christianisme; c'est l'adhésion à l'unique nécessaire dont tout homme a au moins une connaissance confuse. D'autre part, le même renvoi nous aidera plus loin à préciser qu'en exaltant la connaissance pratique de Dieu par le sacrifice, Blondel n'entend pas déprécier sa connaissance théorique.

Bornons-nous pour l'instant à suivre l'enchaînement des idées dans le passage que nous lisons.

Pour connaître Dieu réellement, nous dit-on, il faut l'aimer au point d'être tout à lui et de lui sacrifier tout le reste. Mais, parce que Dieu est la cause première de tout être, nous trouverons dans cette abnégation notre propre consistance intérieure et la communion universelle avec les hommes[3].

C'est par l'amour de charité, incluant l'abnégation, que l'on connaît profondément autrui. C'est par lui que les autres sont en nous et pour nous ce qu'ils sont en eux et pour eux[4]. " L'amour et la science des hommes, c'est tout un[5]. " Ainsi, aimer tous les hommes, aimer Dieu, c'est même chose : " sans cet amour agissant des membres de l'humanité les uns pour les autres, il n'y a point de Dieu pour l'homme "; mais aussi, " dans la pratique commune de la vie, dans la logique secrète des consciences, sans Dieu il n'y a point d'homme pour l'homme[6] ".

En faisant ainsi disparaître les frontières de l'égoïsme, n'expose-t-on pas l'individu ou la personne à se perdre dans l'universelle confusion ? Blondel répond que la communion universelle est au contraire l'unique moyen de possession et de distinction parfaite, " la seule manière de

1. *L'Action*, p. 441.
2. *L'Action*, p. 339-356, 357-388.
3. *L'Action*, p. 441-443.
4. *L'Action*, p. 443-446.
5. *L'Action*, p. 446.
6. *L'Action*, p. 446.

réaliser la personne humaine, et, par elle, de constituer tout le reste[1] ".
En effet, la communion avec les autres implique qu'ils soient eux en eux
et que nous restions nous en nous. " Et ces deux conditions sont solidaires : car si nous ne nous réalisons qu'en participant à ce qu'ils sont,
nous ne sommes réels et distincts qu'autant qu'ils le sont eux aussi.
C'est donc une nécessité de fonder la réalité extérieure des objets extérieurs, afin que vues du dehors les choses du dehors aient une réelle
consistance : la vérité du dehors objectif est indispensable au maintien
du dedans subjectif des êtres[2]. " Ainsi, la vérité de la communion inter-
subjective exige que soit affirmé l'être en soi de la personne individuelle,
et par là même, l'être en soi de tout le phénomène[3].

Pareillement, la vérité de la communion avec Dieu exige que l'homme
y reste personne distincte, qu'il ne cesse pas d'être un individu. Or il
faut pour cela que cette communion s'effectue à travers la nature matérielle et sensible : " l'ordre naturel entier est entre Dieu et l'homme
comme un lien et comme un obstacle, comme un moyen nécessaire
d'union et comme un moyen nécessaire de distinction[4]. " Ainsi, la
nécessité d'aimer Dieu, comme celle d'aimer les hommes, conduit à la
nécessité d'affirmer l'être en soi du phénomène.

Il s'agit maintenant de voir ce qu'implique cette affirmation.

Blondel se demande d'abord ce que signifie *être*, quand on parle d'existence objective. Ce qui est proprement réel et objectif dans notre connaissance, explique-t-il, c'est ce qui sert d'intermédiaire entre la connaissance nécessaire et la connaissance volontaire : c'est l'ordre entier des
phénomènes dont la science de l'action a déroulé l'enchaînement et où
notre action cherche ses fins; en d'autres termes, ce sont " ces synthèses
hétérogènes et solidaires qui nous ont apparu comme des intermédiaires
naturels entre ce que nous voulons, parce que nous ne le sommes pas
encore, et ce que nous devons être, parce que nous l'aurons voulu[5] ".
Aucune de ces synthèses ne doit être privilégiée : " La réalité n'est pas
dans l'un des termes plus que dans les autres, ni dans l'un sans les autres;
elle réside dans la multiplicité des relations réciproques qui les solida-
risent tous; elle est ce complexus même[6]. " Ainsi, " il faut que les objets

1. *L'Action*, p. 447.
2. *L'Action*, p. 447.
3. *L'Action*, p. 447-448.
4. *L'Action*, p. 449.
5. *L'Action*, p. 451.
6. *L'Action*, p. 453.

soient ce qu'ils paraissent, et que leur réalité consiste, non dans je ne sais quel arrière-fond inaccessible, mais dans ce qui en est précisément déterminé et exactement connaissable. [...] Être, pour eux, c'est subsister tels que, indépendamment des défaillances de l'action et de la connaissance humaine, ils sont connus et voulus de nous[1]. "

On se demande en vertu de quel mirage le philosophe qui a écrit de telles phrases a pu passer aux yeux de certains interprètes pour phénoméniste et subjectiviste. L'étonnement augmente, lorsqu'on voit le même auteur expliquer, par la double immanence de la raison au sensible et du sensible à la raison, l'objectivité des phénomènes sensibles[2]. La surprise est complète, quand on le voit écarter expressément cet idéalisme subjectif auquel plusieurs lecteurs allaient réduire sa pensée. " Un idéalisme pleinement conséquent, écrit-il, fait évanouir toutes les distinctions qui le séparent du réalisme et supprime ce qu'il y a d'artificiel dans la question mal posée qu'il prétendait résoudre[3]. "

Blondel en effet nous invite à comprendre " comment ce que nous connaissons est réel tel que nous le connaissons, sans que notre connaissance particulière soit absolument essentielle aux relations qui paraissent cependant n'exister qu'en fonction d'elles[4] ". A cette fin, il nous fait remarquer que nous n'avons de pensée propre que par la présence en nous d'une vérité nécessaire et impersonnelle, donc indépendante de nous[5]. Idée classique, on le voit.

Le seul grief sérieux qu'on puisse adresser à ces pages, comme à beaucoup d'autres au cours du même chapitre, c'est d'être par trop enchevêtrées. Il est difficile de s'y retrouver, si l'on n'a déjà saisi par ailleurs les relations qu'elles voudraient mettre au jour. Nous ne nous attarderons pas à méditer sur des développements qui ne sont pas mûrs.

Une idée cependant mérite considération, parce qu'elle tiendra toujours un rôle important dans la pensée de Blondel, et que ses diverses répétitions ultérieures aident à comprendre l'énoncé encore obscur que nous avons ici sous les yeux. Au point où nous sommes arrivés, l'auteur de *L'Action* se demande à quelle condition sera absolument fondée la réalité objective de ce que nous affirmons nécessairement; et il trouve ce fondement dans la médiation du Verbe incarné.

Pour comprendre sa problématique et son langage, il faut se rappeler les faits suivants. Dès l'éveil de son esprit à la réflexion philosophique,

1. *L'Action*, p. 453-454.
2. *L'Action*, p. 454-456.
3. *L'Action*, p. 457.
4. *L'Action*, p. 457.
5. *L'Action*, p. 458.

Blondel a cherché dans la notion chrétienne de l'Incarnation du Verbe la clé de voûte d'une métaphysique intégrale, y compris la cosmologie[1]. C'est ce souci qui l'a amené très tôt à étudier la curieuse théorie leibnizienne du *vinculum substantiale*, que les historiens de la philosophie ne prenaient, en général, guère au sérieux. Il lui a semblé que Leibniz avait aperçu un problème réel, mais n'avait pas réussi à en donner une solution satisfaisante, faute d'avoir compris que le lien substantiel des êtres était le Médiateur universel, le Verbe incarné[2]. Cette solution, Blondel croyait, en revanche, la trouver dans la christologie de saint Bernard. Celui-ci remarque que le Dieu fait homme connaît différemment la miséricorde par sa divinité et par son humanité[3]. Blondel, citant avec quelque liberté, donne à l'affirmation un caractère général : " Quod sciebat ab aeterno per divinitatem, aliter temporali didicit experimento per carnem[4]. " Le Christ médiateur apparaît ainsi comme le " liant " universel. Il est véritablement ce " lien substantiel " que Leibniz cherchera sans savoir le trouver.

Ni saint Bernard ni Leibniz ne sont nommés dans le passage de *L'Action* qui nous occupe. Mais une fois averti, on en reconnaît aisément les réminiscences conjuguées. Par le fait même, on saisit mieux la portée de certaines affirmations, auxquelles Blondel semble avoir voulu laisser un tour indéterminé, pour ménager les susceptibilités de philosophes incroyants.

Le développement commence par le rappel d'une thèse de Bossuet (qui, lui non plus, n'est pas nommé[5]) : les choses sont parce que Dieu les voit. Cette explication, dit Blondel, est insuffisante; car, en tant que vues par Dieu, les choses ne sont d'abord que passives de son action créatrice et comme inexistantes en soi. " Si les choses sont actives et vraiment réelles, si elles subsistent sous leur aspect objectif, bref si elles sont, c'est parce que le regard divin les voit à travers le regard de la créature même, non plus en tant qu'il les crée, mais en tant qu'elles sont créées et que leur auteur se rend passif de leur propre action.[...] Leur vive réalité tient à ce qu'il y a, jointe à la science universelle et à la

---

1. Voir *Correspondance Blondel-Valensin*, I, p. 43-48 (note très documentée).
2. *Ibid.*, p. 44-46.
3. Saint BERNARD, *De gradibus humilitatis et superbiae*, ch. III. " Quod natura sciebat ab aeterno, temporali didicit experimento " (n° 6). " Non debet absurdum videri, si dicitur Christum [...] scire tamen alio modo misericordiam ab aeterno per divinitatem, et aliter in tempore didicisse per carnem " (n° 10).
4. Texte cité dans *L'Action*, p. 460. Ni l'auteur ni l'ouvrage ne sont indiqués. Mais la référence est donnée dans les notes préparatoires à *L'Action* : S. Bernard, *De gradibus humilitatis*, III, 6. Voir une autre citation, encore plus libre, dans *La Philosophie et l'Esprit chrétien*, I, p. 90.
5. Il l'est dans le passage parallèle de *La Philosophie et l'Esprit chrétien*, I, p. 90.

divine omniprésence, une connaissance, totale et singulière à la fois, de toutes les synthèses partielles recueillies par toutes les sensibilités et toutes les raisons disséminées[1]. "

Soucieux de ne pas paraître assujettir Dieu à une nécessité, Blondel précise : " Peut-être que, destiné à recevoir en lui la vie divine, l'homme eût pu jouer ce rôle de lien universel et suffire à cette médiation créatrice, parce que cette immanence de Dieu en nous serait comme le centre magnétique qui relierait toutes choses[2]. " " Mais aussi, reprend-il, pour que, malgré tout, la médiation fût totale, permanente, volontaire, [...] peut-être fallait-il un Médiateur qui se rendît patient de cette réalité intégrale et qui fût comme l'*Amen* de l'univers. [...] Peut-être fallait-il que, devenu chair lui-même, il fît, par une passion nécessaire et volontaire tout ensemble, la réalité de ce qui est déterminisme apparent de la nature et connaissance forcée des phénomènes objectifs, la réalité des défaillances volontaires et de la connaissance privative qui en est la sanction, la réalité de l'action religieuse et de la sublime destinée réservée à l'homme pleinement conséquent à son propre vouloir. C'est lui qui est la mesure de toutes les choses[3]. "

" Peut-être fallait-il... ", déclare ici Blondel. Son langage est parfois moins précautionné. Il écrira, par exemple, au P. Auguste Valensin : " Nos connaissances ne sont *objectives* et l'objectif n'est *réel* que par l'Emmanuel, et si le Verbe est incarné. Faute d'en arriver là, le problème de l'objectivité me semble radicalement insoluble[4]. " On pourrait croire que l'auteur de ces lignes subordonne l'objectivité de la connaissance humaine à une vérité de foi, et affirme simultanément l'inconsistance de l'ordre naturel et la nécessité absolue de l'Incarnation.

Ne soyons pas dupes d'un raccourci. Blondel, on s'en souvient, a d'abord établi que nous avons nécessairement une connaissance objective de la réalité, en d'autres termes, que les objets connus de nous sont réels tels que nous les connaissons. Ensuite seulement, il cherche le fondement ultime, la justification dernière, de cette réalité objective. Avant même qu'on ait découvert ce fondement, et même si on échouait à le découvrir, l'affirmation ontologique subsiste inéluctable. En toute hypothèse, la connaissance humaine vaut et la réalité s'impose. S'il y a lieu d'en chercher une justification ultérieure, c'est parce que la connaissance, à chacune de ses étapes, implique une constante liaison d'aspects disparates, une constante médiation, inaccessible à la lumière

1. *L'Action*, p. 459.
2. *L'Action*, p. 461.
3. *L'Action*, p. 461. La double possibilité que Blondel laisse ici ouverte est également mentionnée dans la *Lettre sur les exigences...*, p. 90, note 1.
4. Lettre du 19 décembre 1901, dans la *Correspondance Blondel-Valensin*, I, p. 43.

161

naturelle de l'esprit. Or, au penseur chrétien, le Verbe incarné apparaît comme l'entre-deux solide de ces aspects solidaires[1]. Constater que le mystère du Médiateur résout l'énigme philosophique d'une constante fonction médiatrice, ce n'est pas exiger l'Incarnation, c'est profiter de la lumière qu'apporte sa notion, et qu'on n'a pas trouvée ailleurs[2].

Ce réseau subtil de pensée a été fort bien retracé par l'auteur lui-même dans une lettre de 1897. " Il y a, rappelle-t-il d'abord, une connaissance naturelle des objets, une affirmation inévitable de leur réalité, qui, en fait, reste indépendante de la justification explicite et totale qu'on en peut fournir. " Après quoi, il invite son correspondant à méditer ces lignes, où l'on verra que chaque mot a été pesé : " *Spéculativement*, nous ne pouvons, à mon sens, justifier absolument la réalité objective de tout ce que nous affirmons nécessairement comme objectivement réel, sans passer par l'Emmanuel; et pourtant il n'y a là aucune trace d'ontologisme; car je ne dis nullement que les choses sont *connues* en Dieu, mais que nous ne pouvons expliquer pleinement qu'elles *sont* telles que nous les connaissons qu'en profitant d'une donnée dont la philosophie pure n'aura jamais le secret. Et il n'y a pas non plus en cela trace d'agnosticisme, parce que je reconnais à la philosophie le pouvoir *et* de montrer la légitimité ou la nécessité de ces affirmations objectives alors même qu'elle ne les justifie pas pleinement, *et* d'expliquer certaines des conséquences qui résultent de cette objectivation forcée, *et* de constater qu'elle ne saurait ici même prétendre à l'autarcheia[3]. "

On comprend maintenant en quel sens et avec quelles nuances Blondel trouve dans l'Incarnation du Verbe éternel le lien substantiel des choses, le fondement dernier de leur réalité objective.

Cette thèse, qu'il a soutenue jusqu'à la fin de sa carrière, est-elle absolument convaincante ? Du point de vue philosophique, on l'a vu, luimême laisse ouverte une autre possibilité : sa déduction ne prétend donc pas à plus de rigueur qu'un argument de convenance. Mais, puisqu'il opère cette déduction en confrontant à une énigme philosophique une " opinion théologique[4] " qui n'est pas un dogme, la question se pose aussi de savoir ce que vaut cette opinion et ce qu'on peut en tirer. Plus précisément, quelle est la portée cosmologique de la médiation du Verbe incarné ? Que signifie exactement la fameuse déclaration de saint Paul qui a inspiré le choix théologique de Blondel : " Omnia in Ipso

---

1. Lettre du 2 mars 1902, au P. Aug. Valensin, dans la *Coorrespondance Blondel-Valensin*, I, p. 53-54.
2. Voir *La Philosophie et l'Esprit chrétien*, I, quatrième partie (p. 83-103) et excursus 11 (p. 268-275).
3. Lettre à l'abbé J.-M. Bernard, 31 mai 1897.
4. *Lettre*, p. 89.

constant " ? Ni l'exégèse ni la théologie ne nous semblent avoir suffisamment éclairci ce point.

Le " panchristisme " professé par Blondel[1] comporte d'autres aspects, plus classiques que celui-là. Dans *L'Action*, avant le dernier chapitre, à propos de la notion de dogmes révélés, on a vu présenter de façon discrète la notion du médiateur, de l'intercesseur, du rédempteur[2]. Ces mêmes thèmes seront repris de façon plus ample et plus explicite dans *La Philosophie et l'Esprit chrétien*. Ils sont tous groupés, conjointement au précédent, dans un passage célèbre de la *Lettre* de 1896[3], sur lequel nous aurons l'occasion de revenir.

L'auteur de *L'Action* a montré jusqu'ici comment nous sommes nécessairement amenés à concevoir et affirmer une existence objective, à poser la réalité des objets conçus et des fins poursuivies, à supposer les conditions requises pour que cette réalité subsiste. Tout cela, rappelle-t-il, " ne fait qu'exprimer les exigences inévitables de la pensée et de la pratique. Voilà pourquoi c'est un système de relations scientifiques avant d'apparaître comme une chaîne de vérités réelles[4] ". Exposer à la réflexion cet ensemble de rapports nécessaires, " c'est dévoiler simplement ce que nous ne pouvons nous empêcher d'admettre pour penser, et d'affirmer pour agir[5] ".

Mais voici que tout cela, en vertu de la même nécessité, se transforme en vérités régulatrices pour l'action. " Ce qui ne peut pas ne pas être immanent à la pensée, nous ne pouvons pas ne pas tendre à nous le rendre immanent par la pratique[6]. " Cette dernière constatation est l'anneau qui fixe les deux bouts de la chaîne et ferme le cercle de la dialectique.

1. Le mot lui-même revient plusieurs fois sous sa plume : voir la note déjà citée de la *Correspondance Blondel-Valensin*, I, p. 44.

2. *L'Action*, p. 398-399.

3. *Lettre*, p. 89-91. La crise moderniste fournira à Blondel l'occasion de développer sa christologie pour elle-même. Au lieu de l'alléguer simplement comme solution éventuelle d'un problème philosophique, il la fera valoir contre la christologie de Loisy et celle de Hügel, pour sauvegarder ce qui lui paraît essentiel à la foi chrétienne. Il exposera ainsi des vues précieuses et solides (mêlées peut-être à quelques éléments contestables). On trouvera les documents rassemblés dans *Au cœur de la crise moderniste. Le dossier inédit d'une controverse*. Lettres présentées par R. MARLÉ, Paris, Aubier, 1960.

4. *L'Action*, p. 461.

5. *L'Action*, p. 461.

6. *L'Action*, p. 462.

" Quand toutes les conditions de la pensée et de l'action sont définies, quand tout le contenu de la vie est réintégré dans la conscience, bon gré mal gré *il faut* penser que c'est; voilà pourquoi *nous devons* faire comme si c'était[1]. " L'impossibilité théorique du doute entraîne l'affirmation pratique de la réalité. Dira-t-on inversement que la possibilité pratique de la négation entraîne l'impossibilité théorique de la certitude ? Ce n'est là qu'une apparence provisoire : " tôt ou tard ce qui doit être sera, car c'est ce qui est déjà; et les déviations, les fautes, les phénomènes illusoires resteront fondés à jamais dans la vérité qui en révélera l'erreur et la défaillance présente[2]. " Si la connaissance théorique ne sait pas infailliblement distinguer la réalité d'avec une permanente illusion, la pratique est sûre : " en faisant comme si c'était, seule elle possède ce qui est, si c'est vraiment[3]. " Rien ne saurait donc y suppléer. " On ne résout pas le problème de la vie sans vivre; et jamais dire ou prouver ne dispense de faire et d'être. Voilà donc absolument justifié, par la science même, le rôle de l'action : la science de la pratique établit qu'on ne supplée pas à la pratique[4]. "

Parvenu à ce terme, Blondel rassemble ainsi les résultats acquis : " C'est une nécessité de supposer la vérité de l'ordre naturel, de l'ordre surnaturel, et du divin intermédiaire qui en fait le lien et la subsistance. C'est une nécessité encore de ne pouvoir ni en chercher la confirmation ailleurs que dans la pratique effective, ni manquer de l'y rencontrer. Supposons que l'action nous l'ait donnée. Et alors l'anneau qui ferme la chaîne est parfaitement attaché. Il fallait que les deux bouts fussent joints, ils le sont; il fallait que la nécessité du déterminisme total fût recueillie dans un libre acte de volonté, elle l'est tout entière; il fallait que le rôle médiateur de l'action fût absolument justifié et fondé, il l'est; il fallait que cette médiation fût un principe d'unité et de distinction, elle l'est : nous sommes des êtres dans l'Être. Les apparences elles-mêmes, la durée, toutes les formes inconsistantes de la vie individuelle, loin d'être abolies, participent à la vérité absolue de la divine connaissance du Médiateur[5]. "

Peut-être sera-t-on tenté de penser que Blondel subordonne ici la possession de l'être à la foi chrétienne explicite. Il n'en est rien. Car, d'après lui, la réalité peut être possédée sans que le Christ, sans que Dieu même, soit explicitement connu. L'option qui la donne peut se faire suivant une appréhension confuse de l'unique nécessaire. Seul le chrétien sait qu'une telle option rencontre implicitement le Verbe incarné.

1. *L'Action*, p. 462.
2. *L'Action*, p. 463.
3. *L'Action*, p. 463.
4. *L'Action*, p. 463.
5. *L'Action*, p. 463-464.

Ne croyons pas non plus que Blondel refuse la connaissance de la vérité à l'homme dont l'option religieuse serait négative. Car, d'après lui, on l'a vu, la connaissance privative est encore une connaissance objective, qui ne cesse pas de porter en soi la connaissance nécessaire de la vérité. " Le vrai peut être connu sans que Dieu soit possédé[1]. "

Au moment même où la science de la pratique conclut à la nécessité de l'action, de l'option religieuse, elle proclame par le fait même le règne de la vérité. Elle annonce en effet que " ce que nous exigeons pour agir est d'abord exigé de nous[2] ", et que les conditions nécessairement impliquées en toute action, bien que nous puissions nous révolter contre elles, " ne cessent pas de se réaliser en nous[3] ". Tant qu'elle se fait, la science enregistre l'inévitable, elle n'a rien d'impérieux; " mais quand elle est faite, elle commande, et, par le seul ascendant de ce qui est, elle exerce sa judicature. Dès que la chaîne est nouée, tout le déterminisme, qui était apparu comme le phénomène de la volonté humaine dans l'entendement, apparaît donc désormais en même temps comme une absolue réalité qu'impose l'entendement à la volonté. En sorte que, à la vérité du primat de l'action, [...] répond la grande affirmation de l'égale primauté de la vérité. [...] Ce règne de la vérité est tout entier hors de nous, elle ne sera jamais désarmée de son sceptre de fer; mais aussi ce règne de la vérité est tout entier en nous, puisque nous en produisons en nous-mêmes toutes les despotiques exigences[4]. "

III. PHÉNOMÉNOLOGIE ET ONTOLOGIE

Ainsi qu'on le voit, l'ensemble du chapitre qui s'achève ici a eu pour objet et pour résultat d'établir la " subsistance extérieure de la vérité intérieure à l'homme[5] ". A ce titre, il définit une métaphysique, mais, précise Blondel, une " métaphysique à la seconde puissance, qui fonde, non pas seulement ce qu'une première métaphysique encore toute subjective nous présentait à tort comme la réalité même de l'être, tandis que

1. Lettre à l'abbé J.-M. Bernard, 31 mai 1897.
2. *L'Action*, p. 464.
3. *L'Action*, p. 464.
4. *L'Action*, p. 465.
5. *L'Action*, p. 464.

c'était une simple vue de l'esprit ou un phénomène spéculatif, mais tout le déterminisme de la nature, de la vie et de la pensée[1] ".

Comme nous l'annoncions au début, c'est une restauration de l'ontologie. L'originalité de cette reprise tient à la fois à la négation d'où elle part, à l'affirmation qu'elle promeut, et à la méthode qu'elle met en œuvre.

Soucieux de dire quelque chose qui comptât pour ses contemporains, Blondel ne pouvait répéter une ontologie scolaire que la plupart jugeaient périmée. A l'époque où il écrivait *L'Action*, positivisme, phénoménisme, criticisme imposaient à la majorité des esprits le refus de toute métaphysique, ou du moins une profonde défiance à son égard. C'est de cette attitude qu'il lui fallait partir. Comme il l'a fait pour chacune des positions examinées par lui, il a voulu ici encore descendre sur le terrain de l'interlocuteur, adopter son langage, accepter provisoirement sa problématique, en vue de montrer l'incohérence du système et la nécessité de s'élever à une vue supérieure. Ce souci du contact avec les doctrines alors vivantes explique l'usage fréquent, un peu excessif à notre goût, de termes tels que science (pour désigner la philosophie), déterminisme (pour nommer des implications nécessaires), phénomène (pour signifier le donné, l'objet de connaissance comme tel). Il explique le jeu assez particulier des oppositions entre subjectif et objectif, phénomène et être, bref de la figure extérieure que revêtent ici le problème ontologique et son traitement. Parce que les thèses discutées par l'auteur sont aujourd'hui mortes ou du moins ne vivent que sous des formes différentes, son langage et l'aspect extérieur de sa problématique ont un peu vieilli. Certaines pages ne nous touchent plus, et nous n'arrivons même à les comprendre que moyennant un effort de reconstitution historique. C'est la rançon de l'actualité, quand elle a passé. Mais cette actualité fut aussi et reste, à certains égards, une force. Car, procédant comme il l'a fait, Blondel disait quelque chose à quelqu'un. Il traitait de problèmes vivants, de problèmes qui ont saisi aux entrailles toute une génération. Et parce qu'il creusait jusqu'au point vif, il faisait jaillir à la lumière une source qui brille encore pour nous.

Blondel, en effet, à travers les problèmes contemporains, retrouvait une question aussi durable que l'homme, celle de l'absolu. Parce qu'il annonçait l'intention de dépasser l'idéalisme ou le criticisme par la considération de nécessités subjectives, on a pu croire qu'il voulait, partant du sujet isolé, établir l'existence extérieure des objets représentés en lui; en d'autres termes, on a pu imaginer qu'il voulait résoudre le problème de la valeur de la connaissance, entendu de la façon la plus

1. *L'Action*, p. 464-465.

plate et la plus artificielle. Il a protesté à bon droit contre une telle interprétation. " Je ne me place pas, pour commencer, dans le *sujet* (ce qui suppose une distinction conceptuelle et un travail de l'entendement morcelant), je me place avant cette dichotomie, dans l'action qui est immédiation, synthèse du sujet et de l'objet, opération réelle et prospiciente, mais non encore analytique et réfléchissante[1]. " Quand il déclare analyser le contenu total de la conscience, étudier l'enchaînement des phénomènes internes ou des faits subjectifs, il ne faut pas entendre, malgré l'ambiguïté de certaines expressions, qu'il procéderait à une analyse psychologique d'états subjectifs, d'états de conscience. Lui-même l'indique à l'occasion : " En s'efforçant d'égaler ce qui est pensé distinctement par nous, à ce qui pense, à ce qui vit, à ce qui est en nous, nous sommes en effet conduits, de conditions en conditions, de découvertes en découvertes, à dérouler la série entière de nos représentations et à constituer la science *aussi bien de l'extérieur apparent* que de l'intérieur conscient[2]. " Les phénomènes internes ou les contenus de conscience sont pour lui des objets intentionnels ; l'analyse à laquelle il les soumet est phénoménologique. Au moment où il pose la question de leur " existence objective ", ou de leur " existence réelle ", ou de leur " réalité objective ", quand il veut établir la " subsistance extérieure de la vérité intérieure à l'homme ", il ne s'agit pas de savoir si quelque chose d'extérieur correspond à nos représentations internes, mais de savoir si les objets de notre connaissance et les fins de notre vouloir portent en eux quelque chose d'absolu, et à quelles conditions nous pourrions par eux entrer en possession de cet absolu. Pour Blondel, en effet, nous l'avons montré, existence objective est synonyme d'être, lequel est synonyme d'absolu. On peut regretter l'ambiguïté de la première équivalence et les fréquentes équivoques du vocabulaire de l'auteur. Mais, pour qui lit avec attention, la pensée est nette : le problème de l'existence objective, tel qu'il est traité dans le dernier chapitre de *L'Action*, n'est pas un pseudo-problème critique; c'est le problème ontologique, au sens où celui-ci concerne l'absolu.

Dans cette perspective s'éclaire une déclaration qui a scandalisé ou intrigué bien des lecteurs : " Croire qu'on peut aboutir à l'être et légitimement affirmer quelque réalité que ce soit sans avoir atteint le terme même de la série qui va de la première intuition sensible à la nécessité de Dieu et de la pratique religieuse, c'est demeurer dans l'illusion : on ne saurait s'arrêter à un objet moyen pour en faire une vérité absolue,

---

1. Lettre de Blondel au P. Aug. Valensin, 7 décembre 1910, dans la *Correspondance Blondel-Valensin*, II, p. 191.
2. *L'Illusion idéaliste*, dans *Les Premiers Écrits*, II, p. 114-115. Souligné par nous.

Il est intéressant de suivre la discussion qui a continué entre Blondel et Delbos au sujet de cette manière de concevoir la philosophie. Nous avons indiqué comment l'auteur de *L'Action*, dans la rédaction définitive du dernier chapitre, a tenu compte de la remarque de son ami, qui lui reprochait d'avoir accordé un rôle trop restreint à la métaphysique. Nous avons cité également la lettre du 25 septembre 1894, où Blondel demandait à Delbos ses impressions dernières sur ce chapitre. Delbos a dû réitérer sa critique, car nous voyons Blondel se justifier dans une nouvelle lettre écrite quelques jours après (le 1er octobre).

" Je crois que l'idée de la métaphysique traditionnelle, laquelle s'efforce d'envelopper le contenu total de la pensée et de la réalité, est juste, en tant qu'*idée*. Je crois même que la pensée, se fondant sur ses principes propres, peut constituer un *système* fermé, un système intégral, et c'est pour cela précisément que j'ai déterminé, non à titre de symboles, mais à titre de postulats définis, les conditions naturelles de la vie religieuse et le déterminisme complet de l'action. Seulement, au lieu de *juxtaposer*, comme tu le voudrais après Schelling, la philosophie de l'essence et la philosophie de l'existence, j'essaie de montrer qu'elles se recouvrent et se compénètrent partout, sans se confondre et sans se remplacer nulle part. [...] Si l'on se borne à juxtaposer la dialectique à la pratique, on laisse en dehors de la métaphysique un élément irréductible et irrationnel, ce qui est contraire à l'hypothèse; la seule façon de sauver la métaphysique intégrale — que tu veux justement maintenir sans sacrifier la vie pratique, — c'est de comprendre qu'elle la pénètre et qu'elle ne la supplée pas. "

Blondel avoue toutefois, en terminant, que, dans son désir de prôner l'action, il a une tendance excessive, et que son ami lui rappelle justement l'aspect complémentaire. " L'action n'a point de suprématie sur le verbe; la métaphysique est totale, divine aussi, et je suis trop porté à l'oublier. "

Malgré cet aveu furtif, l'auteur défendra longtemps la conception exposée dans *L'Action* de 1893 et systématisée dans la *Lettre* de 1896 aux *Annales*. Mais Delbos lui demandera avec instance de maintenir, de fortifier le caractère proprement rationnel de son effort, en lui donnant toutes les bases scientifiques et métaphysiques qu'il comporte[1]. Et Blondel se laissera convaincre. La Trilogie se présentera, nous l'avons dit, comme une " philosophie spéculative[2] ", " un système technique de

1. D'après une lettre de Blondel à Laberthonnière, 26 février 1921.
2. *L'Action*, II (1937), p. 407.

la philosophie[1] ", une " métaphysique du nécessaire[2] ". Sans rompre les liens de la spéculation avec l'action humaine, sans perdre de vue le problème de la destinée, elle prendra un certain recul ; elle envisagera les conditions fondamentales de tout l'ordre créé. Au lieu d'une phénoménologie de l'action, s'achevant par la genèse de l'affirmation ontologique, nous aurons une étude métaphysique de la pensée, de l'être et de l'agir en général. Une " étude de l'action par l'action[3] ", une philosophie concrète de la destinée, s'y adjoindra comme un complément, doué d'ailleurs d'une relative indépendance[4]. Étant donné que cette " philosophie pratiquante[5] " aura été précédée d'une ontologie, il sera inutile de l'achever par une genèse de l'idée d'être et des conditions de son affirmation ; il n'y aura donc plus lieu de réserver méthodiquement la question ontologique, ni, par conséquent, de présenter la science de l'action comme une phénoménologie.

Nous reviendrons plus loin sur la conception de la philosophie impliquée respectivement dans les premières œuvres et dans les dernières. Ce qu'il importe de redire ici, c'est que, même dans les premières, Blondel, en exaltant le rôle cognitif de l'option religieuse, n'entend pas déprécier la connaissance spéculative. Lorsqu'il nous invite à reconnaître l'insuffisance de la philosophie, ce n'est pas dans l'ordre théorique qu'il la situe, mais dans celui du salut et de la béatitude. En outre, c'est la philosophie elle-même qui proclame ainsi ses limites ; et en cela elle croit refléter simplement les limites mêmes du champ ouvert à la connaissance et à l'action purement humaines. — Pareillement, lorsque Blondel déclare que la philosophie ne fait que tracer des cadres vides, il n'entend pas que son discours serait creux, mais, selon le contexte, qu'il ne contient pas la révélation divine ou qu'il ne suffit pas à procurer le salut[6]. Dans le second cas, le vide est censé refléter celui de la vie qui se ferme à l'unique nécessaire. En effet, l'ordre naturel tout entier " n'est qu'un moyen d'accomplir une destinée supérieure. Faute d'y accéder, la vie la mieux ordonnée demeure comme un cadre bien préparé, mais vide[7]. "

1. *Loc. cit.*, p. 409.
2. *Le Problème de la Philosophie catholique*, p. 175, note 1.
3. *L'Action*, II, p. 409.
4. *Loc. cit.*, p. 407-416.
5. *Loc. cit.*, p. 12.
6. Dans une lettre à Paul Archambault, du 24 avril 1918, Blondel écrira : " La métaphysique n'est qu'un schéma, un *mimétisme* du réel ". Cette formule malheureuse dépasse ce que disait l'auteur dans *L'Action* et la *Lettre* de 1896. Il la rétractera d'ailleurs dans une lettre du 23 février 1928 au même correspondant. (Les deux lettres sont reproduites dans le livre d'Archambault, *L'Œuvre philosophique de Maurice Blondel*, p. 73 et 74, en note.)
7. *L'Action*, p. 488.

Or, la philosophie ne peut manifester ce vide qu'en dévoilant les exigences de l'affirmation originaire de l'être. Elle montre qu'" il subsiste dans la pensée une présence nécessaire de la réalité[1] ", même lorsque, en vertu d'une option négative, la réalité n'est pas présente à la pensée. Ainsi la connaissance théorique maintient toujours sa propre valeur.

Elle la maintient même dans l'affirmation de Dieu, malgré le lien étroit que Blondel établit entre cette affirmation et l'option religieuse. Mais nous ne pouvons nous contenter ici de la démonstration globale. Plusieurs théologiens ou philosophes catholiques ont estimé que la pensée de Blondel était, sur ce point, incompatible avec la doctrine traditionnelle relative à la connaissance naturelle de Dieu. Des interprètes bienveillants ont eu peine à trouver un sens acceptable à certaines déclarations. D'autres les ont interprétées de façon inexacte. Il convient donc de les expliquer.

IV. PREUVE DE DIEU
ET AFFIRMATION DE DIEU

L'embarras du lecteur se cristallise au début du dernier chapitre de *L'Action*. Blondel y déclare qu'au cours des développements antérieurs, quand il a rencontré l'idée de Dieu, il ne l'a considérée que sous un aspect tout pratique : " En montrant que cette conception, inévitablement engendrée dans la conscience, nous force à affirmer au moins implicitement la vivante réalité de cette infinie perfection, il ne s'est nullement agi d'en conclure l'être de Dieu; il s'est agi de constater que cette idée nécessaire du Dieu réel nous mène à la suprême alternative d'où il dépendra que Dieu soit réellement ou ne soit pas pour nous[2]. "

On peut être tenté de comprendre ces lignes de la façon suivante : la logique de l'action fait surgir dans la conscience l'idée de Dieu, non comme affirmation, mais uniquement comme idée; celle-ci entraîne simplement la nécessité d'une option; seule cette option affirme l'existence de Dieu. C'est ainsi qu'on a souvent entendu la thèse de *L'Action*. Même un philosophe aussi subtil et aussi ouvert au blondélisme que l'était Pierre Lachièze-Rey semble avoir adopté cette interprétation.

1. *L'Action*, p. 429.
2. *L'Action*, p. 426.

" Primitivement, dit-il, et on le constate non seulement dans la première *Action*, mais surtout dans le compte rendu de la soutenance de thèse, M. Blondel se plaçait sur un plan exclusivement phénoménologique [...]. Dieu apparaissait donc d'abord uniquement comme une idée, idée dont on faisait la genèse et dont on montrait comment elle devait naître nécessairement à un moment du processus spirituel. [...] Mais, quand il s'agissait de sa valeur ontologique, l'idée de Dieu n'entraînait par sa présence que la nécessité d'une option, option à laquelle nous n'avions aucun moyen d'échapper. L'affirmation de Dieu apparaissait comme une sorte de postulat, et la position de M. Blondel ne semblait pas très éloignée de celle de Kant. [...] Il semble au contraire que, désormais, dans les derniers ouvrages, on est directement installé dans l'être , que l'existence de Dieu n'est plus l'objet d'une affirmation exigée par l'achèvement voulu de la pensée et de l'action, par une décision en faveur de cette réussite, mais qu'elle est immédiatement éprouvée dans l'acte, qu'elle est considérée comme réellement donnée dans le mouvement propulseur et que l'option ne porte maintenant que sur l'attitude intellectuelle et pratique prise par l'esprit en présence de cette situation. La démonstration n'est plus que l'élucidation d'une possession originaire et il ne s'agit plus de faire un acte de foi rationnelle en courant le risque de l'affirmation, mais de consentir à ce que révélera inévitablement la recherche[1]. "

Comme Lachièze-Rey, nous estimons que Blondel, dans la première *Action*, n'accède à l'ontologie qu'au terme d'une phénoménologie et à travers elle; tandis que, dans la Trilogie, il se place d'emblée au plan ontologique. Mais nous ne croyons pas que, dans la première *Action*, le rapport entre phénoménologie et ontologie, entre idée de Dieu et affirmation de Dieu, soit tel qu'on nous le décrit ici.

Si en effet l'on se reporte aux pages qui traitent de " l'unique nécessaire ", on constate que la phénoménologie de l'action fait apparaître à la conscience non la simple idée de Dieu, mais l'affirmation originaire de l'existence de Dieu. " Dans mon action, écrit Blondel, il y a quelque chose que je n'ai pu encore comprendre et égaler; quelque chose qui l'empêche de retomber au néant, et qui n'est quelque chose qu'en n'étant rien de ce que j'ai voulu jusqu'ici. Ce que j'ai volontairement posé ne peut donc ni se supprimer ni se maintenir : c'est ce conflit qui explique la présence forcée dans la conscience d'une *affirmation nouvelle* ; et c'est la réalité de cette présence nécessaire qui rend possible en nous la conscience de ce conflit même. *Il y a un " unique nécessaire "*. Tout le mouve-

---

1. P. LACHIÈZE-REY, *Réflexions sur la portée ontologique de la méthode blondélienne* dans *Hommage à Maurice Blondel*, p. 149-150.

ment du déterminisme nous porte à ce terme : car *c'est de lui que part* ce déterminisme même, dont tout le sens est de nous ramener à lui[1]. "

Ce qui fait la force de cette preuve, continue Blondel, c'est qu'elle résulte non d'une construction logique de l'entendement, mais du mouvement total de la vie. Elle saisit dans l'action volontaire " précisément *ce qui s'y trouve déjà*, ce qui par conséquent s'exprime nécessairement à la conscience et y est représenté toujours sous quelque forme que ce soit[2] ".

L'exposition dialectique de cette preuve spontanée doit montrer que par elle s'unissent en une synthèse démonstrative tous les arguments partiels, qui, isolés, demeurent stériles[3]. Loin de critiquer à la manière de Kant la preuve ontologique, la preuve cosmologique et la preuve téléologique, Blondel montre comment elles puisent au dynamisme de l'action une vertu contraignante[4]. Ainsi renouvelé, dit-il, l'argument qui procède de la contingence " a un tout autre caractère, un ressort plus puissant qu'on ne l'a cru d'ordinaire. Au lieu de chercher le nécessaire hors du contingent, comme un terme ultérieur, il le montre dans le contingent même, comme une réalité déjà présente[5]. " L'argument ontologique aussi reprend un sens et une vigueur nouvelle. Il est légitime ici, et ici seulement, d'identifier l'idée à l'être, parce que " nous trouvons d'abord l'idée dans l'être et l'être dans l'action[6] ". Sans doute, " pour atteindre " l'unique nécessaire ", nous ne le saisissons pas lui-même en lui-même où nous ne sommes pas; mais *nous partons de lui en nous où il est*, afin de mieux voir *qu'il est* en comprenant un peu ce qu'il est. Nous sommes *contraints de l'affirmer dans la mesure où nous en avons l'idée* : car cette idée même est une réalité[7] ".

Ces citations ne donnent qu'une vue très incomplète de la démonstration effectuée par Blondel. Mais elles suffisent à montrer que l'auteur de *L'Action* a bel et bien voulu prouver l'existence de Dieu, et cela en récupérant par la réflexion une affirmation originaire[8]. Faire la genèse

---

1. *L'Action*, p. 339. C'est nous qui soulignons.
2. *L'Action*, p. 340. C'est nous qui soulignons.
3. *L'Action*, p. 341.
4. *L'Action*, p. 341-350.
5. *L'Action*, p. 343.
6. *L'Action*, p. 348.
7. *L'Action*, p. 348. C'est nous qui soulignons.
8. Blondel l'a déclaré expressément dans une lettre du 4 avril 1897 à l'abbé Bricout : " Vous me demandez si j'affirme " la réalité de Dieu ", et si on peut la " démontrer rationnellement ". Je réponds absolument *oui*; et c'est le sens du chapitre de *L'Action* intitulé : " L'unique nécessaire " (p. 338 à 357). Je montre là comment tout le déterminisme de notre connaissance et de notre action nous porte à ce terme. [...] Nous concevons nécessairement Dieu; par l'effort de la réflexion, nous justifions cette conception spontanée et nécessaire, en démontrant rationnellement que Dieu est affirmé comme réel et comme efficace en nous... "

de " l'idée nécessaire de Dieu ", c'est identiquement, pour lui, dévoiler cette affirmation implicite et spontanée. L'option qu'impose l'idée de Dieu ne saurait donc consister à " faire un acte de foi rationnelle en courant le risque de l'affirmation ". Son rôle est d'un autre ordre : elle doit substituer en nous le vouloir divin à l'amour-propre[1]. Il n'y a, sur ce point, aucune différence entre *L'Action* et la Trilogie.

Mais alors, demandera-t-on, que veut dire Blondel dans les passages du dernier chapitre que nous avons recueillis plus haut ? Quand il a fallu rencontrer l'idée de Dieu, lisions-nous, " il ne s'est nullement agi d'en conclure l'être de Dieu[2] "; "nous ne saurions arriver à Dieu, l'affirmer vraiment, [...] qu'en étant à lui et qu'en lui sacrifiant tout le reste[3] ".

Pour comprendre ces déclarations ou d'autres analogues, dont le langage n'est pas toujours dépourvu d'ambiguïté, il faut encore une fois se reporter aux pages qui traitent de " l'unique nécessaire ". Aussitôt après avoir exposé la preuve de Dieu, Blondel indique pourquoi et en quel sens elle appelle un complément.

" La pensée de Dieu en nous, dit-il, dépend doublement de notre action. D'une part, c'est parce qu'en agissant nous trouvons une infinie disproportion en nous-mêmes, que nous sommes contraints à chercher l'équation de notre propre action à l'infini. D'autre part, c'est *parce qu'en affirmant l'absolue perfection nous ne réussissons jamais à égaler notre propre affirmation*, que nous sommes contraints à en chercher le complément et le commentaire dans l'action[4]. "

Il suffit de comprendre cette dernière phrase pour avoir l'explication cherchée. Voyons donc comment l'auteur la commente. " Dès qu'on estime connaître assez Dieu, dit-il, on ne le connaît plus[5]. " Pourquoi ? Parce que l'idée que nous en avons, quoiqu'elle émane originairement de son être, n'est pas identique à lui. " C'est une nécessité de passer toujours outre, parce que toujours il est au delà. Sitôt qu'on ne s'en étonne plus comme d'une inexprimable nouveauté, et qu'on le regarde du dehors comme une matière de connaissance ou une simple occasion d'étude spéculative sans jeunesse de cœur ni inquiétude d'amour, c'en est fait, l'on n'a plus dans les mains que fantôme et idole[6]. " " La pensée vive que nous avons de lui n'est et ne reste vive que si elle se tourne à la pratique, si on vit d'elle et si l'on en nourrit l'action[7]. "

1. *L'Action,* p. 354-355.
2. *L'Action,* p. 426.
3. *L'Action,* p. 441.
4. *L'Action,* p. 351. Souligné par nous.
5. *L'Action,* p. 351.
6. *L'Action,* p. 352.
7. *L'Action,* p. 354.

Ainsi donc, d'après Blondel, c'est la transcendance de Dieu par rapport à l'idée que nous en avons, en d'autres termes, c'est notre condition de créature, qui fait que " nous ne pouvons connaître Dieu sans vouloir le devenir en quelque façon[1] ". Et c'est cette même transcendance, Blondel l'ajoute aussitôt, qui fait que nous ne pouvons le devenir qu'en substituant sa volonté à la nôtre[2].

Voilà pourquoi et en quel sens l'auteur écrit, au dernier chapitre : " Nous ne saurions arriver à Dieu, l'affirmer vraiment, faire comme s'il était et faire en réalité qu'il soit, l'avoir à nous qu'en étant à lui et qu'en lui sacrifiant tout le reste[3]. " Le commentaire qui suit devient pareillement intelligible : " Connaître Dieu réellement, c'est porter en soi son esprit, sa volonté, son amour. *Nequaquam plene cognoscitur nisi cum perfecte diligitur*[4]. " En exaltant ainsi la connaissance pratique de Dieu, Blondel n'entend pas déprécier sa connaissance théorique : il manifeste au contraire les exigences qu'impose cette connaissance théorique dès lors qu'elle a reconnu la transcendance de son objet.

C'est en vertu des mêmes exigences qu'il déclare, au sujet des preuves de Dieu, n'avoir pas prétendu " en conclure l'être de Dieu[5] ". Elles n'en sont pas moins pour lui, comme il l'indique quelques lignes plus bas, des " preuves de son existence ". Loin de les invalider, il estime les avoir " renouvelées, non point surtout par la forme de l'argumentation, mais par l'esprit qui les inspire et par la nature même de la conclusion[6] ". Si celle-ci est affectée chez lui d'une réserve que les philosophes omettent souvent de mentionner, cette réserve ne concerne nullement la rigueur théorique. Blondel rappelle expressément, ici même, que l'idée de Dieu, " inévitablement engendrée dans la conscience, *nous force à affirmer* au moins implicitement la vivante réalité de cette infinie perfection[7] ". Seulement, comme nous l'avons relevé plus haut, Dieu étant toujours au delà de l'idée que nous concevons, " en affirmant l'absolue perfection nous ne réussissons jamais à égaler notre propre affirmation[8] "; d'où résulte que " nous sommes contraints à en chercher le complément et le commentaire dans l'action[9] ". Or il est évident que l'option religieuse, par laquelle la connaissance devient possessive

1. *L'Action*, p. 354.
2. *L'Action*, p. 354-355.
3. *L'Action*, p. 441.
4. *L'Action*, p. 441-442.
5. *L'Action*, p. 426.
6. *L'Action*, p. 426.
7. *L'Action*, p. 426. C'est nous qui soulignons.
8. *L'Action*, p. 351.
9. *L'Action*, p. 351.

de l'être, ne résulte pas automatiquement de la preuve. Voilà en quel sens celle-ci ne saurait conclure à *l'être* de Dieu. Mais elle n'en conclut pas moins à son *existence*, en montrant que nous l'affirmons nécessairement, même quand nous nous efforçons de l'ignorer. Blondel prolonge même cette conclusion, en manifestant la nécessité d'affirmer volontairement ce que notre pensée implique inévitablement. Ainsi, loin d'appauvrir le résultat théorique de la preuve, il l'enrichit.

L'auteur de *L'Action* distingue, on le voit, deux affirmations de Dieu : l'une, originaire et nécessaire, implicitement présente en tout homme; l'autre, volontaire, incluse dans l'option religieuse positive. Il est utile de remarquer qu'il reprend ainsi à son compte une idée paulinienne. Il en a d'ailleurs pleine conscience[1].

Saint Paul, on le sait, dit des païens idolâtres qu' " ils sont sans excuse, puisque, connaissant Dieu, ils ne l'ont pas honoré ni remercié comme Dieu[2] ". Il tient donc que l'idolâtrie implique une saisie originaire du vrai Dieu, qu'elle est méconnaissance coupable de ce qui est inévitablement connu. Par là, il invite les païens à reconnaître activement ce qu'ils savent confusément. Il va justement leur présenter la foi chrétienne comme l'actualisation véritable de cette connaissance que l'idolâtrie pervertit[3]. Pour lui donc, la reconnaissance effective du vrai Dieu est un acte libre, dont la nécessité est intérieurement prescrite par la saisie originaire de ce Dieu.

Voilà l'idée que Blondel a reprise et élaborée. C'est donc aux sources mêmes du christianisme qu'il puise, quand il distingue deux affirmations de Dieu et précise que la connaissance réelle de Dieu est identique à l'option religieuse, par laquelle l'homme se détourne de la " superstition " pour s'ouvrir à l'action de Dieu.

1. Voir sa lettre du 15 février 1917 à Paul Archambault, citée dans *L'Œuvre philosophique de Maurice Blondel*, p. 51, note.

2. Rom., I, 20-21.

3. Voir le commentaire que nous avons donné du texte de l'Épître aux Romains, dans *Karl Barth*, III, p. 119-124.

V. ONTOLOGIE ENVELOPPÉE
ET ONTOLOGIE DÉPLOYÉE

Qu'il s'agisse de l'être de Dieu ou de l'être relatif, nous avons dû souvent, pour comprendre ce que dit le dernier chapitre de *L'Action*, faire appel au contenu de la quatrième partie de l'ouvrage, celle où surgit l'idée de l'unique nécessaire et de l'alternative qu'elle impose à tout homme. Le chapitre étudié nous est apparu en quelque sorte comme une réduplication de cette partie. A quel titre une telle réduplication est-elle justifiée ? Autrement dit, quel rapport unit et distingue les éléments répétés ?

La question se pose d'autant plus aiguë que l'objet de la quatrième partie de *L'Action* et son rapport à la troisième sont définis dans les mêmes termes que l'objet du dernier chapitre et son rapport à tout ce qui précède. Au cours de la troisième partie, intitulée de façon très précise : " le phénomène de l'action ", Blondel indique plusieurs fois que " la question ontologique est écartée, et serait prématurée ici[1] ", qu'il a " débarrassé de toute ontologie " la science des phénomènes[2]. Au début de la quatrième partie, intitulée : " l'être nécessaire de l'action ", il annonce qu'il s'agira désormais " non de ce qui paraît, mais de ce qui est ". " Nous serons, dit-il, forcément amenés à l'affirmation de l'être, forcément conduits à poser une alternative en face de lui, forcément obligés d'opter entre deux décisions dont chacune exclut radicalement l'autre[3]. " Ainsi, cette partie semble avoir pour objet d'établir le passage nécessaire de la science des phénomènes à l'affirmation de l'être. Or, nous l'avons vu, c'est précisément ce que veut établir aussi le dernier chapitre de l'ouvrage. Quel est le sens de cette répétition ?

Devons-nous estimer que la quatrième partie de *L'Action* constitue déjà l'ontologie blondélienne et que le chapitre ajouté après coup a voulu simplement en tirer quelques corollaires ? Une telle interprétation serait inexacte. En effet, au début de ce chapitre, Blondel annonce non pas une série de corollaires ou de précisions, mais " une suprême démarche de la pensée ", " une démarche qui va servir de garantie et de

---

1. *L'Action*, p. 95, note. Voir déjà p. 42 et p. 65, note 2 : " Les mots *être, réalité* dont on fait usage n'ont ici aucune valeur métaphysique; ils ne désignent jusqu'à présent qu'un système de phénomènes donnés. "
2. *L'Action*, p. 322.
3. *L'Action*, p. 323, note.

justification à toutes les précédentes[1] ". Il met le lecteur en garde contre la tentation d'attribuer aux affirmations antérieures " une signification déjà métaphysique qu'elles n'ont pas[2] ". Plus loin, il déclare que tout n'y est encore que " phénomènes au même titre ", y compris " certitude de l'unique nécessaire, alternative inévitable, option meurtrière ou vivifiante[3] ", — cela précisément qui fait le contenu de la quatrième partie de l'ouvrage.

Devons-nous donc estimer que cette partie n'a aucune portée ontologique ? Ce serait contraire aux déclarations qui l'ouvrent et à ce que nous avons recueilli de ses affirmations. Il faudrait alors admettre que Blondel, rédigeant après coup le dernier chapitre, où il délimite la portée des constatations antérieures, a modifié, plus ou moins à son insu, sa première pensée. En fait, il n'y a pas lieu de s'arrêter à cette hypothèse, car le chapitre en question délimite la portée de son propre contenu aussi bien que celle des affirmations antérieures. L'affirmation dont il trace la genèse, celle de " l'existence réelle des objets de la pensée et des conditions de la pratique ", n'est elle-même, dit-il, que phénomène, au même titre que les précédentes[4]. Nous retrouvons encore une fois la thèse déjà expliquée : la philosophie de l'action reste d'un bout à l'autre phénoménologie, même lorsqu'elle dévoile l'inévitable affirmation de l'être. Précisément parce que le dernier chapitre lui attribue universellement ce caractère, ses déclarations ne peuvent pas signifier que la quatrième partie de l'ouvrage n'aurait aucune portée ontologique.

Nous devons donc prendre également au sérieux ce que Blondel déclare de part et d'autre. Aux deux endroits, nous avons devant nous une genèse de l'affirmation ontologique et une analyse de ses implications. Faut-il alors estimer que l'auteur nous offrirait deux ontologies successives ? Quel serait en ce cas leur rapport ?

Rappelons-nous l'essentiel de l'ontologie finale. Nous concevons inévitablement l'idée d'existence réelle, nous affirmons invinciblement la réalité des objets de notre connaissance; mais, pour le faire, nous passons nécessairement " par le point où brille la vérité de l'Être qui illumine toute raison et en face de qui il faut que toute volonté se pro-

---

1. *L'Action*, p. 424. Remarquons aussi que, dans les exemplaires de thèse, qui ne contenaient pas ce dernier chapitre, la nécessité de la pratique religieuse était présentée comme " le dernier anneau du déterminisme " (p. 404-405). Dans les exemplaires destinés au commerce, elle est présentée comme un " nouvel anneau " (p. 406); c'est la fin du dernier chapitre qui dessine le " dernier anneau ", celui qui fixe " les deux bouts de la chaîne " (p. 462).
2. *L'Action*, p. 425.
3. *L'Action*, p. 452.
4. *L'Action*, p. 452.

nonce[1] ". Selon notre option, le sens de l'être sera changé. " C'est dans ce qu'il est possible d'agréer ou de refuser, qu'il faut voir la véritable réalité des objets imposés à la connaissance[2]. "

Il est manifeste ici que l'ontologie du dernier chapitre de *L'Action* présuppose les données de la quatrième partie : elle les reprend, les assume et s'y appuie. Mais en même temps, elle les déborde. Là, il s'agissait du problème moral et religieux de notre être; ici, il s'agit du problème intellectuel de l'être. D'un côté s'énonçaient les conditions nécessaires à l'être de l'action; de l'autre, ces conditions invitent à reconnaître l'être dans sa vérité. C'est ici seulement qu'il y a discours sur l'être envisagé pour lui-même. C'est donc ici seulement que l'ontologie est formellement déployée. Mais cette ontologie s'appuie sur l'ontologie germinale, qui était virtuellement enveloppée dans l'idée de l'unique nécessaire et de l'alternative inévitable. Bref, il n'y a dans *L'Action* qu'une ontologie, qui se développe dialectiquement : posée *en soi* dès la quatrième partie, elle ne se dit *pour soi* qu'au dernier chapitre.

Ce rapport nous permet de comprendre à la fois pourquoi Blondel a cru pouvoir présenter sa thèse à la Sorbonne sans ce chapitre, et pourquoi il a cru devoir ensuite l'ajouter. En son absence, l'œuvre constituait virtuellement une totalité, mais cette totalité n'était pas formellement déployée. Le retour au principe était effectué, mais cet accomplissement n'était pas explicité[3].

Après avoir ajouté le dernier anneau à son discours, Blondel devait aussi lui faire place dans la Conclusion, qui rassemble les résultats de l'ouvrage entier. A cette fin, il a remanié, après la soutenance, le texte de la thèse, en y insérant un certain nombre d'additions[4]. Il ne sera pas inutile de relever ici la modification la plus caractéristique, car elle confirme l'interprétation que nous venons d'exposer.

Dans l'une et l'autre version, l'auteur rappelle que la philosophie doit

---

1. *L'Action*, p. 435.
2. *L'Action*, p. 436.
3. On comprend aussi que Blondel ait hésité sur l'endroit où placer ce chapitre. Au lieu de le mettre à la fin de la cinquième partie, il aurait pu le placer à la fin de la quatrième.
4. Les additions que Blondel a introduites pour constituer le texte définitif de la conclusion sont de trois sortes. Les unes n'ont d'autre but que d'expliciter ce qui était déjà dit dans le texte de la thèse : ainsi celles que contiennent les pages 467-470, 474-476, 492. Une autre reproduit la réponse à certaines objections présentées par Émile Boutroux le jour de la soutenance : elle occupe les pages 489-490, dont une bonne partie répète quasi textuellement un passage d'*Une soutenance de thèse* (*Études blondéliennes* I, p. 82-83). Enfin, plusieurs additions ont pour rôle d'incorporer à la conclusion les données du dernier chapitre : elles figurent aux pages 480-483, 486-488. Seule cette dernière catégorie nous intéresse ici.

d'abord se borner à l'étude des phénomènes hétérogènes et solidaires, sans chercher en aucun d'eux l'être réel : elle revêtira ainsi le caractère neutre de la science, ayant supprimé la source des contradictions. Après quoi, Blondel poursuit, dans la première version, de la façon suivante :

" Mais il n'est possible d'établir la neutralité de cette zone où la paix de la science doit régner qu'en réservant le principe secret des divisions, qu'en mettant en évidence, dans toute son intégrité, la grande et décisive question. Pour ne point la voir où elle n'est pas, il faut la voir seulement où elle est. Elle n'est pas dans les controverses de la science positive et de la métaphysique, ni même dans les combats de la nature et de la morale. Elle est toute dans ce conflit nécessaire qui naît au cœur de la volonté humaine et qui lui impose d'opter pratiquement entre les termes d'une alternative inévitable, d'une alternative telle que l'homme ou cherche à rester son maître et à se garder tout entier en soi, ou se livre à l'ordre divin, plus ou moins obscurément révélé à sa conscience. L'être et la vie ne sont pas pour nous dans ce qui est à penser, ni même à croire, ni même à pratiquer, mais dans ce qui est pratiqué en effet. Il faut décentrer, si l'on peut dire, l'homme et la philosophie, afin de placer ce centre vital où il est en effet, non point dans les connaissances positives ou la vie sensible, non point dans les spéculations intellectuelles, non point dans les prescriptions morales, mais dans l'action; car c'est par elle que se tranche forcément, en fait, la question des rapports de l'homme et de Dieu[1]. "

Ce passage est manifestement un résumé de la quatrième partie de l'ouvrage. Comme elle, il montre dans l'option religieuse la voie d'accès à l'être. Comme elle aussi, il s'abstient de développer ce germe d'ontologie en une ontologie expresse.

Or, la seconde version du même passage fait place d'emblée à cette ontologie. Au lieu d'annoncer un rappel de " la grande et décisive question " (celle de l'alternative inévitable), la première phrase (dont le début est à peu près le même) annonce un rappel du problème de l'existence objective ou de l'être. Elle introduit ainsi un résumé du dernier chapitre de *L'Action*. Ce texte mérite d'être cité largement, pour faciliter la comparaison qui nous occupe, et aussi parce qu'il a une particulière densité.

" Mais il n'est possible de conquérir à la science cette zone neutre où la paix doit régner qu'en réservant le principe secret des divisions, qu'en sachant chercher l'existence objective seulement où elle peut être, qu'en trouvant l'être seulement où il est. La connaissance nécessaire de la vérité n'est encore qu'un moyen d'acquérir ou de perdre la posses-

---

1. *L'Action* (exemplaire de thèse), p. 426-427.

sion de la réalité. Quoique cette connaissance objective doive être identique à son objet, il y a pourtant entre elle et lui toute la différence qui peut séparer la possession de la privation : être et connaître sont donc de la sorte aussi distincts et aussi semblables que possible. Et l'existence objective consiste en ce qui, dans cette identité nécessaire, peut et doit être librement accepté pour constituer l'identité volontaire. La réalité des objets connus est donc fondée, non pas en une sorte de double sous-jacent, non pas dans la forme nécessaire de leur phénomène ; elle est fondée dans ce qui nous impose une option inévitable ; elle est réalisée dans l'action médiatrice qui leur donne d'être ce qu'ils paraissent. [...] Les choses sont donc toutes subordonnées à la grande et décisive question de l'emploi de la vie : leur raison d'être, c'est de susciter pour nous ce problème ; c'est dans la solution du problème qu'elles trouvent leur raison d'être. *Omnia propter unum*. La métaphysique est controversée, mais non controversable ; elle l'est, parce que la science de ce qui est, sans être dépendante, est solidaire de la volonté de ce qui est. C'en est l'originalité[1]. "

Par le fait qu'il caractérise ainsi l'essence de la métaphysique ou de l'ontologie, Blondel réintroduit " la grande et décisive question ", celle qui faisait immédiatement l'objet de ce passage dans la première version. Après avoir rappelé qu'elle est " le seul signe de contradiction qui ne doive jamais disparaître ", qu'elle est " l'unique affaire[2] ", il reprend, pour la situer et la définir encore une fois, le texte même de cette première version, au point précis où il l'avait abandonné[3].

Ainsi, la comparaison des deux rédactions successives de la Conclusion confirme notre interprétation du rapport entre le dernier chapitre et la quatrième partie de l'ouvrage : la " métaphysique à la seconde puissance " explicite *pour soi* une ontologie qu'implique *en soi* la question décisive de la destinée humaine, celle de l'inévitable option devant l'unique nécessaire.

La portée ontologique de *L'Action* commence donc notablement avant le chapitre qui a pour objet propre de restaurer l'ontologie. Nous pouvons même préciser maintenant qu'elle commence, à certains égards, bien avant la quatrième partie.

Au cours de la deuxième, la critique du pessimisme a montré que la solution du problème de l'action ne saurait être négative, que la volonté du néant implique une contradiction. On a été conduit par là à cet aveu :

---

1. *L'Action* (édition commerciale), p. 486-487.
2. *L'Action*, p. 487.
3. Voir ci-dessus : " Pour ne point la voir où elle n'est pas, il faut la voir seulement où elle est... " Cf. *L'Action* (édition commerciale), p. 487. Les modifications apportées au premier texte sont minimes.

" Dans mes actes, dans le monde, en moi, hors de moi, je ne sais où ni quoi, *il y a quelque chose*[1]. " Ces mots, qui n'ont aucune précision philosophique, " traduisent le mouvement naïf de la vie qui s'éprend d'elle-même et de tout ce qui la soutient sans savoir ce qu'elle est[2] ". Ils ne veulent ni ne peuvent énoncer déjà l'affirmation ontologique[3]. En déployant à partir d'eux le contenu de l'action, Blondel ne dévoilera d'abord que les phénomènes hétérogènes et solidaires qui composent l'ordre naturel. C'est seulement lorsque l'insuffisance de cet ordre fera surgir l'idée de l'unique nécessaire et la nécessité de l'option suprême que nous serons amenés à l'affirmation de l'être; et cette première affirmation, encore enveloppée, ne sera explicitée que dans l'ontologie finale. Mais il importe de remarquer que cette affirmation progressivement dégagée ne fait que déployer, selon un processus dialectique, ce qui était déjà virtuellement posé dans le très vague aveu où aboutissait la critique du pessimisme : " Il y a quelque chose. "

Ainsi donc, dès la première constatation positive et jusqu'à la fin, *L'Action* apparaît comme la justification progressive et le déploiement dialectique de l'affirmation ontologique. Comme la *Logique* de Hegel, elle ne fait qu'étaler l'idée de l'être, à partir de sa figure la plus indéterminée jusqu'à la figure de l'absolu.

Mais ce déploiement veut rester, d'un bout à l'autre, phénoménologique. Même quand surgit l'idée de l'unique nécessaire et de l'option suprême, même quand apparaît, sous sa forme la plus explicite, l'idée d'être réel ou de vérité absolue, c'est au titre de conditions nécessaires de l'action humaine[4]. Cela ne signifie nullement, on l'a vu, que le discours philosophique serait incapable de renvoyer à l'être ou à l'absolu. Cela signifie seulement que, même quand il y renvoie, il reste discours humain et ne devient pas savoir absolu. Si Dieu se dit lui-même à l'homme, ce n'est pas dans le discours du philosophe : ce ne peut être que par sa Révélation, reçue dans la foi.

---

1. *L'Action*, p. 41.

2. *L'Action*, p. 41.

3. " Il ne s'agit de considérer ce *quelque chose* ni comme extérieur, ni comme intérieur ou réductible à la représentation que nous en avons. Il s'agit d'analyser le contenu de l'action voulue... " (*L'Action*, p. 43, note 1).

4. Dans *L'Être et les êtres*, au lieu de justifier l'affirmation ontologique en y montrant l'ultime condition de l'action, Blondel envisagera directement l'affirmation spontanée de l'être, pour en dégager les implications. Ontologie réflexive et prospective, mais non plus phénoménologique. — Venant après elle, la deuxième édition de *L'Action* (II, 1937) n'aura plus à la déployer.

VI. REMARQUES SUR DEUX INTERPRÉTATIONS

Nous achevons ainsi le commentaire du dernier chapitre de *L'Action* et l'analyse du rapport entre phénoménologie et ontologie. Chemin faisant, nous avons insisté sur deux observations. D'une part, le problème de la connaissance et de l'être, tel que Blondel le pose ici, n'est pas le problème critique, tel du moins que l'ont souvent compris les néo-scolastiques; ce n'est pas non plus le problème d'une certitude légitime; c'est le problème ontologique du rapport entre le discours humain et l'absolu. D'autre part, l'option suprême qui, d'après le philosophe, médiatise ce rapport, n'est pas, au moins directement, la foi explicite au christianisme; c'est l'option imposée à tout homme par l'idée de l'unique nécessaire. Si les adversaires de Blondel, à l'époque des grandes controverses, avaient aperçu ces deux points, ils auraient dû choisir un autre grief que celui de fidéisme. Chose curieuse, les interprètes qui ont écarté ce reproche ne les ont eux-mêmes pas toujours discernés de façon assez nette. Aussi certaines explications laissent-elles quelque peu à désirer.

L'Introduction que le Père Yves de Montcheuil a publiée en tête des *Pages religieuses* de Maurice Blondel est un texte remarquable, un de ceux qui ont le plus contribué à dégager, par delà les contresens, la vraie signification de cette pensée. Il a aidé beaucoup de lecteurs à comprendre comment Blondel, établissant la nécessité du surnaturel, maintenait et justifiait sa gratuité, — et comment il pouvait, sans fidéisme, accorder un rôle à la foi dans le rapport de la connaissance à l'être. Cependant, ni sur l'un ni sur l'autre problème, ce texte rapide et un peu jeté ne pouvait lever toutes les difficultés et donner entière satisfaction.

La pensée de Blondel y est ainsi résumée : " En poursuivant jusqu'au bout le déploiement du déterminisme de l'action, on aboutit à cette conclusion que, sous peine de ne rien pouvoir affirmer, on doit affirmer le surnaturel[1]. " Cette proposition revient maintes fois sous des formes légèrement différentes : " l'affirmation d'aucune valeur et d'aucune réalité ne saurait tenir sans l'affirmation du surnaturel[2] "; " si le surnaturel n'est pas, rien ne peut être[3] "; " si cette fin [surnaturelle] n'est pas

---

1. *Pages religieuses*, p. 30.
2. *Loc. cit.*, p. 30.
3. *Loc. cit.*, p. 53.

donnée et acceptée, on retombe dans l'absurdité complète[1] "; " il est impossible sans l'acceptation du surnaturel, qui n'a lieu que par la foi, d'accorder une valeur absolue à quoi que ce soit[2] ".

Pareilles déclarations ont étonné plus d'un lecteur. Ne sont-elles pas inconciliables avec la doctrine catholique, qui affirme la consistance propre de la connaissance et des valeurs humaines ainsi que la gratuité absolue du surnaturel ? Et ne trahissent-elles pas la pensée de Blondel, telle du moins qu'il l'a précisée dans ses derniers écrits ?

Isolées de leur contexte, il faut le reconnaître, elles " sonnent mal ". Saisies dans le mouvement qui les a engendrées, et compte tenu des explications qui les entourent, elles offrent, croyons-nous, un sens acceptable et ne trahissent pas le contenu de *L'Action*. Mais, pour percevoir cette légitimité et cette fidélité, il faut suppléer certaines précisions.

Qu'entend le P. de Montcheuil par *affirmer* ? La plupart du temps, il emploie comme synonymes : " conférer une valeur d'être[3] ", " accorder une valeur absolue[4] ", " poser dans l'absolu[5] ". Il a donc bien saisi en quel sens Blondel conçoit le problème ontologique. Il explique d'ailleurs en termes justes comment la connaissance abstraite suppose une possession préalable de l'être, comment la connaissance concrète nous le fait posséder de façon plus plénière, tandis que l'option négative nous le fait perdre[6]. Assurément, ces indications rapides ne peuvent rendre toute la complexité du dernier chapitre de *L'Action* : on ne saurait en faire grief à l'auteur. On regrettera davantage qu'il semble parfois donner un autre sens au verbe *affirmer*. Par exemple, au cours d'une explication importante, il emploie plusieurs fois comme synonyme : " avoir des certitudes légitimes[7] ". Cette équivalence est dangereuse : elle risque de laisser entendre qu'il s'agit d'un problème épistémologique, alors qu'il s'agit toujours du même problème, posé par Blondel comme ontologique. Il semble que des lecteurs s'y soient trompés.

Cette ambiguïté signalée, venons-en à la difficulté principale. " Si nous n'affirmons pas le surnaturel, nous dit-on, nous ne pouvons rien affirmer[8] "; en d'autres termes, si nous ne croyons pas, nous ne pouvons accorder une valeur absolue à quoi que ce soit. N'est-ce pas là un fidéisme complet ? Le P. de Montcheuil s'est posé lui-même la question[9]. Il y a

1. *Loc. cit.*, p. 42.
2. *Loc. cit.*, p. 45-46.
3. *Loc. cit.*, p. 28.
4. *Loc. cit.*, p. 46.
5. *Loc. cit.*, p. 46.
6. *Loc. cit.*, p. 47, 56.
7. *Loc. cit.*, p. 54-55.
8. *Loc. cit.*, p. 54.
9. *Loc. cit.*, p. 46.

donné une réponse[1] qui, bien comprise et délestée de quelques expressions moins heureuses[2], correspond, pour l'essentiel, à la pensée blondélienne et contient ce qu'on doit dire pour écarter une signification fidéiste. Il n'est pas nécessaire que nous la résumions; mais il nous faut relever un point que l'auteur déclare " très important ", et qui l'est en effet.

" Blondel, écrit-il, ne dit pas [...] que seuls ceux qui ont affirmé le surnaturel explicitement, qui ont accepté les dogmes chrétiens, ont des certitudes légitimes. C'est une idée qui revient souvent chez lui que l'option entre le rejet et l'acceptation du surnaturel s'impose à tous, quoique sous des formes très différentes, et que c'est toujours le surnaturel chrétien, c'est-à-dire la participation à la vie divine qu'on accepte ou qu'on refuse, même lorsqu'on n'a pas su s'exprimer les termes du choix. On peut implicitement affirmer le surnaturel, le posséder sans savoir se le représenter[3]. "

Le P. de Montcheuil, on le voit, a bien relevé que, d'après Blondel, l'option médiatrice entre la connaissance et la possession de l'être n'est pas nécessairement la foi explicite au christianisme, mais qu'elle est en première ligne l'option qui s'impose à tout homme entre l'ouverture ou la fermeture à l'action divine, même si celle-ci lui reste indéterminée. A elle seule, cette remarque écarte le grief de fidéisme. Mais, pour qu'elle pût produire son effet dans l'esprit de tout lecteur, il eût fallu lui donner plus de relief et l'introduire plus tôt.

L'auteur ne lui a pas donné assez de relief, parce que, sans confondre les étapes de la genèse de l'idée de surnaturel dans *L'Action*, il ne les a pas expressément distinguées et analysées. Il n'a pas montré que, pour Blondel, l'idée de surnaturel, en tant qu'elle nous est immanente, reste indéterminée, que sa détermination positive vient du christianisme historique, que par suite la méthode d'immanence établit directement la nécessité de l'option religieuse, et de façon médiate seulement la nécessité de la foi chrétienne. En l'absence de ces précisions, le théologien à qui son confrère répète que, sans l'affirmation du surnaturel, on ne saurait rien affirmer, incline naturellement à l'entendre en un sens fidéiste. Et quand on lui dit, tout à fait à la fin de l'exposé, pourquoi il faut

---

1. *Loc. cit.*, p. 54-56.

2. C'est dans ce passage qu'*affirmer* reçoit pour synonyme " avoir des certitudes légitimes ", expression qui est bientôt retraduite en celle-ci : " pouvoir attribuer une valeur d'être " (p. 55). On lit aussi que tous les jugements portés sur le monde par ceux qui ont rejeté le surnaturel sont " foncièrement faux " (p. 56). Le contexte indique que ce terme doit être entendu au sens ontologique et non au sens épistémologique; mais le lecteur qu'aura égaré l'expression " certitude légitime " se trompera encore ici.

3. *Loc. cit.*, p. 54-55.

l'entendre autrement, cette indication rapide, et qui n'est pas assez enra-
cinée, risque de ne pas suffire à inverser sa première compréhension.

Le P. de Montcheuil semble avoir reconnu lui-même que certaines
formules pouvaient être mal comprises. Presque toutes celles qui ont
paru suspectes de fidéisme (et que nous avons citées) avaient disparu
de la deuxième rédaction du texte, qui seule aurait vu le jour sans les
malheurs de la guerre[1]. On se trouve d'autant plus à l'aise pour les juger
défectueuses.

Toutefois, cette critique elle-même doit s'imposer de justes limites,
qui n'ont pas toujours été respectées. Laissons de côté les remarques
injustes de quelques publicistes incompétents. Nous sommes plus ému
par d'autres sévérités, celle par exemple qu'Henry Duméry a manifestée
par deux fois, tout en rendant hommage à la mémoire du P. de Montcheuil.

Nous ne reprocherons pas à l'auteur de *La Philosophie de l'Action*
et de *Blondel et la Religion* son refus de souscrire à certaines formules[2] :
ce sont celles mêmes qui nous ont semblé ambiguës et qui avaient disparu de la seconde version. Encore convient-il de ne pas leur prêter un
sens qu'elles n'ont jamais eu sous la plume du P. de Montcheuil. Celui-ci
n'a jamais voulu dire que le rejet du surnaturel interdit à l'homme " de
porter désormais le moindre jugement valide[3] ". Il a expressément
déclaré, au contraire, que, dans l'ordre de la connaissance abstraite (laquelle subsiste même après l'option négative), il y a des " connaissances
vraies et des connaissances fausses[4] ". Il est également difficile d'admettre
qu'il aurait présenté " l'acte de foi comme critère de l'ontologie même
naturelle[5] ". Ce qu'il écrit va en sens inverse : " Si l'on veut dire qu'il
ne nous est pas loisible de penser ce qui nous plaît, qu'il y a des lois qui

---

1. Il existait, en effet, deux rédactions de cette étude : l'une, esquisse déjà ancienne ;
l'autre, assez différente et beaucoup plus nuancée, destinée à la publication. De celle-ci,
les amis du P. de Montcheuil possédaient une copie depuis quelque temps déjà, quand
parut le volume des *Pages religieuses* (Paris, 1942). Ils furent surpris de n'y pas retrouver le même texte. Le P. de Montcheuil, privé pa rles circonstances (blocus et ligne
de démarcation) d'une partie de ses manuscrits, qui se trouvaient à Jersey et à Lyon,
très absorbé par la résistance au nazisme, et de plus très détaché de l'expression litté-
raire de sa pensée, aura par mégarde envoyé à l'imprimeur sa première rédaction.
2. Voir *La Philosophie de l'Action*, p. 152 ; *Blondel et la Religion*, p. 102, note 2 (première, deuxième et quatrième citations).
3. *La Philosophie de l'Action*, p. 152.
4. *Pages religieuses*, p. 57.
5. *Blondel et la Religion*, p. 102.

s'imposent à l'expression abstraite de la vérité, [...] que les négliger sera dommageable non seulement à nos intérêts pratiques, mais à nos intérêts spirituels, on a tout à fait raison d'affirmer que la connaissance conceptuelle a une valeur et une portée ontologiques[1]. " Voilà qui correspond, semble-t-il, à l'exigence dûment rappelée par Duméry : " L'ontologie vaut philosophiquement dans la mesure où l'ordre logique et normatif aura été déterminé selon une pleine rigueur[2]. " Mais le P. de Montcheuil ajoute que la connaissance conceptuelle n'a pas " par elle-même la vertu de nous approcher de la possession de l'être ", et en ce sens n'a pas de portée ontologique[3]. En quoi il reproduit simplement la pensée blondélienne. Enfin, quand on remarque à juste titre que certaines déclarations favorisent une équivoque, il serait équitable de relever aussi ce qui tend à la dissiper : la distinction entre foi explicite et foi implicite.

Pour expliquer la source des équivoques signalées, on nous dit que le P. de Montcheuil " confond à plusieurs reprises le plan formel de la réflexion et le plan réel de l'action ", qu' " il lui a manqué de concevoir nettement le genre de rapports que l'ordre intelligible entretient avec l'ordre des réalisations[4] ". Ces propos nous surprennent, car le P. de Montcheuil est peut-être le premier théologien qui ait bien mis en relief le caractère phénoménologique de L'Action. " Par l'analyse des postulats de l'action, écrit-il, on déroule une série de conditions liées de telle manière que nous ne puissions affirmer les unes sans les autres, mais on n'affirme la réalité ni de l'ensemble, ni d'aucune d'entre elles[5]. " Cette distinction entre " liaison " et " affirmation ", qu'il explique[6], et qu'il rappelle souvent[7], c'est, en d'autres termes, celle-là même qu'on lui reproche de n'avoir pas nettement conçue. Or, c'est par elle précisément qu'il définit le rapport entre connaissance abstraite et connaissance concrète, et qu'il distingue une portée ontologique propre à chacune d'elles.

C'est par elle aussi qu'il définit et restreint la portée de la philosophie relativement au surnaturel. Blondel, dit-il, montre " que le surnaturel est nécessaire pour nous ", mais non " qu'il est effectivement[8] ". Le P. de Montcheuil aurait-il du moins négligé cette distinction lorsqu'il écrit que la thèse de Blondel " met dans l'esprit réel un besoin effectif

---

1. *Pages religieuses*, p. 50-51.
2. *Blondel et la Religion*, p. 101.
3. *Pages religieuses*, p. 51.
4. *Blondel et la Religion*, p. 102, note 2.
5. *Pages religieuses*, p. 44.
6. *Loc. cit.*, p. 28.
7. *Loc. cit.*, p. 51-52, etc.
8. *Loc. cit.*, p. 24.

de divinisation[1] " ? Duméry l'affirme[2]. Mais nous avons vu qu'il adresse le même reproche à maintes déclarations analogues de Blondel lui-même[3]. N'est-ce pas indiquer que le commentaire qu'il blâme reflète assez exactement l'original ? — Il le reflète en effet, sans reproduire pour autant une confusion; car Blondel, nous l'avons montré, ne brouille pas les étapes. Et si le P. de Montcheuil, dans le propos cité, emploie un langage légèrement différent du sien, c'est parce qu'il veut situer la thèse blondélienne par rapport à deux opinions théologiques que l'auteur ne pouvait connaître quand il rédigeait *L'Action*. " L'esprit réel " n'est pas ici l'esprit qui affirme, par opposition à l'esprit qui déroule une série de conditions liées; c'est notre esprit, avec l'orientation qu'il tient de Dieu, par opposition à une " nature pure " possible. Nous avons dit les inconvénients que peut offrir le rapprochement entre la problématique de *L'Action* et cette problématique théologique; mais nous avons dû reconnaître aussi que les circonstances l'ont rendu inévitable. Bien avant le P. de Montcheuil, d'autres l'avaient fait, et Blondel lui-même.

En somme, malgré ses défauts, l'interprétation publiée par le P. de Montcheuil est beaucoup plus exacte que ne le dit Duméry. Blondel lui-même, après avoir éprouvé quelque mécontentement quand on la lui lut pour la première fois, a loué sa pénétration, lors d'une seconde lecture[4].

Si H. Duméry a peine à saisir en quoi elle reste fidèle, ne serait-ce pas que sa propre exégèse s'écarte quelque peu de la pensée blondélienne ? A la fin de son essai sur *La Philosophie de l'Action*, il écrivait : " Certaines déclarations de la *Lettre*, qui tendent à refuser à la philosophie toute portée ontologique, semblent ne pas consonner tout à fait à l'esprit et à la méthode blondélienne, tels que nous les avons personnellement

1. *Loc. cit.*, p. 42.
2. *Blondel et la Religion*, p. 102, note 2.
3. *Blondel et la Religion*, p. 77-79, et note 3 de la p. 79.
4. Voici ce que Blondel écrivait au P. Auguste Valensin, le 3 novembre 1948 : " Votre livre d'extraits de *L'Action* a porté ses fruits dont je ne vous ai pas assez remercié. Puis vous avez confié le second tome au P. de Montcheuil, dont je me fais lire l'Introduction : je ne me souvenais pas qu'elle était si pénétrante et en somme si favorable ! Et dans le volume posthume des *Mélanges théologiques*, il donne une étude très remarquable et qui dépasse de beaucoup le compte rendu occasionnel d'une publication. Et si vous avez lu ces pages, vous avez pu constater la profondeur de son adhésion à mon égard. Ce témoignage est d'autant plus important et opportun que bien des incompréhensions subsistaient encore. " (Aucune réserve n'est formulée sur l'une ou l'autre des deux études.)

découverts ou analysés dans *L'Action*[1]. " C'était formuler contre la *Lettre* un des griefs énoncés, dans la même étude, au sujet du P. de Montcheuil. Plus tard, Duméry a rétracté ce propos[2]. Il a eu, dit-il, " l'évidence d'une identité complète d'inspiration " entre la *Lettre* et *L'Action*[3]; il a découvert dans la *Lettre* elle-même la solidarité du plan réflexif et du plan ontologique[4]. Mais l'entend-il dans le même sens que Blondel ?

Considérons, dans l'essai sur la *Lettre*, le chapitre concernant le rôle ontologique de l'option[5], celui précisément qui reprend les griefs contre l'interprétation du P. de Montcheuil. D'après Blondel, dit Duméry, valeurs surnaturelles et valeurs naturelles se trouvent conjointes dans l'action du chrétien, sans y être confondues; les premières n'éclipsent pas les secondes; la nature garde sa relative autonomie[6]. La remarque est juste; mais il faut ôter le contexte qui la restreint. Ce n'est pas seulement au niveau des réalisations que chaque valeur conserve sa spécificité[7]: c'est aussi au niveau même de la réflexion. Blondel, on l'a vu, ne cesse de répéter, dans le dernier chapitre de *L'Action*, que toutes les conditions enchaînées par son analyse régressive sont des phénomènes à la fois *hétérogènes* et solidaires. Écrire que, dans la série idéale des conditions, " tout est homogène ", tandis que, dans le système des obligations (au plan réel de l'action), " tout est hétérogène "[8], c'est modifier sa pensée. De part et d'autre, l'esprit procède par bonds; et si sa marche, idéale ou réelle, est toujours commandée par une nécessité pratique, celle-ci, chaque fois nouvelle, l'invite chaque fois à franchir l'étape où il serait tenté de s'arrêter. (Comment d'ailleurs l'action pourrait-elle diversifier une série que la réflexion verrait homogène ?) Il y a, chez Blondel, circumincession de l'analyse régressive et de la démarche progressive. La distinction, telle que Duméry la conçoit, " entre le plan formel de la réflexion et le plan réel de l'action " ou " entre le plan réflexif et le plan ontologique ", fige cette relation. Et il n'y a pas lieu de la faire intervenir pour différencier les valeurs surnaturelles des valeurs naturelles, puisque leur hétérogénéité apparaît à l'analyse régressive elle-même.

Par rapport aux autres données, en effet, la certitude de l'unique nécessaire, l'idée de l'option meurtrière ou vivifiante, la notion positive du surnaturel, sont des phénomènes *hétérogènes*, en même temps que soli-

---

1. *La Philosophie de l'Action*, p. 183.
2. *Blondel et la Religion*, p. 28, note.
3. *Blondel et la méthode réflexive*, dans *Les Études philosophiques*, 1952, p. 390.
4. *Ibid.*, 390-393; *Blondel et la Religion*, p. 28, note.
5. Chapitre intitulé: " L'option et ses conséquences " (*Blondel et la Religion*, p. 95-105).
6. *Blondel et la Religion*, p. 102-103, note.
7. *Ibid.*
8. *Blondel et la Religion*, p. 95; cf. 102, note 2; 104.

daires[1]. " Chaque ordre de phénomènes est également original comme une synthèse distincte, transcendant par rapport à ceux qui en sont les conditions antécédentes, irréductible à ceux auxquels il semble subordonné comme à ses conséquents[2]. " Voilà qui est net.

Sans l'analyser en détail, le P. de Montcheuil l'avait bien remarqué. Il note que l'idée de Dieu, nécessairement apparue au cours de la dialectique de l'action, provoque " comme un *changement de sens* dans le dynamisme de la volonté[3] ". " Après avoir montré que l'individu doit aspirer à devenir homme, il faut montrer à l'homme qu'il doit aspirer à devenir Dieu[4] " (par grâce). Il n'y a donc pas lieu de se demander comment faire, dans la perspective du P. de Montcheuil, " pour ne pas déduire de la continuité formelle entre nature et surnature une continuité réelle[5] ". Pareille déduction est par lui aisément évitée, du fait qu'entre l'action humaine et l'action divine, il ne pose pas une continuité formelle, mais une solidarité en même temps qu'une hétérogénéité[6].

Cependant, nous n'avons pas encore touché au point crucial. Une page de la *Lettre* sur l'Apologétique, dont Duméry cite quelques lignes, va nous y conduire.

La philosophie, écrit Blondel, " nous prépare à comprendre de mieux en mieux que nous ne pouvons ni nous passer de la nature, ni nous y tenir; que l'ordre humain a sa part en tout et n'a sa suffisance en rien; que notre être naturel, quoique incapable de s'achever et malgré les revendications meurtrières pour lui du surnaturel méconnu, est indestructible; et que, dans son insuffisance radicale, l'action de l'homme demeure coextensive à celle de Dieu[7]. "

On a raison de relever la portée de cette déclaration : le surnaturel ne supprime pas la nature, il ne l'absorbe pas; elle garde son rôle propre, indispensable[8]. Mais il est dit aussi qu'elle ne suffit pas, qu'il est impossible de se borner à elle; et la suite le précise.

" La philosophie, lisons-nous quelques lignes plus bas, nous fait

1. *L'Action*, p. 452-453.
2. *L'Action*, p. 453.
3. *Pages religieuses*, p. 36. C'est nous qui soulignons.
4. *Pages religieuses*, p. 36.
5. *Blondel et la Religion*, p. 102, note 2.
6. Le P. de Montcheuil était personnellement peu enclin à confondre valeurs naturelles et surnaturelles, ou à croire les premières impossibles quand les secondes ne sont pas reconnues. Dans un article sur *Dieu et la vie morale*, publié quelques mois avant l'Introduction aux *Pages religieuses* de Blondel, il s'est même appliqué à établir qu' " il peut y avoir une morale véritable indépendamment de la reconnaissance de Dieu ". (*Mélanges théologiques*, p. 145 sqq.)
7. *Lettre*, p. 87 (77-78).
8. *Blondel et la Religion*, p. 97.

comprendre comment le refus ou l'abstention systématique de ce qu'elle reconnaît impliqué par notre action même est non pas seulement pure privation d'un état supérieur et surérogatoire, mais déchéance positive, et comment l'ordre humain, assez subsistant et assez solide pour servir de fondement à toutes les constructions divines, reste indélébile sous l'accablement des responsabilités éternelles. Par là se trouve, semble-t-il, éclairée d'une lumière nouvelle cette question, douloureuse et scandaleuse aux esprits contemporains, du dam[1]. "

Blondel répète ici l'enseignement du christianisme : le refus du surnaturel, sans détruire l'ordre humain, constitue pour l'homme une déchéance positive et le conduit à sa perte. Duméry, qui le constate[2], essaie de préciser à quel titre le philosophe peut reprendre cet enseignement. " La philosophie, dit-il, n'ayant pas le pouvoir de discerner que la fin ultime de l'homme est effectivement surnaturelle, ne quitte jamais l'hypothèse pour la thèse[3]. " Tandis que le croyant admet que la fin surnaturelle est réelle, le philosophe, comme tel, ne peut la tenir que pour " une hypothèse nécessaire, qui suppose tels antécédents et implique tels conséquents. Il l'examine de ce double point de vue, sans l'actualiser[4]. " " Il énoncera donc les conséquences de l'acte libre — pour ou contre la foi — comme dépendantes de la décision de fait, c'est-à-dire comme hypothétiques. Il parlera à peu près comme suit : *si* le surnaturel existe et *si* le sujet le reconnaît, il s'ensuivra nécessairement pour lui tel et tel effet ; [...] *si* le surnaturel existe et *si* le sujet, bien que conscient de l'obligation qu'il a de le ratifier, s'en détourne, il s'ensuivra telle ou telle représaille pour lui. Chaque cas s'ouvre par un *si*, c'est-à-dire se subordonne à une question d'existence et à une option sur le fait[5]. "

Manifestement, le surnaturel est ici entendu au sens que définit le dogme chrétien (c'est pourquoi la philosophie ne peut l'envisager que comme hypothèse) ; et le mot option désigne l'acte par lequel on reconnaît ou on rejette la réalité de ce surnaturel. Or, dans le passage auquel Duméry nous a renvoyés (et qui se borne à résumer certains développements décisifs de la *Lettre* et de *L'Action*), l'option dont le philosophe rappelle la nécessité et les conséquences n'est pas celle de la foi explicite ou de l'incroyance déclarée en face du christianisme ; c'est celle de l'ouverture ou de la fermeture à une action divine encore indéterminée. C'est l'option religieuse et non l'option chrétienne. Elle ne porte pas sur la question de savoir si le surnaturel défini par le dogme chrétien existe ou

---

1. *Lettre*, p. 87.
2. *Blondel et la Religion*, p. 98.
3. *Loc. cit.*, p. 98-99.
4. *Loc. cit.*, p. 100.
5. *Loc. cit.*, p. 99.

non, si la révélation est un fait ou un mythe; elle porte sur l'alternative offerte à tout homme entre les sollicitations du Dieu caché et celles de l'égoïsme. Le philosophe n'envisage pas ici l'hypothèse du surnaturel chrétien, mais la thèse de l'unique nécessaire. Il ne dit pas : *si* le surnaturel existe et *si* le sujet, sachant qu'il doit le ratifier, s'en détourne néanmoins, il s'ensuivra telle représaille. Il dit bien plutôt : *puisqu'*il y a un unique nécessaire et *puisque* tout homme en a au moins obscurément connaissance, le refus de s'ouvrir à cet unique nécessaire constitue pour tout homme une déchéance positive, une perte absolue.

Cette remarque du philosophe a pour but (on s'en souvient et il le rappelle ici) de lever le scandale qu'est pour l'incroyant le dogme de la damnation éternelle encourue par le refus d'un don divin gratuit.

Dans le chapitre de *L'Action* qui a pour objet propre de développer ce thème, on saisit assez facilement quelle portée ontologique l'auteur attribue à l'option négative. Celle-ci n'a pas pour effet de détruire ou d'invalider l'ordre naturel. Elle consiste précisément à " profiter de ce que tout l'ordre naturel, même privé de son achèvement, ne peut s'anéantir "; et c'est justement cela qui constitue " la faute meurtrière[1] ". Le champ propre de l'activité humaine est à la fois consistant et insuffisant : on se perd, quand on veut se borner à cette consistance. " C'est pour avoir prétendu se contenter de la durée et se borner à la nature que l'homme meurt[2]. " Car alors " Dieu n'est plus pour lui ". " Son être reste sans l'Être[3]." " Jusqu'aux racines de sa substance, il périra sans fin, parce que tout ce qu'il avait aimé sera en quelque façon dévoré et anéanti par la grandeur de son désir[4]. "

Lisons maintenant la suite du commentaire de Duméry. " Certains interprètes, dit-il, croient que l'option négative doit être condamnée par le philosophe lui-même comme étant en rébellion contre l'être réel. C'est là une vue abusive et dangereuse. Car elle contredit le principe de la méthode d'immanence, qui veut que la philosophie soit seulement critique, c'est-à-dire incompétente sur les questions de fait. L'option négative est censurée par le philosophe en ce qu'elle arrache de la série des conditions nécessaires et idéales le dernier anneau; c'est une faute contre la rigueur, une incohérence. Mais pour dire que c'est une faute contre l'être réel et contre le surnaturel existant, il n'y a que la conscience libre à pouvoir le faire, et comme porte-parole de ses obligations pratiques, le théologien[5]. "

1. *L'Action*, p. 370.
2. *L'Action*, p. 370.
3. *L'Action*, p. 371.
4. *L'Action*, p. 372.
5. *Blondel et la Religion*, p. 101-102.

Après les explications que nous avons données, on voit aisément comment il convient de transposer ce commentaire, pour qu'il exprime la pensée de Blondel. L'option négative apparaît au philosophe comme une incohérence, précisément parce qu'il y reconnaît une faute contre l'être réel[1]. Seulement, l'option dont le philosophe montre la nécessité et les conséquences n'est pas directement l'option devant le christianisme; c'est en première ligne l'option devant l'unique nécessaire. Par suite, le philosophe peut dire que l'option négative est une faute contre l'être réel, sans déclarer qu'elle est une faute contre le surnaturel existant, tel que le christianisme le révèle au croyant.

Sous le nom de " plan ontologique " ou " plan réel de l'action ", Duméry mêle constamment deux questions très distinctes : la question de *l'être* et la question de *fait*. Il est vrai qu'en certains textes de Blondel, les deux coïncident. A la dernière page de *L'Action*, notamment, " *Est-ce ou n'est-ce pas ?* " offre les deux sens; et la réponse finale : " C'est " affirme à la fois l'existence effective du surnaturel chrétien et l'être absolu de toutes choses. Mais cette coïncidence n'a lieu que dans la foi chrétienne, et parce que le christianisme est insertion de l'Absolu dans la contingence de l'histoire. En dehors de la foi, et quand il ne s'agit plus du christianisme, question de l'être et question de fait sont distinctes, même chez Blondel; et à la première seule revient le qualificatif d'ontologique.

S'il est vrai que la philosophie est " incompétente sur les questions de fait ", il est non moins vrai qu'elle a, d'après Blondel lui-même, compétence sur la question ontologique : elle montre que l'être est nécessairement affirmé, et indique à quelles conditions on le possède, à quelles conditions on en est privé. C'est par là qu'elle prépare la " conscience libre ", le " sujet concret ", à reconnaître la vérité du christianisme.

En résumé, la distinction entre " plan réflexif " et " plan ontologique ", telle qu'on l'a mise en œuvre pour expliquer la pensée de Blondel et écarter l'exégèse du P. de Montcheuil, nous paraît receler deux incertitudes ou deux ambiguïtés. Elle ne laisse voir nettement ni que le problème ontologique est celui du rapport entre le discours humain et l'absolu, ni que l'option suprême porte d'abord sur un surnaturel indéterminé. Sur ces deux points, le P. de Montcheuil nous semble avoir été plus clairvoyant, sans l'être encore assez. Mieux on les saisit, plus apparaissent la vigueur, la subtilité de la philosophie blondélienne, et son accord avec les exigences du dogme chrétien.

---

1. Ou plutôt une faute par laquelle on se prive de l'être réel.

IV

PHILOSOPHIE CHRÉTIENNE

Il a été dit souvent que l'œuvre de Blondel était celle d'un apologiste plus que d'un philosophe, ou encore qu'elle relevait à certains égards de la théologie plus que de la philosophie. Blondel a toujours protesté contre de tels jugements : il refusait l'étiquette d'apologiste qu'on lui accolait ainsi ; il déclarait ne pas vouloir empiéter sur le domaine de la théologie ; il répétait que son dessein et sa méthode étaient philosophiques, et que, même posant le problème religieux, il n'entendait parler qu'en philosophe. Mais ses explications, maintes fois réitérées, n'ont jamais empêché les mêmes jugements de renaître.

Peut-être certains de nos lecteurs sont-ils encore tentés de les partager, malgré le soin que nous avons eu constamment de prendre au sérieux l'intention philosophique de l'auteur. Une pensée qui conclut à la nécessité d'accueillir le surnaturel chrétien, et qui accorde à l'option religieuse un rôle nécessaire au sein de l'affirmation ontologique, peut-elle être considérée comme une philosophie au sens strict du mot ?

Le moment est venu de poser cette question. Ayant acquis une idée suffisante du déploiement et des thèmes de la pensée blondélienne, nous sommes à même de discerner plus nettement sa forme. Comment est-elle une philosophie ? Quelle est sa méthode ? Quels sont ses caractères distinctifs ?

I. HISTOIRE D'UNE INTENTION COMPLEXE

Blondel lui-même s'est parfaitement rendu compte qu'il n'était pas aisé de constituer une " philosophie chrétienne " qui ne fût pas une philosophie bâtarde; et ce n'est pas sans quelques tâtonnements qu'il est parvenu à définir son propre dessein. La vue d'ensemble que nous avons donnée de son œuvre l'aura déjà laissé apercevoir; mais il convient de le relever avec plus de précision.

Les Archives Blondel d'Aix-en-Provence nous offrent à cet égard des documents précieux. Elles nous permettent en particulier de suivre l'élaboration de la première *Action*, et de saisir ainsi comment l'auteur a progressivement précisé la structure philosophique de son œuvre.

Le 3 novembre 1882, au début de sa deuxième année d'École Normale, Blondel commentait brièvement, dans son carnet de notes quotidiennes, quelques citations de la *Métaphysique* d'Aristote concernant l'action, son rapport à la théorie, et le problème de l'individuation. Il terminait par ces mots : " Pour une thèse sur l'Action[1] ".

Averti de son projet, tel camarade, puis le secrétariat de la Sorbonne lui firent remarquer d'abord qu'on ne voyait pas comment l'action pourrait donner matière à thèse philosophique[2]. Le bibliothécaire de l'École, Lucien Herr, prit la chose plus au sérieux : " Mon petit Blondel, tu devrais ne point faire figurer un seul nom propre dans cette thèse-là qui mérite d'être taillée en plein drap; c'est du neuf[3]. "

En septembre 1886, alors qu'il venait d'être reçu à l'agrégation, Blondel écrivait à Émile Boutroux, son ancien professeur :

" Je voudrais étudier *l'action*, et rechercher comment elle s'éclaire à la pensée, et comment elle l'éclaire aussi et en garantit la sincérité, ce qu'elle y prend et ce qu'elle y ajoute.

" Entre l'aristotélisme qui déprécie et subordonne la pratique à la pensée et le kantisme qui les détache et exalte l'ordre pratique au détriment de l'autre, il y a quelque chose à définir, et c'est d'une manière

---

1. Ce feuillet, détaché du carnet, est conservé aux Archives blondéliennes d'Aix-en-Provence. Le texte en a été publié par le P. Hayen dans *Les Études philosophiques,* 1952, nᵒ 4, p. 353-354.
2. Voir *L'Itinéraire philosophique de Maurice Blondel*, p. 64-65.
3. *L'Itinéraire philosophique*, p. 65.

très concrète, par l'analyse de l'action, que je voudrais déterminer cela[1]. "

Dans cet énoncé, comme dans celui que Blondel adressera, le 22 mars 1887, au doyen de la Faculté des Lettres, pour demander l'inscription de sa thèse, les préoccupations peuvent sembler d'ordre moral plutôt que métaphysique. Mais il est clair que l'intention est philosophique, au sens commun de ce mot.

Elle revêt toutefois un caractère particulier, que Blondel note à la même époque dans ses Cahiers intimes. " Je me propose d'étudier l'action, parce qu'il me semble que dans l'Évangile il est attribué à l'action seule de pouvoir manifester l'amour et d'acquérir Dieu. " (6 octobre 1886.) " On n'a guère fait qu'approprier au christianisme la philosophie païenne; de philosophie proprement chrétienne, issue de l'Évangile même, il n'en est pas. " (11 octobre 1886.) Il s'agit donc, on le voit, de dégager, par une étude de l'action, la philosophie immanente à l'Évangile.

Cette entreprise a elle-même une visée apologétique. Au cours d'une retraite[2], en 1887 ou 1888, Blondel fixe ainsi l'objectif qu'il assigne alors à l'ensemble de son œuvre future : " agir par la pensée ", " dépasser par la lumière chrétienne les clartés de nos modernes penseurs ", " rallier la science et l'esprit moderne à la philosophie chrétienne et à la métaphysique catholique ".

Pour élaborer dans cette perspective une œuvre vraiment philosophique, c'est-à-dire où tout esprit pût reconnaître une démarche autonome et rationnelle, il fallait en préciser le dessein complexe et mettre au point une méthode appropriée. Or, lorsque sourd en lui une idée neuve, le chercheur n'en a d'abord, le plus souvent, qu'une aperception peu distincte; et si cette idée a pour effet de relier des domaines séparés, sa première expression semble parfois tout confondre. Seule l'épigénèse révélera que l'idée portait en elle le pouvoir de se différencier et de s'organiser. L'historien aimera alors porter son regard sur l'expression première, pour en saisir la densité et la richesse virtuelle, et pour suivre à partir de là le processus de différenciation.

A notre connaissance, le premier texte où Blondel ait réussi à exprimer de façon nette et forte l'idée animatrice de sa thèse future, est un passage d'une lettre à Victor Delbos, écrite le 6 mai 1889, c'est-à-dire à l'époque où il avait déjà rédigé quelques pages du " premier brouillon " de *L'Action*. Son ami l'ayant consulté sur le projet d'une thèse qu'il pensait alors intituler : " Essai sur la Dialectique du Panthéisme ", Blon-

---

1. Lettre de Blondel à Boutroux, 16 septembre 1886.
2. A Saint-Joseph-du-Tholonet, près d'Aix-en-Provence.

del l'encourage vivement : " Ton sujet me paraît actuel, vital, essentiel. [...] Le panthéisme et le monisme nous envahissent. [...] Les anciens cadres de la logique traditionnelle et de l'entendement français ont éclaté. Il est bon de les élargir, mais en les restaurant. " Puis il remarque que ces questions sont, en somme, celles qui l'occupent lui-même, et il donne, à cette occasion, un aperçu de son propre dessein. Ce passage est tellement significatif qu'on nous permettra de le citer en entier, malgré sa longueur.

" Où aurais-je souhaité d'aboutir ? A ceci (et puissé-je en montrer quelque chose dans ma thèse, si elle existe un jour) : La logique péripatéticienne, scolastique, française, de la non-contradiction, oui, elle est vraie, cette dialectique simpliste, et plus vraie qu'elle ne le sait elle-même. La logique panthéistique, la contradiction, l'obscurité, le mystère, l'inconscient, l'inconnaissable, érigés en principe d'explication et en loi de la pensée, oui, c'est encore la vérité. Mais la logique de l'Évangile, la dialectique de saint Paul a admis l'une et l'autre, et en les admettant, elle les surpasse toutes deux. Elle prétend éclairer et luire. Elle exclut, réfute, condamne et damne, comme la première à laquelle elle donne ainsi raison. En même temps, comme elle est avant tout une dialectique des actions, et comme l'action s'opère tout ailleurs que dans la région des idées distinctes, elle est d'une largeur que la pensée ne peut mesurer : elle aveugle et obscurcit autant qu'elle avait éclairé, elle apporte des vérités contraires et des préceptes opposés : paix et guerre, violence et douceur. Est-ce que le panthéisme, après avoir exclu la personnalité et l'individualité, n'est pas conduit par sa méthode même à admettre ce qu'il a contredit ? De même, s'il est conscient, il doit être jeté bon gré mal gré au christianisme : comme il est urgent de le montrer.

" Le rythme trinitaire d'Hegel me plaît fort; mais quelle que soit la hauteur de la Thèse et de l'Antithèse, l'idée chrétienne, de mieux en mieux comprise et plus développée, fournit toujours une synthèse supérieure. On essaie sans cesse d'inventer un idéal meilleur et plus beau, une vérité plus large. A mesure que l'humanité grandit, le Christ se lève. Et la tâche perpétuelle de la philosophie et de l'apologétique (pour moi, n'est-ce pas, au fond, tout un ?) c'est de découvrir que lui, il est plus grand, et incomparable.

" Où est la solution du problème de l'Immanence et de la Transcendance ? Elle est dans l'Incarnation et dans la Communion. La confusion moniste du fini et de l'infini n'est qu'un avortement, une contrefaçon vague de l'unité. L'idéal de l'unité, il se trouve dans l'Hostie qui résume en elle toute la nature, graisse de la terre, rosées, rayons, avant que, par une sorte de nutrition parfaite, elle soit devenue l'humanité et la divinité même pour former en nous l'être nouveau, une réalité pour

ainsi dire plus que divine, une synthèse vraiment universelle. Il serait
étrange qu'on pût rien expliquer hors Celui sans qui rien n'a été fait,
ou, comme j'aimerais à traduire, sans qui tout ce qui a été fait est devenu
comme néant. "

On reconnaît aisément dans ce texte l'idée qui animera l'œuvre future :
une logique de l'action, inspirée de la dialectique paulinienne, et conduisant, par delà toute philosophie fermée sur elle-même, jusqu'au mystère
du Christ, en qui tout subsiste unifié. Oui, l'idée fondamentale est déjà
présente, dans toute sa vigueur. Mais combien peu différenciée ! Est-ce
de la philosophie, de l'apologétique, de la théologie ? Il est difficile de
voir, au sein de cet amalgame, comment l'auteur les distinguera.

On éprouve le même embarras en lisant le " premier brouillon " de
L'Action[1] que Blondel rédigeait justement à cette époque (d'octobre
1888 à janvier 1890). " J'essaie, dit-il, de fonder sur l'action, comme sur
une hypothèse qu'il dépend de nous de vérifier, une métaphysique expérimentale et une initiation morale à la foi. [...] C'est une apologie philosophique du christianisme que je tente, pour montrer, dans le passage
de la conversion, où réside l'obstacle, et pour montrer que de nous
dépend l'obstacle ; car, si nous ne pouvons le franchir seuls, du moins
nous sommes clairement obligés de demander l'aide de Dieu pour le
franchir[2]. " Tel est le dessein annoncé. Comment est-il exécuté ? Au
cours d'un développement assez lâche, nous voyons se succéder ou
s'emmêler des analyses psychologiques, des remarques et des exhortations de moraliste, des commentaires de citations bibliques, des exposés montrant la signification humaine des principaux dogmes chrétiens.
L'ouvrage, qui a commencé par une comparaison entre le premier état
de l'homme et l'état de déchéance[3], offre, avant de conclure, une méditation sur les peines de l'enfer, sur la béatitude céleste[4] et sur le Christ
" qui contient en lui, qui porte en son sein, qui édifie en son amour
et rachète en son sang l'univers tout entier[5] ". Bref, l'auteur réalise le
programme qu'il avait formulé dans plusieurs " notes-semailles " de
cette époque et qu'il consignait encore en marge du " Sommaire " qui
accompagne ce " premier brouillon " : " Prendre le catéchisme et le
traduire philosophiquement ". L'intention philosophique est incontestablement présente : Blondel manifeste le souci de dévoiler des nécessités

1. Manuscrit conservé aux Archives Blondel. C'est un cahier de très grand format,
qui a pour titre : " *L'action.* Étude sur la métaphysique de la science et de la morale,
et sur la nature de la pratique religieuse. " Blondel a écrit lui-même, en haut de la
première page : " Premier brouillon ".
2. " Premier brouillon ", p. 13.
3. *Loc. cit.*, p. 3-5.
4. *Loc. cit.*, p. 106-113.
5. *Loc. cit.*, p. 114.

rationnelles, d'établir une " liaison scientifique[1] " entre les vérités qu'il enchaîne. Mais il n'a pas encore inventé sa méthode : quand il s'applique à " traduire en langue philosophique la doctrine catholique[2] ", il n'offre rien qui dépasse en nature et en rigueur les arguments de convenance si souvent présentés par les théologiens, les apologistes ou les auteurs spirituels[3]. Son dessein même apparaît souvent plus religieux que philosophique. Indiquant, dans l'introduction, quelle est l'inspiration de son travail, il écrit : " Je ne cache pas qu'il désire être une œuvre de cœur et de foi plus que de raison et de science[4] ". C'est effectivement, pour l'essentiel, une exhortation morale et spirituelle, développée par un chrétien qui a réfléchi sur sa foi et veut la communiquer.

Par son dessein et sa méthode, cette esquisse s'apparente à l'œuvre d'Ollé-Laprune. Rien d'étonnant, puisque Blondel avait été l'élève de ce maître de conférences à l'École Normale, qu'il l'avait beaucoup fréquenté et qu'il entretenait avec lui une correspondance constante au sujet de sa thèse. Il est donc naturel que le " premier brouillon " de *L'Action* nous paraisse mériter les réserves que Blondel énoncera plus tard sur l'œuvre de son maître. Pour ne pas répéter les pages célèbres de la *Lettre* de 1896, relevons quelques lignes d'une lettre de 1894 à Victor Delbos, concernant *Le Prix de la vie*, qui venait de paraître. " Dans ce nouveau livre, notre cher Maître se révèle de plus en plus, il se donne lui-même en témoignage avec effusion, en chrétien qui développe sa vie intérieure et trouve dans sa conviction pratique les raisons vivantes de sa pensée, non en philosophe parti du *fait* d'une vie contraire à la sienne. [...] N'y a-t-il pas quelque inconvénient à faire croire que c'est la véritable apologie, l'apologie vraiment philosophique ? — je parle dans l'hypothèse même où l'on admet qu'une relation rationnelle peut s'établir entre la métaphysique et le dogme[5]. " Il est difficile de ne pas appliquer ce jugement au " premier brouillon " de *L'Action*, si proche de la manière d'Ollé-Laprune.

Mais, comme le disait Blondel à Delbos, dans la lettre dont nous avons cité plus haut un large extrait : " La pensée philosophique " trace " comme les fraisiers et se propage par marcottage. On commence par prendre racine dans l'esprit d'un autre et par se nourrir de sa substance;

---

1. *Loc. cit.*, p. 13.
2. Notes-semailles, n° 1132.
3. Sa méthode, telle qu'il la définit parfois, est identique à celle qu'ont pratiquée tant d'apologistes : " Il faudrait prendre une à une les vérités du catéchisme, et montrer aux philosophes que rien de plus beau et de meilleur ne saurait être conçu; que cela passe l'imagination et l'homme. " (Notes-semailles, n° 1134.)
4. " Premier brouillon ", p. 9.
5. Lettre de Blondel à Delbos, 23 juillet 1894.

puis l'on pousse un rejeton qui va s'implanter un peu plus loin et l'on finit par se détacher entièrement de la tige primitive[1]. "

Après avoir achevé son " premier brouillon ", Blondel note en haut de la première page le jugement qu'il porte sur ce travail. On lit en particulier cette remarque : " La transposition du théologique au philosophique y est par instants à peine ébauchée : échafaudage provisoire. " Tout au long du cahier, des notes marginales indiquent les corrections à faire : plusieurs d'entre elles consistent à supprimer des professions de foi ou des considérations purement dogmatiques. Ainsi Blondel se rend compte lui-même que sa tentative de " traduire philosophiquement " le catéchisme n'a pas encore abouti à une philosophie, pas même à une apologie vraiment philosophique.

Pouvait-elle même y aboutir ? Une " transposition " ou une " traduction " philosophique du catéchisme donnerait-elle jamais autre chose qu'un catéchisme expliqué dans une langue plus savante ? C'est un fait, en tout cas, que, dans *L'Action* de 1893 et la *Lettre* de 1896, Blondel définira son dessein et sa méthode de façon beaucoup plus subtile et, somme toute, bien différente. Les rédactions successives de sa thèse, conservées aux Archives blondéliennes d'Aix-en-Provence, permettent de suivre l'élaboration progressive de ce dessein et de cette méthode.

Du 12 mars au 2 avril 1890, l'auteur dicte à un garçon de quinze ans, nommé Charles Despins, ce qu'il appelle dans une lettre[2] " l'édition pour enfants ". Quoiqu'on puisse sérieusement douter que le secrétaire ait compris grand chose à ce qu'il écrivait, cette rédaction est encore sommaire. Cependant, Blondel s'y explique beaucoup plus avec les grands courants de la pensée moderne, en particulier avec ce qu'il appelle " le panthéisme allemand " : il exécute ainsi un projet qu'il s'était borné à annoncer dans le " premier brouillon ". Il ne parle plus de transposer le catéchisme; mais il veut montrer que seule " la métaphysique chrétienne " ou " philosophie catholique " concilie sans les confondre des doctrines qui revêtent ailleurs un caractère exclusif et étroit[3]. Il ne remarque pas encore, comme il le fera plus tard, l'ambiguïté de ce concept de philosophie chrétienne.

Dans cette rédaction, comme dans la précédente, le plan est simple et les divisions peu nombreuses. De part et d'autre, l'auteur considère d'abord l'action dans l'enceinte de l'être qui agit, puis dans le milieu où elle se produit, enfin la réponse du dehors à l'agent (responsabilité et sanction).

1. Lettre de Blondel à Delbos, 6 mai 1889.
2. Lettre à Maurice Léna, 23 mars 1890.
3. *La Science de l'Action*, dictée à Charles Despins, p. 39-40 du manuscrit.

Une rédaction ultérieure[1], que Blondel nomme " Projet de Thèse ", commencée le 14 juin 1890, achevée le 19 avril 1891, présente un plan beaucoup plus structuré, divisé en huit parties. La suite des développements y est déjà très proche de ce qu'elle sera dans le texte définitif, quoique les divisions et les titres soient différents. L'examen de cet enchaînement laisse voir aussitôt une démarche plus rigoureuse, une construction plus rationnelle que celles des rédactions précédentes.

Ce " Projet de Thèse ", encore court, Blondel va l'étoffer et l'articuler. Le nouveau manuscrit, commencé le 14 novembre 1891, sera déposé à la Sorbonne en mai 1892, et obtiendra le permis d'imprimer. Boutroux, chargé de l'examiner, note dans son rapport au doyen[2] : " Si le résultat de ce travail est de nous amener au seuil de la religion, le caractère n'en est pas moins essentiellement philosophique. " Mais, prévoyant sans doute les objections que pourraient faire d'autres membres du jury, il écrit en même temps à l'auteur : " Mettez-y la dernière main pour en dégager bien nettement la signification philosophique[3]. " (Il lui demande aussi et surtout de clarifier l'exposition.)

Blondel se remet donc à l'œuvre, corrige partout, et transforme des chapitres entiers. Il récrit en particulier presque tout ce qui touche à l'idée d'absolu ou de transcendance, savoir le chapitre sur la morale et la quatrième partie quasi entière[4]. Alors que l'affirmation de Dieu surgissait sous le nom de " l'être ", elle jaillit maintenant sous le nom d' " unique nécessaire ". A la place d'une exposition sommaire de la preuve est introduite une reprise des preuves classiques, intégrées au mouvement de l'action. Certains titres, énoncés dans le langage religieux, sont remplacés. Ainsi, celui de la quatrième partie, " La divine destinée de l'homme et l'éternité de l'action ", devient " L'être nécessaire de l'action ". Celui de la cinquième partie, " La critique de l'action surnaturelle; la philosophie du catholicisme ", devient " L'achèvement de l'action ". Quant au dernier chapitre de l'ouvrage, " L'universelle et l'éternelle consistance de l'action ", Blondel, n'ayant pas le temps de le refaire, le supprime. Tel qu'il se présentait là, on pouvait lui reprocher d'être plus théologique que philosophique. Il montrait en effet comment la personne humaine est le lien total des choses, quand on la suppose élevée à la vie divine par grâce surnaturelle et participation au sacrement. Lorsque l'auteur, après la soutenance de sa thèse, reprend le

1. Intitulée simplement *L'Action*. Au-dessus du titre, à gauche, Blondel a écrit : Projet de Thèse.

2. Daté du 25 juillet 1892.

3. Lettre de Boutroux à Blondel, 28 juillet 1892.

4. De cette partie, seul le développement sur " Les succédanés et les apprêts de l'action parfaite " n'a pas été récrit, mais simplement corrigé.

contenu de ce chapitre, il le présente tout autrement, au sein d'un développement plus vaste, dont le but, nous l'avons vu, est de définir une ontologie proprement philosophique : " Le lien de la connaissance et de l'action dans l'être. "

Ainsi, du " premier brouillon " de *L'Action* jusqu'à l'ouvrage édité en 1893, Blondel a constamment poursuivi cette " transposition du théologique au philosophique ", qu'il avait conçue d'abord comme une traduction philosophique du catéchisme, et qui devenait de plus en plus l'élaboration d'une philosophie autonome par reprise en sousœuvre des exigences du christianisme.

L'histoire que nous venons d'esquisser sommairement étoffe et illustre les déclarations ultérieures de Blondel concernant la problématique initiale de son œuvre. Il expliquera souvent qu'il n'a posé son problème en fonction d'aucune philosophie existante, qu'il l'a posé en fonction du christianisme. " Si le catholicisme est vrai, quelle attitude philosophique est normalement requise de l'homme qui veut mettre sa raison et sa vie en équilibre avec sa foi[1] ? " Ou encore : " J'ai, dès l'inspiration initiale de ma thèse, posé ainsi le problème pour moi-même : étant admis que le Catholicisme est le vrai, quelle est la philosophie qui y correspond[2] ? " Ou enfin, cette déclaration que nous avons déjà citée : " Supposons un instant, me disais-je, le problème résolu dans le sens où le Catholicisme indique *l'Unique nécessaire* de la destinée humaine : quelle est l'attitude normale du philosophe, et comment maintenir l'autonomie de sa recherche, comment explorer tout le champ ouvert devant lui, dans les profondeurs de la nature ou les hauteurs de l'âme[3] ? "

Ces propos ne mentionnent pas la maturation progressive du dessein de Blondel. Mais ils indiquent bien le point où tendait de plus en plus nettement cette maturation, et la forme que ce dessein a prise dans le texte définitif de *L'Action* : constituer, à partir du christianisme, ou plus précisément, dans l'hypothèse de la vérité du christianisme, une philosophie autonome, qui s'accorde avec lui en vertu d'exigences rationnelles.

Cette pensée, qui part du christianisme supposé vrai par ailleurs, vise à conduire l'incroyant jusqu'au seuil de la foi. Sans doute Blondel

1. Lettre de Blondel à Paul Archambault, 15 février 1917; citée dans *L'Œuvre philosophique de Maurice Blondel*, p. 51, note. On lira avec profit le texte complet.
2. Extrait d'une note envoyée par Blondel, le 29 novembre 1924, à un franciscain du Canada, le P. Bruno. Une copie de cette note est conservée aux Archives Blondel.
3. *L'Itinéraire philosophique* (1928), p. 41.

n'énonce-t-il plus dans le texte de 1893 ce qu'il écrivait dans le premier brouillon : " C'est une apologie philosophique du christianisme que je tente. " Mais que telle soit encore son intention, on n'en saurait douter quand on le voit tracer, tout au long du livre, la genèse progressive de l'idée du surnaturel, manifester au point crucial la nécessité de s'ouvrir à l'action divine, puis définir la nécessité hypothétique des dogmes et de la pratique religieuse, marquer le rôle inéluctable de l'option suprême au sein de l'affirmation ontologique, enfin inviter l'incroyant à tenter l'expérience de la foi. Lui-même d'ailleurs l'indique sans ambages dans une lettre du 22 septembre 1895 au directeur des *Annales de Philosophie chrétienne*[1], annonçant la mise au point qui constituera la *Lettre* de 1896. J'y marquerai, dit-il, " le point précis où je me place dans l'œuvre d'apologie philosophique du christianisme à laquelle je me suis voué ".

" Apologie philosophique du christianisme ", " apologétique vraiment philosophique[2] ", " tentative à la fois philosophique et apologétique[3] " : ces expressions reviennent longtemps sous la plume de Blondel, quand il veut caractériser son entreprise. En 1924 encore, il désigne l'ensemble de son œuvre (publiée et inédite) par ces mots : " l'effort apologétique et philosophique que je poursuis depuis bientôt quarante ans[4] ". Il importe de ne jamais séparer les deux termes. D'une part, son œuvre philosophique a une visée apologétique; elle veut ébranler les esprits et les préparer à l'acte de foi. " Nous nous proposons moins de constituer un équilibre de pensées bien agencées et parfaitement cohérentes en repos, que de découvrir les moyens de mouvoir les esprits et d'orienter les consciences en les faisant sortir de leur repos trompeur, en rompant tout équilibre artificiel, en leur manifestant l'instabilité de la vie en elles-mêmes. " Ainsi s'exprime Blondel, dans une note du 26 mai 1899, à propos de *L'Action* et de la *Lettre*.

Mais d'autre part, il entend faire une apologétique *philosophique*, distincte par là de toute autre apologétique; et il refusera le titre d'apologiste toutes les fois qu'on le lui accolera en méconnaissant le caractère philosophique de son entreprise. Dans la *Lettre* de 1896, on s'en souvient, il refuse de reconnaître que sa pensée dominante, au cours de *L'Action*, ait été de " ramener l'apologétique chrétienne sur le terrain psychologique [5]"; il écarte le rapprochement qu'on a opéré entre son

---

1. Cette lettre privée est distincte de la lettre officielle qui sera publiée dans les *Annales* en novembre 1895 et reproduite dans *Les Premiers Écrits*, t. II, p. 3-4.
2. *L'Anti-cartésianisme de Malebranche, Rev. de Métaph. et de Mor.*, 1916, p. 24, note 3.
3. *Lettre* (de 1896), p. 51.
4. Note du 29 novembre 1924, envoyée à un franciscain, le P. Bruno, au Canada; copie conservée aux Archives Blondel.
5. *Lettre*, p. 5.

œuvre et celles d'Ollé-Laprune et de Fonsegrive, parce que leur méthode
ne lui paraît pas essentiellement philosophique[1]. Ils partent, dit-il, du
fait d'une vie chrétienne, alors qu'il faudrait partir du fait d'une incré-
dulité théorique et pratique. Son propos à lui est de " dire quelque
chose qui compte pour un esprit philosophique et incrédule[2] ". Il
s'agit " d'écarter les objections préjudicielles, de déterminer la notion
du surnaturel, et de mettre en pleine lumière les exigences et les insuffisances de la nature[3] ". Seule la philosophie en est capable, dit-il, et
elle n'y réussira que si elle refuse de se changer en apologie[4], c'est-à-dire
de se gager[5], de se laisser réduire à l'état d'instrument ou de moyen[6],
bref, si elle conserve d'un bout à l'autre son autonomie rationnelle.
Blondel y insiste d'autant plus que le caractère rationnel et philosophique
de son entreprise a d'abord été contesté du côté rationaliste. C'est pourquoi il n'accepte qu'avec précaution de la laisser nommer " apologétique philosophique[7] ". Il n'y consent que si on la voit " tout à fait
distincte, par la nature des questions posées et par la portée des conclusions, des autres formes de l'apologétique[8] ".

Il n'entend donc pas élaborer une " apologétique ", au sens ordinaire
du mot. Selon l'heureuse formule d'un interprète attentif, " il veut faire
une *philosophie* qui, pour être fidèle jusqu'au bout à ses propres principes, se trouvera par surcroît constituer une apologétique[9] ". Démarche autonome de la raison appliquée au champ total de l'action humaine,
cette philosophie sera à la fois, et du même mouvement, " philosophie
intégrale " et " philosophie chrétienne[10] ". Tel est le dessein de *L'Action*
et le programme de la *Lettre*.

Il est vrai que les controverses soulevées par cette dernière publication, puis la crise moderniste, ont détourné Blondel assez longtemps
d'accomplir son programme de philosophie intégrale. Amené à dis-
cuter avec les théologiens sur la nature, les présupposés et la méthode

---

1. *Lettre*, p. 16-26.
2. *Lettre*, p. 21-22.
3. *Lettre*, p. 48. Rééditant en 1932, dans le *Problème de la philosophie catholique*,
quelques fragments de la *Lettre*, Blondel a corrigé, sans le dire, ce passage. On lit,
p. 39 : " La philosophie est seule capable d'écarter les objections préjudicielles, de
mettre en pleine lumière les exigences et les insuffisances de la nature et par conséquent
de préciser *a contrario* la notion du surnaturel. " Cette formule est évidemment meilleure
que la première.
4. *Lettre*, p. 50.
5. *Lettre*, p. 47.
6. Lettre à l'abbé Denis, reproduite dans *Les Premiers Écrits*, t. II, p. 3.
7. *Ibid.*, p. 3 ; *Lettre*, p. 47-48.
8. *Lettre*, p. 48.
9. A. CARTIER, *Existence et Vérité*, p. 213.
10. *Lettre*, p. 54, 91-92.

de l'apologétique, sur les caractères de la foi, sur les rapports de l'histoire et du dogme, sur le miracle, il a mis sa réflexion philosophique au service d'une tâche qui est traditionnellement celle de l'apologiste et du théologien. Il y a déployé une pénétration extraordinaire et a rendu ainsi un immense service à la cause chrétienne. Mais cette œuvre occasionnelle et sporadique ne constituait pas l'ensemble dont il rêvait. D'autre part, Delbos le mettait en garde contre la tentation d'aiguiller son activité vers l'apologétique et les questions morales et religieuses exclusivement; il l'invitait avec instance à donner à son effort une base métaphysique[1]. Blondel se met alors en devoir d'exécuter son programme d'une philosophie intégrale, qui serait une " philosophie catholique " à la fois par sa portée universelle et par son accord spontané avec le catholicisme.

Il déclare poursuivre la même entreprise qu'au temps de sa jeunesse : " assurer la distinction formelle et l'union réelle de la Philosophie la plus normalement développée et du Catholicisme le plus authentiquement défini et vécu en ses surnaturelles exigences[2]. " Mais il précise : " Il ne s'agit pas d'apologétique; il s'agit de philosophie pure[3]. " La netteté de cette profession, qui semble contredire le dessein antérieur d'apologétique philosophique, pourrait faire croire à un changement d'orientation. Elle s'explique en réalité par la nécessité de réagir contre l'interprétation qu'Émile Bréhier venait de formuler. Dans un article, devenu célèbre, visant à montrer qu'il n'y a jamais eu de philosophie chrétienne, celui-ci avait écrit au sujet de *L'Action* : " La doctrine de M. Blondel a beaucoup plus de parenté avec une apologétique qu'avec une philosophie[4]. " Et même, après avoir résumé la solution proposée par l'auteur au problème de l'action, il concluait de façon plus radicale : " Il s'agit ici d'apologétique et non de philosophie; il s'agit d'introduire et de défendre la doctrine chrétienne, considérée comme prouvée et vérifiée par ailleurs, et même de la faire désirer[5]. " A ce jugement qui reprenait les anciens griefs rationalistes, Blondel réplique aussitôt : " Mon effort, je l'ai toujours cru, voulu et appelé *philosophique*, sans plus[6] "; et il explique comment il n'y a, dans *L'Action*, ni parti pris, ni thèses admises *a priori*, ni apologétique irrationnelle[7]. On voit en quel

---

1. D'après une lettre de Blondel à Laberthonnière, 26 février 1921.
2. *Le Problème de la philosophie catholique*, p. 5.
3. *Loc. cit.*, p. 6.
4. E. Bréhier, *Y a-t-il une philosophie chrétienne ?* dans la *Rev. de Métaph. et de Mor.* avril-juin 1931, p. 160.
5. *Loc. cit.*, p. 161.
6. M. Blondel, *Y a-t-il une philosophie chrétienne ?* R.M.M., octobre-décembre 1931, p. 599.
7. *Loc. cit.*, p. 604.

sens il refuse le titre d'apologiste. L'ayant écarté chaque fois qu'il aurait fait méconnaître le caractère philosophique de son entreprise, il l'écarte d'autant plus énergiquement que Bréhier ne reconnaît à l'apologétique aucune valeur rationnelle. Blondel ne change pas d'orientation : il garde au fond du cœur le désir d'attirer les esprits au christianisme. Mais, pour prévenir toute méprise, il cesse d'énoncer cette visée apologétique. En outre, s'attribuant une part de responsabilité dans le fait que beaucoup ont éliminé l'examen de ses thèses proprement rationnelles, il veut s'appliquer à établir de façon plus rigoureuse " la preuve technique et la détermination précise des limites, des indigences et des requêtes de la raison, dans l'ordre spéculatif lui-même aussi bien que dans les aspirations pratiques de l'homme[1] ".

Nous n'avons pas l'intention d'examiner la démarche de la Trilogie ou des ouvrages relatifs à l'Esprit chrétien. Nous nous proposons d'analyser celle que pratiquait *L'Action* de 1893 et que définissait la *Lettre* de 1896. Les déclarations que nous avons recueillies jusqu'ici nous ont montré la complexité de l'intention blondélienne, à la fois philosophique et apologétique. Mais elles ne résolvent pas le problème qu'elles circonscrivent : comment une pensée qui s'élabore dans l'hypothèse de la vérité du christianisme, et en vue d'amener les esprits au seuil de la foi, peut-elle avoir le caractère d'une philosophie autonome ? Nous lisons dans la *Lettre* : " Les choses en sont au point où, pour faire acte de philosophe sans cesser d'être chrétien ou de chrétien sans cesser d'être philosophe, l'on n'a plus le droit de partir secrètement de sa foi pour feindre d'y aboutir, et l'on n'a plus le pouvoir de mettre discrètement ses croyances à l'écart de sa propre pensée[2]. " Comment ces deux exigences sont-elles compatibles ? Caractérisant après coup le dessein de *L'Action* et de la *Lettre*, Blondel dit " avoir tenté, en *croyant*, un effort de *philosophe*[3] ". Cette formule, plus radicale en sa brièveté, aiguise la pointe du problème : comment un effort que l'on tente en croyant peut-il être celui d'un philosophe ?

1. *Le Problème de la philosophie catholique*, p. 44-45.
2. *Lettre*, p. 53.
3. *Le Problème de la philosophie catholique*, p. 44.

II. PHILOSOPHIE AUTONOME
SUSCITÉE PAR L'IDÉE CHRÉTIENNE

1. *Négation du présupposé.*

On trouve parfois la clé d'une difficulté dans un texte où l'on n'aurait pas songé d'abord à la chercher. Au début de son article sur *L'Illusion idéaliste*, Blondel explique que, pour discerner le fort et le faible de l'attitude réaliste et de l'attitude idéaliste, il faut d'abord avoir pris conscience d'une attitude autre et plus complexe, à partir de laquelle on saisit la dialectique implicite de l'illusion; reste alors à étaler cette vue en une suite de vérités systématiquement ordonnées. " Vérifier ainsi, pour soi-même, le point d'où l'on est parti, en faisant de ce point de départ un point d'arrivée, c'est aussi le seul moyen d'y amener d'autres esprits, en se plaçant d'abord où ils pensent, pour les entraîner, avec la chaîne du déterminisme intellectuel, où ils sont[1]. "

Telle est, énoncée ici à propos d'un problème plus simple, la méthode que Blondel a suivie dans *L'Action* pour constituer, à partir du christianisme, une philosophie autonome, qui fût apte à y conduire les esprits.

Il s'agissait pour lui de vérifier, non certes les dogmes chrétiens considérés en eux-mêmes, mais l'exigence globale du christianisme à l'égard de l'homme, sa prétention d'être accueilli comme révélation divine sous peine de damnation. Vérifier une affirmation quelconque, c'est d'abord la suspendre, jusqu'à ce qu'on ait réussi à en établir le bien-fondé. C'est transformer le point de départ en point d'arrivée, c'est-à-dire le nier comme point de départ, avec l'intention de n'y revenir que si l'on y est contraint par sa réapparition dialectique au terme de la négation. Blondel suspend donc son affirmation de croyant, et adopte comme point de départ la négation qu'y opposent les diverses formes d'incroyance. Il commence par la plus radicale, celle qui refuse même d'admettre qu'il y ait un problème de la destinée et que nos actions portent en elles une responsabilité. Mais, considérant le fait inéluctable de l'action et analysant ce qu'il implique inévitablement, il montre d'étape en étape

---

1. *L'Illusion idéaliste*, dans *Les Premiers Écrits*, t. II, p. 99.

que chaque négation inclut en soi cela même qu'elle prétend écarter. Ce processus, étant rationnel, vaut en principe pour tout esprit, même incroyant. C'est lui qui constitue la philosophie de *L'Action*. Celle-ci est donc autonome; elle ne part pas de la foi pour feindre d'y aboutir.

Blondel lui-même l'indique dans sa réponse à Émile Bréhier : " On donne à croire que je pars secrètement de conclusions préalablement admises, d'une foi irrationnelle qu'il s'agirait ensuite d'introduire, de défendre, de faire désirer. Or, selon l'exigence de l'esprit scientifique, critique, philosophique, j'ai, dès l'introduction et au cours de tout l'ouvrage, constamment procédé par voie indirecte et négative, en examinant toutes les solutions, qui n'étaient écartées que sous la double contrainte d'une logique impérieuse et d'une exigence vitale; je me suis donc toujours raidi contre les conclusions auxquelles j'étais contraint d'aboutir[1]. "

C'est ainsi déjà, on s'en souvient, qu'il s'expliquait, lors de la soutenance de sa thèse, en face d'une objection plus discrète que lui faisait Émile Boutroux. Rappelons seulement les dernières lignes de cette réponse que nous avons citée au cours du premier chapitre : " J'examine donc toute la variété des tentatives qu'il est possible de faire pour échapper à ce que vous nommez mon postulat secret [vouloir l'infini]; je cherche de toutes mes forces à l'ignorer, à le supprimer; j'invente de nouvelles ingéniosités afin de m'y dérober. [...] Mais, de toutes ces tentatives, il ne ressort qu'un système d'affirmations liées qui, peu à peu, nous amènent à poser devant la pensée réfléchie et l'option de la volonté ce qui était déjà présent à l'origine du mouvement par où on le fuyait[2]. "

Ainsi donc, loin de présupposer, dans sa démarche philosophique, la vérité du christianisme ou même la présence en l'homme d'un vouloir de l'infini, Blondel se fait successivement le complice de toutes les attitudes et de toutes les pensées qui les nient. Et c'est seulement sous la pression d'une nécessité rationnelle qu'il dépasse chacune d'elles, et finalement écarte leur prétention commune de borner le vouloir de l'homme au champ de son activité.

Pas plus qu'elle n'est le point de départ de la démarche philosophique, l'affirmation de la vérité du christianisme n'en constitue la conclusion. De ce point de vue, il y a une différence radicale entre la question présente et celle de l'idéalisme que nous évoquions plus haut. Blondel sait, comme croyant, que l'affirmation de la vérité chrétienne n'est pas le terme nécessaire d'une dialectique, mais un acte de foi, lui-même don

1. *Revue de Métaph. et de Morale*, 1931, p. 604.
2. *Une soutenance de thèse*, dans *Études blondéliennes*, I, p. 83.

de Dieu. Comme philosophe, il établit qu'il n'en peut pas être autrement si le christianisme est révélation divine. Les conclusions auxquelles il se sent contraint d'aboutir s'arrêtent au seuil de la foi, ainsi qu'il le rappelle dans sa réponse à Bréhier : " En quoi consistent-elles ? dit-il. Serait-ce à proposer une seule des assertions qui composent le dogme chrétien ? Pas le moins du monde. Je n'introduis rien, je n'entre nulle part dans le moindre contenu de la religion catholique. Je m'arrête au seuil; et, en philosophe, je m'interdis finalement de prononcer le seul petit mot que j'aurais à dire en croyant[1]. "

Ainsi donc, bien que la philosophie blondélienne s'élabore dans l'hypothèse de la vérité du christianisme, elle ne part pas de cette vérité comme d'un présupposé; bien qu'elle vise à préparer les esprits à la foi, elle ne franchit jamais le seuil de la foi. Elle entend rester d'un bout à l'autre pur déploiement rationnel.

Il se peut assurément que le lecteur ne soit pas convaincu par sa démonstration et croie découvrir des failles dans sa logique. Il en va ainsi pour toutes les philosophies. Mais cela n'autorise pas à contester l'autonomie et la loyauté intellectuelles de leur mouvement. Ce n'est donc pas sans surprise qu'on lit ces lignes consacrées à Blondel : " Il croyait laisser la philosophie libre parce qu'il ne lui *disait* pas que le christianisme est vrai. [...] Mais il arrangeait artificiellement toute la démarche de la philosophie dans le sens d'une découverte que son cœur souhaitait. [...] Il est possible qu'il y ait de la pensée libre dans l'œuvre de Blondel, mais il n'est pas sûr qu'on puisse jamais savoir où elle se trouve[2]. " L'auteur de ces propos ajoute heureusement plus loin qu'il n'est pas sûr d'être parvenu à saisir la position blondélienne[3]. Il faut en effet quelque application pour la saisir. Qui a eu la patience de l'analyser ne saurait en méconnaître le caractère rationnel.

Blondel avait un tel souci de n'introduire aucun présupposé de foi au sein de la démarche philosophique et d'éviter tout amalgame du dogme et de la libre réflexion, que, sauf dans les premières ébauches de *L'Action*, il a toujours manifesté quelque réserve à l'égard de l'idée de " philosophie chrétienne ". Il a été jusqu'à écrire, dans la *Lettre* de 1896, ce propos qui anticipait celui de Bréhier : " Au sens où l'on entend ordinairement ce mot, " la philosophie chrétienne " n'existe pas plus que la physique chrétienne[4]. " Il est vrai que ce jugement portait sur le passé et réservait une possibilité pour l'avenir : " Il n'y a point eu encore, à la rigueur des

---

1. *Revue de Métaphysique et de Morale*, 1931, p. 604.
2. Henry BARS, *Maritain en notre temps*, Paris, Grasset, 1959, p. 220.
3. *Loc. cit.*, p. 330.
4. *Lettre*, p. 47.

termes, de philosophie chrétienne : à celle qui porte ce nom il ne convient tout à fait, ni philosophiquement ni chrétiennement; s'il peut y en avoir une qui le mérite pleinement, elle est à constituer[1]. " Manifestement, c'est la tâche que Blondel se propose. En outre, il s'excusera plus tard, dans sa réponse à Bréhier, de l' " intrépidité juvénile " avec laquelle il a soutenu que la philosophie chrétienne n'existe pas, et il retirera " ce jugement trop sommaire[2] ". Mais il maintiendra le souci de pureté philosophique qui le lui avait inspiré, et continuera de mettre en garde contre l'ambiguïté du terme. La position prise par lui au cours des débats avec Bréhier et Gilson sur la philosophie chrétienne, position conforme à son attitude permanente, a été excellemment définie en ces lignes, dont le paradoxe initial est significatif :

" Quant à la philosophie chrétienne selon M. Blondel, elle n'est *pas encore* chrétienne. Car elle est la philosophie constatant d'elle-même, dans une démarche dernière qui est encore une œuvre de pure réflexion rationnelle, qu'elle ne " boucle " pas. C'est donc une philosophie qui sera ouverte au christianisme, mais qui en droit ne procède aucunement de lui, puisque, si elle en voulait procéder, ce ne pourrait être qu'en lui ôtant son caractère surnaturel, au moment même où elle proclame celui-ci par son dernier aveu[3]. "

2. *Hypothèse directrice.*

Blondel a tant affirmé l'indépendance de sa philosophie à l'égard de tout présupposé chrétien, que certains penseurs catholiques ont cru devoir lui reprocher de garder " une conception encore cartésienne de l'autonomie de la philosophie ", de concevoir celle-ci " comme ne recevant rien du dehors, comme une philosophie sourde, et d'essayer de mettre dans cette philosophie sourde un chant chrétien[4] ". Il y a là une

---

1. *Lettre*, p. 54.
2. *Rev. de Métaph. et de Mor.*, 1931, p. 605.
3. H. DE LUBAC, *Sur la Philosophie chrétienne*, dans la *Nouvelle Revue théologique*, mars 1936, p. 245.
4. J. MARITAIN, *Science et Sagesse*, Paris, Labergerie, 1935, p. 146-147. Cette déclaration est citée et approuvée par H. BARS, dans *Maritain en notre temps*, p. 217. D'après cet auteur, la philosophie blondélienne prétend " ne rien devoir à la Révélation ", alors qu'elle est " saturée de christianisme historique ", et que l'utilisation constante de thèmes chrétiens et même théologiques donne aisément au lecteur l'illusion qu'elle " apporte ce dont précisément elle affirme se passer " (*ibid.*). " La philosophie chrétienne selon Blondel refuse d'être fécondée par la révélation; mais elle est bien plus durement menée, elle est bien moins libre que nulle philosophie de chrétien... " (p. 220).

méprise. Si Blondel, en tant que philosophe, se refuse le droit de faire des emprunts directs à la Révélation, au dogme, il ne reste pas sourd aux enseignements du christianisme. Nous avons vu que son projet initial était de " prendre le cathéchisme et le traduire philosophiquement ". Même après avoir formulé son dessein de façon plus subtile, il ne cesse de répéter que le philosophe chrétien " n'a plus le pouvoir de mettre ses croyances à l'écart de sa propre pensée[1] ", que " l'idée proprement catholique " doit susciter " une philosophie qui lui soit appropriée d'autant mieux qu'elle sera plus autonome[2] ", qu' " il s'agit de reprendre tout le problème philosophique en fonction de l'idée même que le christianisme et son *rationabile obsequium* nous donnent de la destinée unique et suprême qui, de fait, est obligatoirement la nôtre[3] ", qu'il ne faut pas considérer la doctrine de l'Évangile comme " impropre à pénétrer et à faire fermenter la pâte philosophique[4] ". Il a déclaré plusieurs fois qu'il devait beaucoup à la lecture de saint Bernard et à la pratique du Nouveau Testament, particulièrement de saint Paul[5]. " C'est à saint Paul, écrit-il en 1917, que j'emprunterais volontiers les thèmes fondamentaux dont je me suis inspiré : *Ipsi sibi lex... Ita ut sint inexcusabiles... Deo ignoto... Velle adjacet mihi ; perficere autem in me non invenio... Stipendia peccati mors.* Ou songez encore à l'admirable psaume 118 : *lex lux[6].* "

Nous savons d'autre part que Blondel a lu assidûment dès sa jeunesse de nombreux auteurs spirituels du xvie au xixe siècle. Une liste des lectures qu'il conseillait à son cousin, vers 1887-1888, nous donne sans doute une idée de celles qu'il avait faites alors : sainte Thérèse, saint François de Sales, le P. Guilloré, Rodriguez, Scupoli, Schram, Scaramelli[7]. Qu'il ait eu dès cette époque l'idée d'en nourrir sa pensée philosophique, cela nous est attesté par une note de 1890. Constatant l'influence de Jacob Bœhme et d'autres mystiques allemands sur le mouvement philosophique de l'Allemagne moderne, il se pose cette question, qui manifeste évidemment un dessein personnel : " Ne sortira-t-il rien, dans l'ordre philosophique, des saints catholiques et de la belle renaissance théologique et ascétique du xviie-xixe siècle ? "

1. *Lettre*, p. 53.
2. *Lettre*, p. 94.
3. *Le Problème de la philosophie catholique*, p. 39, note.
4. *Le Problème de la philosophie catholique*, p. 39, note.
5. *L'Itinéraire philosophique de M. Blondel*, p. 42. En juin 1891 fut célébré à Dijon le huitième centenaire de la naissance de saint Bernard. C'est à cette occasion que Blondel prit connaissance de son œuvre.
6. Lettre du 15 février 1917 à Paul Archambault, citée dans *L'Œuvre philosophique de Maurice Blondel*, p. 51, note.
7. Blondel relisait et recommandait volontiers *Le Combat spirituel* du P. Laurent Scupoli, de l'ordre des Théatins (1530-1610).

Le lecteur de *L'Action*, s'il est un peu au courant des écrits désignés par Blondel, en reconnaît aisément l'influence diffuse. Il peut même, malgré l'absence ordinaire de références, identifier les citations, qu'elles soient explicites ou implicites.

Un des auteurs auxquels Blondel emprunte le plus, après le Nouveau Testament et saint Bernard, c'est saint Ignace de Loyola. La chose s'explique quand on sait que le jeune philosophe a pratiqué les *Exercices spirituels*[1], et que, dans une note marginale du " premier brouillon " de *L'Action*, il s'exhortait à en tirer parti pour son œuvre. Il y a une évidente parenté, qui mériterait d'être analysée, entre " l'option " qui est au cœur de la pensée blondélienne et " l'élection " qui est au cœur des *Exercices*. De part et d'autre, un choix décisif dont dépendra la vie terrestre et la destinée éternelle de l'homme, choix impliquant le détachement, " l'indifférence " à l'égard des créatures comme telles[2], et conduisant, à travers la mortification[3], à une totale ouverture à l'action divine[4]. Citations et réminiscences attestent la dépendance de *L'Action* par rapport aux *Exercices*. Nous ne pouvons relever en détail tout ce que Blondel a pris chez saint Ignace[5], ni examiner la façon dont il le transpose pour l'adapter à son dessein. Mais il convenait de signaler cette source[6].

On l'aura remarqué, c'est surtout dans le Nouveau Testament et chez des écrivains spirituels que le jeune Blondel a puisé sa connaissance du christianisme. Bien entendu, il avait d'abord sérieusement appris son catéchisme et recueilli ce que transmet la vie liturgique. Mais il n'avait guère étudié ce qui s'enseigne sous le nom de théologie dogmatique. Il

1. Il a fait une retraite à Saint-Joseph-du-Tholonet (près d'Aix-en-Provence) en 1887 ou 1888, et une autre en 1909 à la " campagne Gavoty " (Marseille).

2. Le thème ignatien de l'indifférence est développé à la page 378 de *L'Action*. Noter en particulier cette phrase, qui est une citation implicite des *Exercices* : " Ne doit-on pas juger en toutes choses, pour soi-même, comme s'il s'agissait d'un autre, [...] comme mort ? " (Cf. *Exercices spirituels,* nos 339-340.)

3. *L'Action*, p. 383-384.

4. " Après qu'on a tout fait comme n'attendant rien de Dieu, il faut encore attendre tout de Dieu comme si l'on n'avait rien fait de soi. " (*L'Action*, p. 385.) Cette phrase, que nous avons déjà rencontrée, est la transposition d'une sentence de saint Ignace, celle précisément que le P. Fessard a longuement étudiée dans *La Dialectique des Exercices spirituels*, p. 305-363.

5. Voici d'autres citations implicites ou explicites des *Exercices* dans *L'Action* : " Agere contra " (p. 192); " Dans les actes de la volonté, lorsque nous songeons à la présence de cet unique nécessaire, il faut de notre part un plus grand respect que si nous faisons usage de l'entendement par la réflexion " (p. 340 ; cf. *Exercices spirituels,* nº 3). Cette liste n'est pas exhaustive.

6. Le P. Fessard reconnaît volontiers que l'étude de *L'Action* l'a aidé à comprendre la dialectique des *Exercices* de saint Ignace. C'est d'autant plus normal que la pensée blondélienne était elle-même nourrie des *Exercices*.

a lu quelque peu saint Thomas d'Aquin[1]; on en trouve des réminiscences dans *L'Action*, et la *Lettre* fait son éloge[2]. Il connaît des documents officiels, comme le texte du concile du Vatican[3]. Il consultait volontiers un théologien dominicain, le P. Beaudouin, sur les points difficiles[4]. Sa connaissance du dogme chrétien était solide et sûre; mais elle se bornait à l'essentiel; il y manquait cette précision qu'apporte l'étude de la théologie.

A cette étude, il s'appliquera davantage par la suite[5]. En outre, il lira saint Augustin, qu'il connaissait peu au début; il étudiera les grands mystiques chrétiens, particulièrement saint Jean de la Croix. Son œuvre portera la marque de ces nouvelles connaissances. Mais nous n'avons pas à l'envisager ici.

Les indications que nous venons de donner visent simplement à établir que la philosophie blondélienne, loin de se vouloir sourde à l'enseignement chrétien, l'écoute au contraire avec attention. Mais l'important est de comprendre comment elle l'écoute. Elle ne l'accueille pas *directement* en son sein, comme prémisse, ou comme conclusion. Ni au début ni au terme de sa démarche de philosophe, Blondel, nous l'avons vu, ne se reconnaît le droit d'*affirmer la vérité* du christianisme; d'un bout à l'autre, il suspend l'affirmation de cette vérité, qu'il tient comme croyant et qu'il estime ne pouvoir affirmer que comme tel. Mais, d'un bout à l'autre aussi, il maintient sous son regard l'*idée* chrétienne à titre d'*hypothèse*. Non pas, remarquons-le bien, pour la scruter en simple spectateur curieux de comprendre le christianisme comme il pourrait comprendre n'importe quelle religion. Il veut *vérifier* son hypothèse, autant du moins qu'elle peut être vérifiée en deçà de l'expérience de la foi.

L'objet précis de la vérification, nous l'avons dit, c'est l'exigence globale du christianisme à l'égard de l'homme, sa prétention d'être accueilli comme révélation divine sous peine de damnation. Si cette exigence est fondée, il doit y en avoir trace dans l'homme purement homme. Mais le philosophe doit se garder de vouloir retrouver plus que l'homme

1. Voir la lettre du 23 mars 1890 à Maurice Léna.
2. *Lettre*, p. 77.
3. *Lettre*, p. 77, 80, 81-82.
4. Voir *Le Problème de la philosophie catholique*, p. 53-54, note. Blondel indique là qui était le P. Beaudouin, quelles étaient ses relations avec lui, et ce qu'il lui doit, notamment au sujet de la notion théologique du surnaturel.
5. Parlant des universitaires de cette époque, M. Gilson a écrit : " De tant de philosophes catholiques — Lachelier, Delbos, Maurice Blondel et autres — pas un seul n'a jamais étudié la théologie ni d'ailleurs éprouvé de scrupules trop vifs à cet égard. " (*Le philosophe et la théologie*, Paris, 1960, p. 72.) En ce qui concerne Blondel, cette affirmation nous paraît excessive.

purement homme ne saurait trouver. Il ne peut pas déterminer le contenu de la révélation historique, ni même la notion spécifiquement chrétienne du surnaturel. Tout cela lui est proposé de l'extérieur. Il peut simplement montrer comment ce donné extérieur répond aux aspirations humaines. Il confronte les mystères chrétiens aux énigmes de la réflexion, il n'incorpore pas le dogme à la philosophie.

Toutefois, nous avons vu qu'avant d'aborder l'examen du surnaturel chrétien, il voit surgir du déterminisme de l'action humaine l'idée d'un surnaturel indéterminé, c'est-à-dire de l'infini que tout homme veut obscurément et auquel il doit se soumettre, même dans l'ignorance d'une révélation; en d'autres termes, l'idée de l'action divine à laquelle on doit s'ouvrir quelle qu'elle soit. Pour définir ce que doit être cette ouverture, Blondel procède par analyse rationnelle du rapport entre la volonté humaine et l'unique nécessaire. Par cette voie philosophique, il retrouve les enseignements les plus généraux de la spiritualité chrétienne : fidélité désintéressée au devoir, détachement et mortification, attente de Dieu. Il est clair que ces enseignements des auteurs spirituels ont guidé de l'extérieur sa démarche; mais il les retrouve par voie rationnelle. A l'inverse des dogmes, il incorpore ainsi leur substance au contenu même de sa philosophie. Au lieu d'une simple confrontation, il opère une intussusception. C'est pourquoi la quatrième partie de *L'Action* revêt l'aspect d'un traité de spiritualité, alors que la cinquième refuse de constituer un traité de dogmatique.

Il était utile de relever cette différence. Mais, de part et d'autre, quoique de façon différente, le christianisme est toujours l'idée qui guide la recherche, en tant qu'hypothèse à vérifier. Il l'est même dès le début de l'ouvrage, dès que l'auteur pose le problème de la destinée, et tout au long des trois premières parties, qui manifestent l'impuissance de l'homme à trouver satisfaction plénière dans le champ propre de son activité.

On voit comment l'idée chrétienne " suscite " une philosophie autonome qui s'accorde avec la foi. Elle la suscite, puisque c'est le souci de vérifier cette idée qui meut la recherche, et puisque la recherche elle-même est guidée par l'idée, qui aide à discerner la dialectique implicite des diverses illusions. Mais la philosophie ainsi suscitée est autonome, parce qu'elle n'accepte aucune idée, aucune affirmation, sinon en vertu d'une nécessité que fait apparaître sa négation.

Blondel, on s'en souvient, déclare " avoir tenté, en *croyant*, un effort de *philosophe* ". Ce propos, qui a pu sembler paradoxal, est maintenant devenu clair. L'effort philosophique est ici celui d'un croyant, en ce sens que l'auteur part de l'hypothèse de la vérité du christianisme, afin de la vérifier pour lui-même et d'y amener ainsi d'autres esprits : sa démarche est guidée par l'idée chrétienne, et elle a une visée apologétique. Mais ce qu'il tente *en croyant*, il ne l'effectue pas *en tant que croyant* ; car il suspend du début à la fin son affirmation de foi, en vue d'en récupérer progressivement les présupposés rationnels, par l'analyse de la logique immanente à toute action humaine.

3. *Philosophie intégrale.*

Nous avons montré jusqu'ici comment la pensée blondélienne, quoique suscitée par l'idée chrétienne et visant à la justifier, a le caractère d'une démarche proprement philosophique. Cela suffit-il pour établir qu'elle soit une philosophie au sens classique et plénier du terme ? Certes, nous n'avons plus le droit de dire qu'elle serait une apologétique, au sens péjoratif de démarche irrationnelle, que Bréhier donnait à ce mot. Mais, au sens où l'entendent les chrétiens, l'apologétique doit être une démarche rationnelle; et, bien comprise, elle doit se développer dans les mêmes conditions, satisfaire aux mêmes exigences que la philosophie conçue par Blondel. On pourrait donc être tenté de dire que celle-ci correspond au concept d'apologétique philosophique plutôt qu'à celui de philosophie. On pourrait encore, dans le même sens, la classer sous la rubrique de " philosophie chrétienne ", avec l'idée que la visée chrétienne restreint l'ampleur de la visée philosophique.

Pareil jugement s'opposerait aux déclarations expresses de l'auteur. Celui-ci estime que " la seule philosophie que comporte le catholicisme et qui le comporte " est identiquement " la Philosophie même[1] ", que c'est un seul et même problème de constituer " la philosophie " et de constituer une " philosophie chrétienne[2] ".

Cette identité, explique-t-il, est le résultat de l'histoire même de la philosophie occidentale. Dans un passage de la *Lettre* auquel nous nous sommes déjà référé, il montre que " la philosophie s'est transformée peu à peu et déterminée précisément elle-même sous l'action méconnue et refoulée de l'idée chrétienne[3] ". La spéculation hellénique " tendait à envelopper l'ordre entier de la pensée et de la réalité, pour se prononcer absolument sur la vérité des objets de toute nature, pour préposer ou substituer la théorie à la pratique, et pour trouver en soi, avec le premier et le dernier mot des choses, une sorte de suffisance divine. Oui, son

1. *Lettre*, p. 54.
2. *Lettre*, p. 54.
3. *Lettre*, p. 53.

postulat tacite, c'est la divinité de la Raison, [...] en ce sens que notre connaissance spéculative enferme la vertu suprême et d'elle-même consomme en nous l'œuvre divine[1]. " Le Moyen Age a établi un équilibre provisoire entre cette philosophie et le christianisme : sa tentative s'est révélée instable. Mais " c'est justement parce que la scolastique a ouvert à la raison l'immensité des horizons de la foi que, livrée à elle-même, cette raison humaine ne saurait plus oublier le monde entrevu ni renoncer à en trouver l'équivalent. [...] Par cela seul que la philosophie émancipée tend, comme avant, à maintenir que la pensée est ce qu'il y a de plus divin et qu'elle a en elle sa suffisance, elle n'est déjà plus comme elle était. Elle se propose, à son insu, un idéal qui n'est pas d'elle seule[2]. " Elle se prépare ainsi une suite errante d'épreuves et de tentatives, à la fois utiles et décevantes. L'auteur les décrit au cours d'une esquisse sommaire de l'histoire de la philosophie moderne[3]. Il montre comment cette philosophie, travaillée par l'idée chrétienne contre laquelle elle lutte, en vient progressivement à restreindre sa portée, et doit finalement renoncer à l'hégémonie, à l'autosuffisance que revendiquait la pensée d'Aristote ou celle de Spinoza[4]. Elle est amenée à reconnaître que " la connaissance même intégrale de la pensée et de la vie ne supplée ni ne suffit à l'action de penser et de vivre[5] ", que la philosophie ne saurait procurer à l'homme l'être, la béatitude, le salut[6].

Une étude antérieure avait développé déjà, et plus longuement, le même thème[7]. Commentant l'ouvrage de Victor Delbos, *Le Problème moral dans la philosophie de Spinoza et dans l'histoire du Spinozisme*, Blondel y discerne " la continuité du grand et vain effort qu'a tenté et que poursuit encore la raison humaine pour se créer, par ses seules forces, une demeure spirirituelle[8] ". Il montre les transformations que la pensée de Spinoza a dû comporter au cours de son passage à travers l'idéalisme allemand. Il indique enfin les transformations qu'elle appelle encore, et il conclut : " La grande entreprise de la métaphysique pour supplanter la pratique morale et religieuse ne saurait aboutir. C'est à cette constatation, d'une souveraine importance, qu'il faut en venir enfin. Et toute cette épopée de la pensée spinoziste aura du moins servi à mettre en relief cette vérité

1. *Lettre*, p. 55.
2. *Lettre*, p. 58.
3. *Lettre*, p. 59-66.
4. *Lettre*, p. 59, 66.
5. *Lettre*, p. 64.
6. *Lettre*, p. 66, 76.
7. *Une des sources de la pensée moderne ; l'évolution du Spinozisme*, étude publiée sous le pseudonyme de Bernard AIMANT dans les *Annales de philosophie chrétienne*, 128 (1894), p. 260-275, 324-341.
8. *Loc. cit.*, p. 261.

que le christianisme impliquait sans doute, mais que le travail de la réflexion philosophique n'avait pas encore pleinement dégagée : c'est que la connaissance, même adéquate, ne supplée pas à l'action[1]. " " La notion d'immanence, dont ce rationalisme qui prétend accaparer " la pensée moderne " a fait la base et la condition même de toute philosophie, loin d'exclure, requiert, si elle est complètement développée, les vérités transcendantes auxquelles elle semblait d'abord radicalement hostile[2]. " " En découvrant, selon les exigences de la critique rationaliste, ce qui est immanent en nous, nous sommes forcément amenés à reconnaître la nécessité des vérités transcendantes qui sont immanentes en elle [l'action][3]. "

On voit comment la philosophie chrétienne, telle que Blondel la développe, est à ses yeux l'aboutissement normal du devenir de la philosophie, et peut, à ce titre, se présenter comme " la philosophie ". Ce qui triomphe, dit-il, au terme d'un conflit séculaire entre le rationalisme et la conscience chrétienne, " c'est, grâce à la secrète et douce action de l'esprit chrétien qu'elle semblait combattre et qui semble lui résister, la Philosophie même, celle qui ressort de l'évolution de la pensée moderne non comme un accident passager, mais comme une acquisition en soi justifiée[4] ".

L'étude sur l'évolution du spinozisme, et divers extraits de lettres et de notes que nous avons eu l'occasion de citer, attestent que Blondel a voulu faire à l'égard du catholicisme ce que l'idéalisme allemand a fait à l'égard du protestantisme. Il le dit encore ailleurs de façon expresse : " J'ai entrepris, pour extraire du catholicisme tout l'élément rationnel qu'il contient, ce que l'Allemagne a tenté depuis longtemps et tente encore pour les formes protestantes dont la philosophie, il est vrai, est plus aisée à dégager[5]. "

Mais il ne se borne pas à l'examen du christianisme. Comme l'idéalisme allemand, il intègre cette étude au champ total de la pensée et de l'activité humaine. Il vise à " la constitution de la philosophie intégrale dans le christianisme intégral[6] ". La Trilogie et les ouvrages sur l'Esprit chrétien se présenteront comme l'accomplissement de ce programme. Sans prétendre à une telle complétude, *L'Action* de 1893 se donnait déjà une perspective très large. Examinant toutes les doctrines qui s'efforcent

---

1. *Loc. cit.*, p. 339.
2. *Loc. cit.*, p. 262.
3. *Loc. cit.*, p. 341.
4. *Lettre*, p. 92.
5. Lettre à la *Revue de Métaph. et de Mor.* (1894), reproduite dans *Études blondéliennes*, I, p. 101.
6. *Lettre* (de 1896), p. 91-92.

de borner le vouloir à tel ou tel secteur de l'activité humaine, elle parcourt ainsi tout le champ de cette activité. Critiquant selon un ordre progressif ces systèmes qui sont comme des figures de l'esprit, elle tisse un enchaînement rationnel de ces diverses figures, qu'elle maintient et dépasse à la fois. Elle réalise ainsi pour sa part quelque chose de cette intégralité à laquelle vise toute philosophie.

Elle n'est donc pas une simple apologie du christianisme. Elle n'est pas non plus une simple philosophie de la religion. Même quand on l'envisage de préférence sous l'un ou l'autre de ces aspects, on doit se garder de l'y réduire.

III. LOGIQUE DE L'ACTION
ET MÉTHODE D'IMMANENCE

Au processus rationnel qui lui permet de constituer une philosophie autonome en même temps que chrétienne, Blondel a donné deux noms. Dans *L'Action* de 1893, il l'appelait " logique de l'action "; dans la *Lettre* de 1896, il l'a nommé " méthode d'immanence ". C'est de sa propre initiative qu'il a créé le premier terme. Le second, qui ne figurait pas dans *L'Action*, lui a été imposé en quelque sorte par la nécessité de répondre au compte rendu de la *Revue de Métaphysique et de Morale* (rédigé par L. Brunschvicg), qui contestait le caractère rationnel de son effort, au nom de ce principe : la " notion d'immanence " est la condition de toute doctrine philosophique[1]. Blondel a voulu signifier que cette *notion* était précisément la norme de sa démarche, mais que, pleinement développée au cours d'une étude de l'action, elle ne conduit pas à une *doctrine* d'immanence, elle requiert bien plutôt les vérités transcendantes auxquelles elle a d'abord semblé hostile. D'où le nom de *méthode d'immanence*. Ce terme ayant favorisé des malentendus du côté catholique, l'auteur y a renoncé assez vite. C'est pour la même raison qu'il nous a semblé meilleur d'en restreindre l'usage. En dehors des cas où nous commentions un texte qui le contenait, nous avons préféré mettre en avant le terme que Blondel avait d'abord choisi et qu'il n'a jamais abandonné : logique de l'action.

1. *Revue de Métaph. et de Mor.*, novembre 1893, supplément; reproduit dans *Études blondéliennes*, I, p. 99.

" C'est le rôle de la logique de l'action, a-t-il écrit, de déterminer la chaîne des nécessités qui composent le drame de la vie et le mènent forcément au dénouement[1]. " Ou encore, son propos est de " déterminer ce qui est inévitable et nécessaire dans le déploiement total de l'action humaine[2] ". C'est de la même manière, on s'en souvient, que la *Lettre* définit le rôle de la méthode d'immanence : il s'agit d'analyser le " déterminisme de l'action ". Si l'on se rappelle que ce terme désigne le " dynamisme de la vie spirituelle[3] ", le " processus logique de la vie[4] ", la " dialectique réelle des actions humaines[5] ", on admettra aisément que " méthode d'immanence " et " logique de l'action " se recouvrent, et que le second terme indique plus directement de quoi il s'agit.

En présentant *L'Action* et la *Lettre*, en décrivant la genèse de l'idée de surnaturel, en exposant le rapport de la description phénoménologique à l'affirmation ontologique, nous avons déjà expliqué en quoi consiste le processus doublement nommé. Il convient cependant de rassembler ici des données éparses et de les compléter. Nous le ferons d'abord en examinant cette thèse chère à Henry Duméry : la méthode d'immanence n'est autre que la méthode réflexive.

" Si curieux que cela puisse paraître à certains, nous dit-on, l'intention fondamentale de Blondel est de ramener la philosophie à l'attitude réflexive et critique[6]. " L'interprète présente ici, avec une pointe polémique, le jugement qu'il répétera ensuite en de nombreux commentaires. Au terme équivoque de méthode d'immanence, il substitue celui d'analyse réflexive. La méthode blondélienne, explique-t-il, consiste à " dégager par la réflexion les conditions d'intelligibilité et de réalisation de la pensée vivante ou de l'agir effectif[7] ". Elle se fonde ainsi tout entière sur la distinction entre le " plan formel de la réflexion " et le " plan réel de l'action[8] ". S'exerçant sur l'agir humain quotidien, la réflexion "projette dans un ordre idéal toute la suite des notions, ou des normes, qui forment la structure intelligible de l'action; cet ordre

1. *L'Action*, p. 473.
2. *L'Action*, p. 475.
3. *Les Premiers Écrits de M. Blondel*, II, p. 98.
4. *Loc. cit.*, p. 141.
5. *Loc. cit.*, p. 125.
6. *Blondel et la méthode réflexive*, article reproduit dans *La Tentation de faire du bien*, p. 185.
7. *Loc. cit.*, p. 185.
8. *Blondel et la Religion*, p. 3. La même distinction est désignée par Duméry en des termes différents, que nous avons déjà rencontrés : plan réflexif et plan concret, plan phénoménologique et plan ontologique, ordre des conditions intelligibles et ordre des réalisations effectives. (Voir par exemple *La Tentation de faire du bien*, p. 185-186.)

idéal est un *déterminisme*, un enchaînement de déterminations; il " réfléchit " tout ce que l'action ne peut pas ne pas impliquer : le *nécessaire* et
l'*universel*, qui lui permettent d'avoir un sens et de le réaliser ". Mais
" cette série idéale n'est qu'un ensemble de conditions hypothétiques ";
leur réalisation dépend de la liberté. La réflexion communique des
normes et prescrit à l'homme de se décider en accord avec elles; c'est
l'option qui réalise[1]. Ainsi, selon cette distinction, " toutes les notions
(idées ou normes) entrent dans une série homogène de conditions
intelligibles, sans que la spiritualité vivante et ses démarches entrent
elles-mêmes dans la série[2] ". Il faut donc dire que " le sujet en tant que
tel, la liberté ou la pensée en acte (à plus forte raison l'Absolu) sont
transcendants par rapport au déterminisme idéal, lequel, par opposition,
est dit *immanent*, entendez : immanent au registre de la pensée réfléchie.
[...] En somme, pratiquer la méthode d'immanence, c'est d'abord, et
essentiellement, ramener la philosophie à être une critique réflexive, et
estimer en conséquence que pour passer à l'être, aux valeurs vécues, à
Dieu, il faut accomplir une démarche, non plus seulement formelle,
mais réflexive *et* effective[3]. " La méthode blondélienne s'apparente à
d'autres formes d'analyse réflexive, en particulier à celle de Lagneau,
qui elle aussi réserve à l'acte de liberté la charge de réaliser pour nous
le monde[4].

Par ses arêtes vives, par ses distinctions limpides et ses rapproche-
ments suggestifs, cette interprétation est incontestablement éclairante
et stimulante. Elle aide souvent le lecteur à se retrouver dans le maquis
foisonnant des explications prodiguées par Blondel. Nous lui devons
pour notre part un discernement plus net de certaines relations. Mais,
au fur et à mesure que nous la confrontions aux textes, elle nous a paru
simplifier et dissocier. Pour le dire franchement, en toute estime pour
l'interprète et au sein de ce dialogue amical que n'interrompent pas les
divergences, nous croyons d'une part que sa description de l'analyse
réflexive pratiquée par Blondel laisse échapper un trait caractéristique,
d'autre part, que la démarche philosophique de Blondel ne se réduit pas
à l'analyse réflexive.

1. *La Tentation de faire du bien*, p. 187.
2. *Blondel et la Religion*, p. 38, note 1.
3. *Blondel et la Religion*, p. 38, note 1.
4. *Blondel et la Religion*, p. 38, note 1; *Critique et Religion*, p. 107, note 1; *La Tentation
de faire du bien*, p. 141, note.

1. Analyse régressive.

Notons d'abord que le terme même d' " analyse *réflexive* ", si fréquent sous la plume de Duméry, est rare sous la plume de Blondel. A vrai dire, nous n'avons réussi à le trouver ni dans *L'Action* ni dans la *Lettre*. Au terme de *L'Action*, l'auteur indique qu'il a procédé par " analyse *régressive*[1] ". En des écrits ultérieurs, il parlera de " réflexion analytique " ou " rétrospection ". Peut-être serait-il préférable de conserver ce langage. On ne saurait néanmoins condamner l'emploi d'un synonyme consacré par une longue tradition. L'essentiel est que le processus désigné soit par ailleurs correctement décrit.

L'analyse régressive part d'un donné et remonte à ses conditions de possibilité. Lorsque le donné envisagé est l'action, considérée comme un dynamisme en expansion, la recherche des conditions de possibilité devient recherche des conditions de réalisation. C'est en ce sens que Blondel déclare avoir effectué une " analyse régressive " : il a déployé la série des conditions nécessaires et des moyens successivement requis pour constituer peu à peu l'action[2]. Duméry interprète donc fidèlement, lorsqu'il écrit que l'analyse réflexive pratiquée par Blondel consiste à déterminer " la série des conditions de réalisation de l'action[3] ".

Mais au delà de cet accord général apparaît une différence spécifique. Chez Blondel, l'analyse régressive vise à déterminer ce qui est " nécessaire à la volonté pour que l'action soit *mise en équation* dans la conscience[4] ". Il s'agit de découvrir " comment égaler le terme voulu au principe même de l'aspiration volontaire[5] ". On constate successivement l'inadéquation de chaque terme, jusqu'à ce qu'apparaisse enfin la condition ultime de l'équation cherchée. Bref, l'élément moteur de la régression analytique est la dialectique de la volonté voulue et de la volonté voulante.

Or, chaque fois que Duméry s'applique à définir la méthode réflexive de Blondel, il s'abstient de mentionner cette dialectique. Non pas par mégarde, mais délibérément. Nous avons déjà rapporté qu'il juge très équivoques certaines formules de la *Lettre*, parmi lesquelles figurent précisément celles qui définissent la méthode d'immanence, et qui la définissent comme description de cette dialectique. A suivre le mou-

1. *L'Action*, p. 425.
2. *L'Action*, p. 425.
3. *Critique et Religion*, p. 105.
4. *L'Action*, p. 406. Souligné par nous.
5. *L'Action*, p. 406.

vement qu'elles indiquent, on aboutit en effet à reconnaître, au principe même de l'action volontaire, un vouloir de l'infini, un besoin du surnaturel. Or, estime Duméry, un tel besoin ne peut être reconnu, d'après Blondel lui-même, et en conformité avec le dogme chrétien, que par une vérification pratique s'exerçant au sein de la foi. Il faut donc admettre que, dans les formules en question, Blondel brouille les étapes et manque lui-même à la méthode d'immanence, " qui jamais ne doit confondre le plan réflexif et le plan concret[1] ". En conséquence, la formule de la *Lettre* qui paraît à Duméry donner " la définition la plus ferme " est celle-ci : " La méthode d'immanence se borne à déterminer le dynamisme de nos représentations, sans que nous ayons à nous prononcer d'abord sur leur sens subjectif ou objectif...[2] " Là en effet apparaît clairement la distinction du " plan réflexif " et du " plan ontologique ". De plus, l'interprète ayant eu soin de traduire au préalable "dynamisme de nos représentations " par " série homogène de conditions intelligibles[3] ", la dialectique de la volonté voulue et de la volonté voulante, que l'expression de Blondel évoquait encore, disparaît de l'horizon.

Il en va ainsi d'ailleurs tout au long de l'exégèse de Duméry. Lorsque Blondel parle du " déterminisme de l'action ", son interprète traduit déterminisme par " série de déterminations[4] " ou " enchaînement de déterminations[5] "; et il explique que ces notions ou ces normes forment " la structure intelligible de l'action[6] ". L'analyse réflexive consiste à dégager cette structure intelligible, à la projeter dans un ordre idéal, qui devient impératif et normatif[7]. Elle est une description du vécu, d'où ressort un programme d'action[8]. Mais on ne voit plus assez nettement qu'elle soit analyse des conditions auxquelles la volonté voulue deviendra égale à la volonté voulante.

Nous ne pouvons nous soustraire à l'idée que cette exégèse opère une transmutation, ou tout au moins qu'elle laisse échapper ce qu'il y a de plus caractéristique dans l'analyse régressive pratiquée par Blondel. Cet élément caractéristique réside précisément en ce que Duméry juge équivoque. On devrait reconnaître le fait, même si l'on estimait que la démarche en question brouille les plans et conduit à des conclusions inacceptables. Mais nous avons montré, en examinant la genèse de

1. *Blondel et la Religion*, p. 79, note 3.
2. *Lettre*, p. 41; cité dans *Blondel et la Religion*, p. 38, note.
3. *Blondel et la Religion*, p. 38, note.
4. *Loc. cit.*, p. 68, note 1.
5. *La Tentation de faire du bien*, p. 187.
6. *La Tentation de faire du bien*, p. 187.
7. *La Tentation de faire du bien*, p. 187.
8. *Loc. cit.*, p. 168-170.

l'idée de surnaturel, que rien n'autorise ce jugement pénible. Le besoin du surnaturel, que la dialectique blondélienne fait découvrir au cœur du vouloir, n'est pas directement celui du surnaturel chrétien, et le passage d'une notion à l'autre s'effectue de telle manière que les exigences du dogme soient respectées. D'autre part, le vouloir effectif que dégage la méthode d'immanence n'est pas le vouloir explicite qui s'exerce au sein de la foi, mais le vouloir implicite qui est au principe de l'activité spontanée, en tout homme, même incroyant : on ne saurait donc dire que les rôles respectifs de la philosophie et de la décision pratique soient brouillés. Ainsi, il n'y a aucune raison de ne pas accueillir en leur sens obvie les formules de la *Lettre* qui définissent la méthode d'immanence par la recherche de l'équation entre volonté voulue et volonté voulante, ou entre ce qui est représenté et l'acte concret de la pensée vivante.

En modifiant la conception de l'analyse régressive, Duméry modifie l'idée blondélienne d'une philosophie de la religion. Celle-ci, d'après lui, serait, en sa meilleure part, une critique rationnelle de la religion positive, c'est-à-dire un " examen de la religion elle-même jusqu'en ses structures les plus fines[1] ", une analyse " portant directement sur l'appareil structural du donné religieux[2] ", une démarche de philosophe visant à comprendre et à juger ce donné, " tel qu'il se distribue selon les plans de conscience du sujet qui l'accueille[3] ". En présence du donné chrétien, la question de sa vérité effective étant réservée, il s'agirait de scruter les conditions idéales qui déterminent son intelligibilité, et de dire à quelles conditions il serait raisonnable, obligatoire d'y adhérer; Blondel appliquerait ainsi au donné chrétien, non sans la remanier, la méthode kantienne d'analyse transcendantale[4].

Nous avons indiqué ailleurs les réserves ou les précisions que nous semble appeler ce rapprochement avec la méthode kantienne[5]. Bornons-nous à rappeler ici ce qui concerne directement la méthode blondélienne dans l'examen de la religion positive.

Au moment où l'auteur de *L'Action* aborde cet examen, il s'applique, nous l'avons vu, à montrer que le donné chrétien définit ce qui apparaît au philosophe comme *la condition nécessaire de l'achèvement de l'action hu-*

1. *Critique et Religion*, p. 101.
2. *Loc. cit.*, p. 109.
3. *Loc. cit.*, p. 108.
4. *Blondel et la Religion*, p. 54, note 2.
5. *Maurice Blondel et la Philosophie de la religion*, dans *Recherches de Science religieuse*, 1960, p. 316-317, 321-324.

maine. Le caractère analytique de la méthode, il l'indique lui-même, réside précisément dans cette démonstration, qui suppose le problème résolu (en acceptant doctrine et pratique chrétiennes à titre d'hypothèse), et vérifie la solution fictive " par voie d'analyse[1] " (en établissant que l'hypothèse est nécessaire comme condition d'achèvement de l'action). L'analyse ne consiste donc pas à trier les éléments du donné chrétien ou à critiquer ses structures, mais à découvrir, au nom même du déterminisme de l'action humaine, la nécessité et la cohérence de l'hypothèse[2]. Dogmes et rites ne sont pas pour Blondel l'idée à scruter, mais l'idée grâce à laquelle il peut déterminer jusqu'au bout les exigences du vouloir.

Duméry reconnaît que Blondel n'a réalisé qu'en partie le dessein qu'il aurait eu d'instituer une critique directe des structures religieuses; la plupart du temps, il s'est borné à une confrontation des problèmes philosophiques et des données théologiques[3]. Cependant sa théorie du surnaturel serait autre chose que le résultat d'une telle confrontation; elle serait proprement la critique philosophique d'une notion théologique[4]. Effectivement, au début de la cinquième partie de *L'Action*, au moment précis où l'auteur aborde l'examen de l'idée chrétienne du surnaturel, quelques pages portent en titre courant : " la critique de la notion du surnaturel[5] ". Mais précisément, ces pages annoncent que la méthode consistera à " confronter " les dogmes avec les profondes exigences de la volonté, afin d'y découvrir éventuellement " l'image de nos besoins réels[6] ". Il ne s'agit donc pas d'une critique portant directement sur l'appareil structural du donné religieux ou sur l'expressivité religieuse. Lorsque Blondel instaure la " critique " de la notion de révélation, il ne s'applique nullement à cribler l'anthropomorphisme de l'expression : il veut simplement montrer que cette notion proposée de l'extérieur jaillit aussi d'une initiative interne[7]. Critique signifie ici étude de la genèse, l'auteur le dit expressément[8].

Il est vrai que la quatrième partie de *L'Action* ne comporte pas de confrontation expresse entre les dogmes et les exigences philosophiques. Elle montre, on s'en souvient, comment surgit en tout homme l'idée d'un surnaturel indéterminé. L'idée immanente qu'elle dégage est ce par quoi l'homme pourra trouver un sens à l'idée spécifiquement chré-

---

1. *L'Action*, p. 391.
2. *L'Action*, p. 400-401.
3. *Critique et Religion*, p. 107-112.
4. *Loc. cit.*, p. 107; *Blondel et la Religion, passim.*
5. *L'Action*, p. 390-392.
6. *L'Action*, p. 391.
7. *L'Action*, p. 397.
8. *L'Action*, p. 393.

tienne. Cette étude permettra donc ultérieurement de " déduire " l'idée chrétienne, par une confrontation entre elle et l'idée immanente. Par là, elle permettra de fonder la positivité chrétienne. Mais Blondel ne lui demande pas de déterminer quel coefficient critique peut revenir à ses diverses expressions.

Bien entendu, nous parlons ici en historien. Comme philosophe ou comme théologien, nous dirions qu'il est nécessaire d'instaurer une critique de l'expression religieuse. Saint Thomas lui-même en posait le principe dans sa doctrine de l'analogie des noms divins. Cette ébauche doit être développée, en tenant compte des acquisitions de la pensée moderne et de la science des religions. A ce titre, l'entreprise de Duméry dans son œuvre personnelle de philosophe est légitime, et les réserves qu'appellent certains de ses résultats ou même certains des principes adoptés par l'auteur, ne doivent pas le faire oublier[1]. Mais l'entreprise de Blondel était autre.

On doit s'en souvenir lorsqu'il déclare que la philosophie n'est pas réduite " à une critique purement explicative, sans aucune judicature ", que " dans le transcendant de la pensée et de l'action immanentes elle trouve un principe interne de jugement absolu[2] ". La judicature qui revient d'après lui à la philosophie n'est pas celle que Duméry revendique pour elle. Elle ne consiste pas à " affecter chaque structure religieuse d'un indice critique destiné à la situer dans la gamme des niveaux de conscience "; ou encore à " différencier les niveaux noétiques " et à " les intégrer dans la visée d'une même intentionnalité[3] ". Elle consiste à définir, au nom du déterminisme de l'action, ce que doit être notre vie. La philosophie découvre en effet, d'après Blondel, " qu'il y a en notre volonté générale et profonde une *logique* dont nous n'avons qu'à discerner les actuelles exigences impliquées dans ce que nous pensons et posées par ce que nous faisons en effet, [...] pour retrouver, sous les apparences fragmentaires d'une *vie* en voie de devenir, *ce qu'elle doit être*, grâce à l'intelligence plus claire de *ce qu'elle ne peut pas ne pas être*[4] ". Ainsi donc, ce que la philosophie scrute et juge, ce ne sont pas les structures religieuses, mais la vie humaine. Et elle la juge au nom de la logique interne de l'action.

---

1. Ceci n'a pas été suffisamment reconnu par plusieurs des théologiens catholiques qui ont exprimé leurs réserves. Il est même arrivé à tel ou tel de ne pas soupçonner le sens de l'entreprise et de formuler ainsi des critiques qui tombent à côté.

2. *Lettre*, p. 67. Duméry renvoie à ce texte dans *La Tentation de faire du bien*, p. 140, note.

3. *La Tentation de faire du bien*, p. 140.

4. *Lettre*, p. 67-68. C'est nous qui soulignons.

2. *Philosophie pratiquante.*

Nous avons expliqué en quoi la méthode d'immanence, qui dégage cette logique de l'action, est analyse régressive ou réflexion analytique. Il nous faut montrer maintenant qu'elle est aussi, et nécessairement, prospection, c'est-à-dire connaissance directe, pratique et synthétique.

La distinction et la complémentarité de ces deux processus a été explicitée par Blondel de façon particulièrement nette en 1906, au cours d'une étude que nous avons déjà mentionnée sur *Le Point de départ de la recherche philosophique*[1]. " Il y a, dit l'auteur, une première connaissance qui, parfaite en son genre, est directe, au service de nos desseins réels et actuels, liée à notre vie totale, tournée vers le futur qu'elle anticipe comme pour s'y appuyer déjà en le prévoyant et en l'évoquant, capable de croître en clarté et en précision sans rien perdre de son caractère unitif et pratique. C'est elle dont se contentent le plus souvent la plupart des hommes et dont aucun, pour vivre, ne se passe jamais[2]. " Elle suffit aux besoins de la pratique, elle suffit aussi à résoudre le problème de la destinée. En tant que connaissance directe, elle se distingue de " la connaissance tournée vers les résultats obtenus ou les procédés employés, tels que par abstraction on les analyse rétrospectivement[3] ". Afin de réserver à celle-ci le nom de " réflexion ", qui lui revient au sens strict, Blondel propose de donner à la première celui de " prospection ", qui a l'avantage de la désigner " en ce qu'elle peut avoir d'avisé, de délibéré, de circonspect[4] ".

Rappelant cette distinction des deux connaissances, prospective et rétrospective, Duméry déclare que la philosophie est une mise en œuvre de la seconde[5], ce qui est exact; mais il ne dit pas qu'elle fasse appel aussi à la première. Or Blondel explique, précisément dans l'étude à laquelle nous nous référons, que la philosophie doit unir et coordonner dans sa

1. *Annales de philosophie chrétienne*, janvier et juin 1906.
2. *Loc. cit.*, janvier 1906, p. 341.
3. *Loc. cit.*, janvier 1906, p. 342.
4. *Loc. cit.*, janvier 1906, p. 342. Blondel précisera plus tard que la prospection comporte aussi une réflexion *sui generis*. Il nommera alors la réflexion proprement dite " rétrospection " ou " réflexion analytique ". (Voir *Vocabulaire de Philosophie*, publié par LALANDE, s. v. *Prospection* et *Réflexion*.)
5. Article sur *La Philosophie de l'Action*, dans *La Tentation de faire du bien*, p. 169.

construction technique, comme elles le sont dans la vie, la prospection pratique et la réflexion[1].

Il avait déjà exposé la même idée, en termes différents, dans un cahier portant la date de 1900 et contenant une série de notes préparatoires à une seconde édition de *L'Action*[2]. Il distingue là deux faces complémentaires de sa recherche : " 1° La marche progressive et synthétique de la vie spontanée à la recherche d'une solution effective. 2° La régression réfléchie et l'expression technique ou intellectuelle qui projette du terme vital la lumière sur les origines même de la route[3]. " D'une part, il veut " décrire le tâtonnement de l'homme en quête de sa destinée " : " travail de recherche spontané ou réfléchi, qui exerce toutes nos puissances de vivre et de penser ", " travail qui est la vie même " et dont la description est " tirée d'une expérience intime ". D'autre part, il veut " extraire de ces démarches complexes de la vie et de ces expériences pratiques, de ces sondages, de ces tâtonnements successifs et progressifs, le sens théorétique ou philosophique qu'ils recèlent[4] ". Pour éviter les malentendus, il se propose de distinguer ces deux aspects de la recherche plus nettement qu'il ne l'a fait dans la première édition. Mais il ne veut pas les séparer en deux livres distincts, parce qu'ils sont vitalement unis. " La méthode d'invention dialectique n'est pas légitimement séparable de la méthode de progression effective. [...] Chaque processus vital promeut et permet un processus de la réflexion qui, à son tour, soutient et même impère un nouveau mouvement de la vie, un surcroît d'action[5]. "

Voilà qui caractérise fort bien l'itinéraire de l'ouvrage publié en 1893. L'analyse régressive y est constamment promue par une prospection qu'elle impère à chaque étape. Mais il ne suffit pas de constater qu'il en est ainsi; on ne peut même le discerner clairement qu'en comprenant pourquoi il doit en être ainsi.

Dans *L'Action*, l'analyse régressive ne s'applique pas, comme elle le fait chez Kant, à un donné stable : la science déjà constituée ou la loi morale, forme universelle. Elle s'applique à l'action humaine envisagée comme dynamisme en expansion. Cette action, qui est un fait, n'est pas proprement un " donné "; elle se donne bien plutôt, au cours du mouvement par lequel elle se déploie. Telle est la raison pour laquelle la démarche intellectuelle qui la réfléchit doit être prospective en même

1. *Annales de philosophie chrétienne*, juin 1906, p. 225-227, 240-242, 246, etc. Le mot " prospection pratique " figure à la page 242.

2. Le texte de ce cahier a été publié dans les *Études blondéliennes*, II, p. 21-46.

3. *Loc. cit.*, p. 44.

4. *Loc. cit.*, p. 21-22.

5. *Loc. cit.*, p. 22.

temps que régressive. Il s'agit en effet de déterminer " ce qui est inévitable et nécessaire dans le déploiement total de l'action humaine[1] ".
Le dévoilement du nécessaire est assurément une analyse régressive.
Mais les nécessités intérieures à l'action " ne se révèlent que dans et par
le développement même de son intime histoire. Il faut donc se mettre
pour ainsi dire en elle, assister à cette dialectique de la vie réelle[2]. "

Si la volonté, dit Blondel, " a une règle à observer, une opération à
produire, des relations morales et sociales à instituer, c'est par cette
expansion même qu'elle les découvrira, grâce à une méthode dont l'originalité est incomparable. Car c'est l'initiative *a priori* de cette libre activité qui, en se déployant, doit reconstituer la nécessité à laquelle elle est
soumise pour ainsi dire *a posteriori*; ainsi l'hétéronomie de sa loi correspondra à son autonomie intérieure. [...] Là est le caractère unique de
l'expérimentation pratique : l'action volontaire provoque en quelque
manière la réponse et les enseignements du dehors; et ces enseignements
qui s'imposent à la volonté sont pourtant enveloppés dans cette volonté
même. Toute la suite justifiera cette vue[3]. " Effectivement Blondel
répète souvent la même indication sous des formes diverses adaptées à
chaque étape[4]. Chaque fois apparaît la même circumincession de l'*a
priori* et de l'*a posteriori*. L'élan initial du vouloir n'est mesuré qu'au
sein des expériences successives qu'il assume. La description de son
déploiement est indissolublement réflexion analytique et prospection
synthétique.

Voilà pourquoi nous ne saurions admettre que " l'intention fondamentale de Blondel " aurait été de " ramener la philosophie à l'attitude
réflexive et critique[5] ". Certes, Duméry n'entend pas nier le caractère
prospectif de sa pensée. Mais il le mentionne rarement. Il semble même
y voir une imperfection[6]. Pour lui, c'est l'analyse réflexive qui constitue

1. *L'Action*, p. 475.
2. *L'Action*, II (1937), p. 411.
3. *L'Action*, p. 127.
4. *L'Action*, p. 281, 296.
5. *La Tentation de faire du bien*, p. 185.
6. Voir l'article *Aspiration et Réflexion*, dans *Les Études philosophiques*, 1954, n° 4.
Sans les travaux de Jacques Paliard, dit ici Duméry, " il manquerait au blondélisme
des chapitres importants; il lui manquerait même une certaine structure noétique qu'il
présuppose et qu'il implique partout, mais que le " réflexif " Jacques Paliard a su
expliciter mieux que le " prospectif " Maurice Blondel " (p. 420). Car, " chez Blondel,
la synthèse eut toujours le primat sur l'analyse ". (*Ibid*. Comment accorder cela avec
les déclarations habituelles du même interprète ?...) Paliard a " prolongé et complété
Blondel " en faisant fructifier la distinction de l'action concrète et des conditions idéales
de l'action, distinction " que Blondel n'a pas toujours tenue avec une égale fermeté "
(p. 424).

la philosophie. Or Blondel a précisément voulu dépasser cette conception, qui lui paraissait incomplète. " On semble admettre, a-t-il écrit, que la philosophie n'est qu'une rétrospection sur des réalités et des initiatives préalables à son intervention et indépendantes d'elle; on charge la spéculation de dégager et de déterminer les principes théoriques qui dominent l'ordre naturel et les applications pratiques. Mais d'ordinaire on ne songe pas que la pratique même est à son tour une source originale de connaissances et de leçons[1]. " " Non seulement le philosophe doit vivre et croître en homme, mais sa vie humaine doit entrer comme un élément intégrant dans sa philosophie même, comme une source jaillissante, comme une force neuve de sa spéculation intellectuelle[2]. " Voilà ce qui caractérise la philosophie de l'action; elle est une " philosophie pratiquante[3] ". Ainsi s'exprime Blondel en 1937, au moment où il réédite, en la remaniant pour l'intégrer à la philosophie spéculative de la Trilogie, *L'Action* de 1893. A la première époque de sa pensée, il était plus radical encore. " La philosophie, disait-il, ne commence vraiment que lorsque, non contente de se référer à l'idée de l'action comme à son objet propre, elle se surbordonne à l'action effective et devient " pratiquante ". [...] L'action effectuée est une condition intégrante de la connaissance philosophique[4]. " Dans cette perspective, " la philosophie n'apparaît plus comme un simple extrait de la vie, comme une représentation, comme un spectacle; elle est la vie même prenant conscience et direction d'elle-même[5] ". La philosophie de l'action, dirions-nous, est moins réflexion *sur* l'action que réflexion *de* l'action sur elle-même.

Elle se développe donc autrement qu'une simple analyse transcendantale. Si la démarche de la pensée blondélienne offre quelque ressemblance avec celle de Kant ou celle de Husserl, elle rappelle sensiblement plus celle de Hegel dans la *Phénoménologie de l'Esprit*. Certes, qu'il s'agisse de la méthode ou des conclusions, la différence est profonde entre les deux œuvres. Mais une chose nous intéresse ici, c'est qu'on trouve, malgré tout, des deux côtés une " connaissance scientifique " qui se livre sans réserves à la vie et au mouvement dialectique de la réalité humaine, et qui assiste ainsi à sa propre genèse et à sa propre évolution.

Duméry reconnaît que la philosophie blondélienne maintient la

1. *L'Action*, II (1937), p. 8.
2. *Loc. cit.*, p. 11.
3. *Loc. cit.*, p. 12.
4. *Le point de départ de la recherche philosophique*, dans *Annales de phil. chrét.*, juin 1906, p. 239. Cf. p. 240 : " La philosophie ne s'est jamais bornée à la réflexion qui analyse... "
5. *Loc. cit.*, p. 227.

" solidarité " des deux " plans ", réflexif et concret[1]. C'est trop peu dire : il y a circumincession. Parler ici de " plans ", même solidaires, même reliés entre eux, n'indique pas assez que la réflexion sort de la vie et y ramène, que " l'idée est vive et pleine dans la mesure où elle vise l'action elle-même, l'exprime et s'en nourrit[2] ". C'est une tâche louable assurément que de vouloir laver cette thèse du reproche d'anti-intellectualisme. Mais autant il est vrai que la philosophie blondélienne ne déprécie pas l'intelligence, autant il est difficile de la caractériser comme un " intellectualisme intégral[3] ". Pour y arriver, on a dû relâcher à l'excès la communication que Blondel avait établie entre la réflexion et la pratique.

Qu'il les distingue nettement au sein même de cette communication, la chose est incontestable. Nous avons vu le soin qu'il y met, et Duméry a eu raison d'y insister. Mais on doit se rappeler aussi que, dans une " étude de l'action par l'action[4] ", cette distinction est elle-même purement formelle, parce que la forme dégagée par la réflexion est identique à la forme de l'action et ne peut être dégagée qu'en suivant le mouvement même de l'action. La structure intelligible de l'action humaine est identiquement la dialectique réelle de l'action humaine.

Cette identité se trouve voilée dans la définition même que Duméry donne du mot *immanence*. D'après lui, ce terme désignerait, chez Blondel, " le plan de la réflexion analytique (où s'emploie professionnellement le philosophe) ", tandis que *transcendance* désignerait " le plan de l'agir concret, où se situent la liberté de l'homme, la présence et l'action divines[5] ". Remarquons d'abord qu'il serait difficile de faire entrer dans ce schéma les divers emplois que Blondel fait des deux termes. Il lui arrive en effet d'écrire que la vue réfléchie ou philosophique est transcendante à l'action qu'elle représente; et lorsqu'il déclare que l'action est transcendante à la vue réfléchie, il entend bien que cette action elle-même nous est immanente. Cet enchevêtrement de relations se trouve parfois ramassé dans une même phrase, telle celle-ci : " D'une part, ce qui nous est immanent, comme l'action et la pensée vivante, reste encore transcendant à la vue réfléchie ou philosophique qu'on en a, et d'autre part, cette connaissance philosophique constitue un phénomène ultérieur ou transcendant à ce qu'elle représente[6]. " On ne saurait donc dire

1. *Blondel et la Religion*, p. 28, note 1; *Critique et Religion*, p. 132.
2. Expression de Jean TROUILLARD : *La structure de la recherche métaphysique selon Maurice Blondel*, dans *Les Études philosophiques*, 1952, n° 4, p. 368.
3. Voir H. DUMÉRY, *La Philosophie de l'Action*, Conclusion; *La Tentation de faire du bien*, p. 193-203.
4. *L'Action*, II (1937), p. 409.
5. *Blondel et la Religion*, p. 38, note.
6. *Lettre*, p. 64; cf. p. 65, 67.

purement et simplement qu'immanence désigne le plan de la réflexion analytique, tandis que transcendance désignerait celui de l'agir concret[1]. En réalité, immanence désigne toujours ce qui est immanent en nous, " ce qui est en effet dans la conscience[2] ", " ce que nous pensons vraiment et invinciblement[3] ", " la série intégrale de nos idées inévitables et de nos conceptions solidaires[4] ", bref le déterminisme de l'action. Selon que celui-ci est envisagé comme implicite vécu ou comme explicite connu, le même terme d'immanence recouvre tantôt l'action ou la pensée spontanée et tantôt la réflexion. Il n'est donc pas attaché au seul plan de la réflexion. En conséquence, du point de vue terminologique, " méthode d'immanence " n'est pas synonyme de " méthode réflexive ". Le terme indique bien plutôt que la réflexion dégage les exigences *immanentes à l'action* ou à la pensée spontanée. Il désigne donc aussi bien l'identité que la distinction de la structure intelligible et de la dialectique réelle de l'action. " Car nous ne cherchons rien en nous qui n'y soit déjà en germe, et nous n'y trouvons rien qui ne soit mis en évidence et en valeur par le travail de la réflexion[5]. "

Il est incontestable, cependant, que Blondel a donné une importance capitale à cette affirmation, que personne ne conteste, mais que les philosophes, dit-il, ont généralement négligée : " La vie et la connaissance de la vie sont choses distinctes "; " l'action et l'idée de l'action sont hétérogènes et irréductibles[6]. " La question se pose donc de savoir comment Duméry, qui met au cœur de son exégèse la distinction que Blondel met au cœur de sa pensée, en arrive par là même à une interprétation tantôt incomplète, tantôt inexacte de cette pensée. La raison en est, nous semble-t-il, qu'il n'a pas assez relevé le sens typiquement blondélien de cette distinction et qu'il a en outre voulu trouver en elle l'âme de la méthode d'immanence, alors qu'elle définit simplement la limite que cette méthode s'impose.

Toute philosophie réflexive (et à vrai dire toute philosophie consciente d'elle-même) pose, en s'instaurant, la distinction du concret vécu et des conditions formelles d'intelligibilité. Mais ce n'est pas cela *seu-*

---

1. Cette dernière proposition est elle-même unilatérale. Car, d'après Blondel, " nous pensons forcément que notre pensée porte, *immanente* en elle, un élément de *transcendance*, une hétéronomie réelle postulée par son autonomie idéale ". (*Les Premiers Écrits*, II, p. 113; souligné par nous). Il y a une " *affirmation immanente du transcendant* ", qui " ne préjuge en rien la réalité transcendante des affirmations immanentes ". (*Lettre*, p. 40 ; souligné par nous.)

2. *L'Illusion idéaliste*, dans *Les Premiers Écrits*, II, p.109.

3. *Loc. cit.*, p. 113.

4. *Lettre*, p. 39.

5. *L'Illusion idéaliste*, dans *Les Premiers Écrits*, II, p. 112.

6. *Loc. cit.*, p. 114.

lement que Blondel veut dire en énonçant que l'action et l'idée de l'action sont hétérogènes et irréductibles. Il affirme en outre et surtout l'insuffisance de la philosophie à nous mettre en possession de l'être, c'est-à-dire de l'absolu, et la nécessité d'une action généreuse pour y atteindre. Tel est le sens manifeste des explications qui suivent l'énoncé. " Tout système obstiné à placer l'être au bout d'une recherche spéculative échouera finalement dans ses affirmations. Car la plénitude de l'être réside justement dans ce qui sépare l'idée abstraite, de l'acte d'où elle est issue, et de l'acte où elle a pour unique mission de nous orienter[1]. " " Ce n'est point par la *vue* seule, mais par la *vie* que nous avançons dans l'être, en faisant comme un saut de générosité au delà de la portée des justifications intellectuelles. Posséder est plus qu'affirmer, mais on n'affirme mieux qu'en possédant plus : nous ne pouvons avoir l'être davantage dans l'esprit sans l'avoir aussi davantage dans nos actes[2]. " " Dès qu'elle s'enclôt en prétendant se suffire à elle-même et suffire à la vie, la philosophie est contre nature[3]. "

Ces citations indiquent clairement en quel sens Blondel énonce sa distinction entre la vie et la connaissance de la vie. Le lecteur y aura reconnu la thèse que nous avons longuement expliquée en étudiant le rôle de l'option religieuse dans l'affirmation ontologique et le rapport entre la connaissance des phénomènes et l'affirmation plénière de l'être. Or nous indiquions déjà, au terme de ce chapitre, que la distinction entre " plan réflexif " et " plan ontologique ", telle que la comprend Duméry, ne laisse pas voir nettement que le problème ontologique, chez Blondel, est celui du rapport entre le discours humain et l'absolu. Et nous en donnions la raison : sous le nom de " plan ontologique ", l'interprète mêle constamment deux questions très distinctes : la question de l'*être* et la question de *fait*[4]. Par question de fait, ou d'existence ou de réalité, il entend en particulier la question de savoir s'il y a une révélation divine et si le christianisme est effectivement cette révéla-

1. *Loc. cit.*, p. 116. Que le mot être soit ici synonyme d'absolu, c'est indiqué à la page précédente : " Il semblait qu'il fallût ou bien que la pensée [...] atteignît par elle seule l'être et l'absolu... " C'est indiqué encore à la page 121, où Blondel écarte encore une fois cette forme de " l'illusion intellectualiste " : " La pensée est la plus haute et, vue de plus près, la seule forme sous laquelle l'absolu puisse être saisi. " — Cette proposition, que l'auteur met entre guillemets, sans référence, a déjà été citée par lui, avec référence, dans l'article sur l'évolution du Spinozisme (*Annales de philo. chrét.*, 128 (1894), p. 337) : elle est tirée de la *Logique* de Hegel (trad. Véra, t. I, p. 216).
2. *Les Premiers Écrits*, II, p. 117.
3. *Loc. cit.*, p. 119.
4. " Question de fait " ou " jugement d'existence ", identifiés à " problèmes ontologiques " : *Blondel et la Religion*, p. 54-55, note. — " Question de fait " ou de " réalité ", identifiée à " question de l'être " : *Critique et Religion*, p. 105-106.

tion. Mais c'est là tout autre chose que de savoir comment chaque homme, même ignorant le christianisme, peut affirmer et posséder l'être, c'est-à-dire entrer en communion avec l'absolu. En traitant comme synonymes " plan ontologique ", d'une part, " plan concret " ou " plan réel de l'action ", d'autre part, on tend à effacer ce qu'il y a de plus caractéristique dans la pensée blondélienne. La distinction si prégnante par laquelle elle signifie l'insuffisance de la réflexion et la nécessité du sacrifice pour communier à l'absolu, est ramenée à la simple et banale distinction entre l'idéal et le réel, le réfléchi et le vécu.

Lorsque Blondel déclare que la théorie ne supplée pas à la pratique, on traduit ainsi : " L'idée doit toujours ramener au réel, la connaissance doit toujours conduire à vouloir et à faire[1]. " Traduction exacte, mais insuffisante. Ce que Blondel veut dire, nous l'avons déjà rapporté, c'est que la philosophie ne peut pas " *fournir l'être dont elle étudie la notion*, contenir la vie dont elle analyse les exigences, suffire à ce dont elle fixe les conditions suffisantes, réaliser cela même dont elle doit dire qu'elle le conçoit nécessairement comme réel[2] ". Voilà qui dépasse largement la simple prescription de revenir au réel et d'agir en conformité avec les normes dégagées par la réflexion.

D'ailleurs, il importe de comprendre en quel sens la philosophie blondélienne " prescrit "[3]. On nous dit qu'après avoir manifesté à l'intelligence " l'ordre idéal qu'implique l'action ", " la réflexion impose à la liberté de se prononcer, d'*opter*, c'est-à-dire de choisir pour ou contre l'ordre[4] ". A vrai dire, il ne s'agit pas simplement de choisir pour ou contre l'ordre, mais plus profondément, comme le même interprète le note ailleurs[5], de choisir pour ou contre l'ouverture à l'Absolu, à l'unique nécessaire. Mais ce que nous voulons signaler surtout, c'est que, à parler strictement, la philosophie de l'action *ne prescrit pas d'opter*, elle montre que tout homme *opte nécessairement*. Puis elle établit que seule l'option positive le met en possession de l'être; et c'est en ce sens très précis qu'elle prescrit d'opter, non pas pour ou contre, mais *pour* l'ouverture à l'unique nécessaire. Cette remarque n'est pas une simple chicane de langage. Elle met en relief ce par quoi Blondel veut assurer l'unité de la théorie et de la pratique ou " le lien de la connaissance et de l'action dans l'être ". Le lien réside précisément en ceci que l'affirmation nécessaire de l'être passe *inévitablement* par une option, qui la rend privative ou possessive de l'être.

1. *La Tentation de faire du bien*, p. 170.
2. *Lettre*, p. 66. Souligné par nous.
3. *La Tentation de faire du bien*, p. 170, 187; *Blondel et la Religion*, p. 27.
4. *Critique et Religion*, p. 131.
5. *La Tentation de faire du bien*, p. 187, note.

Ainsi, lorsque Blondel distingue la théorie et la pratique, et déclare que la première ne supplée pas à la seconde, il vise beaucoup plus loin que ne le laissent entendre les explications qu'on nous donne sur la distinction du plan réflexif et du plan concret. Et le rapport qu'il établit entre elles n'est pas simplement une solidarité, mais un rapport dialectique, impliquant retour de la scission à l'unité.

Précisons enfin que cette distinction n'est pas l'âme de la méthode d'immanence, mais marque simplement sa limite. C'est cette limite que veut indiquer la formule où l'on a cru trouver " la définition la plus ferme " de la méthode blondélienne : " La méthode d'immanence *se borne* à déterminer le dynamisme de nos représentations, sans que nous ayons à nous prononcer d'abord sur leur sens subjectif ou objectif...[1] " La suite de la phrase va dans le même sens : " ...il s'agit *simplement* d'analyser cette idée inévitable d'une dépendance de la raison et de la volonté humaine avec toutes les conséquences qu'elle implique. " Et Blondel le répète de façon plus nette : la philosophie " *restreint* la signification formelle de ses conclusions dans les *limites* de sa méthode d'immanence ", en ce sens qu'elle ne prétend pas " suppléer à la solution effective qu'elle ne saurait fournir[2] ". Mais avant d'indiquer les limites de la méthode, il a défini son mouvement propre, qui consiste, nous l'avons vu, dans la recherche de l'équation entre volonté voulue et volonté voulante, ou entre la représentation et l'acte concret de la pensée vivante. C'est là qu'il faut voir l'âme de la méthode d'immanence.

Arrêtons ici l'explication de cette méthode. Nous étions parti d'une interprétation proposée en ces termes : " Si curieux que cela puisse paraître à certains, l'intention fondamentale de Blondel est de ramener la philosophie à l'attitude réflexive et critique[3]. " Nous croyons avoir montré en quoi ce jugement est " curieux ", quelles réserves il appelle, quelle réduction l'a déterminé et comment on doit restituer la part de vérité qu'il contient.

---

1. *Lettre*, p. 41. Souligné par nous.
2. *Lettre*, p. 67. La distinction entre théorie et pratique est mieux marquée dans cette formule que dans celle sur laquelle on attire notre attention. Car, si la méthode d'immanence nous interdit de nous prononcer " d'abord " sur le sens subjectif ou objectif de nos représentations, elle nous contraint *finalement* à reconnaître leur sens objectif, c'est-à-dire leur portée ontologique. Elle nous fait connaître en même temps, il est vrai, que cette affirmation nécessaire de l'être ne nous met en possession de l'être que moyennant une option positive en présence de l'unique nécessaire. C'est par là qu'on rejoint la solution effective que donne la pratique.
3. *La Tentation de faire du bien*, p. 185.

3. *Agnition.*

Parmi les traits qui caractérisent la " philosophie pratiquante " instaurée par Blondel, il en est un que nous n'avons pas encore directement envisagé : la philosophie de l'action ne peut se constituer et se faire accepter que par un libre consentement. Certes, tout au long de *L'Action*, nous l'avons montré, le passage d'une étape à l'autre n'est effectué qu'à la vue d'une nécessité rationnelle. Celle-ci, toutefois, d'après l'auteur lui-même, ne peut être simplement enregistrée, elle doit être librement reconnue. C'est là, d'ailleurs, un trait constant de la pensée blondélienne. Il convient de le relever et de montrer comment il ne contredit pas la rationalité qu'elle revendique.

On peut lire dans la seconde édition de *L'Action*, celle de 1937 : " A chaque stade surgit la tentation de nous arrêter, de nous complaire, de nous fortifier sur nos positions acquises. A chaque stade nous sommes non point contraints, mais sincèrement obligés de passer outre[1]. "

Cette déclaration ne figurait pas dans le texte de 1893. On y rencontre même quelques formules qui sembleraient attribuer une valeur contraignante à la dialectique. Dans un passage de la conclusion, inséré après coup pour répondre à l'objection de Boutroux que nous avons rapportée plus haut, Blondel écrit : " Si ce besoin [de l'infini] est en nous, comment faire qu'il n'y soit pas, *comment échapper à la nécessité de le reconnaître ?* " De toutes les tentatives pour découvrir une échappatoire, " il ne ressort qu'un système d'affirmations liées qui peu à peu nous *contraignent* à poser, devant la pensée réfléchie, le terme qui était déjà présent à l'origine du mouvement par où on le fuyait[2] ".

Comme l'a justement remarqué le P. Cartier, au cours d'une analyse particulièrement pénétrante, " les expressions de Blondel dépassent ici sa pensée profonde[3] ". Emporté par le souci de faire valoir la rationalité de sa démarche, le jeune philosophe laisserait croire que la vérité nécessaire de l'action doit s'imposer à tous les esprits sans qu'ils aient à la reconnaître librement. Mais il convient de remarquer aussi que les expressions dont tel est le sens obvie (celles que nous avons soulignées) ne figurent plus dans le compte rendu de la soutenance que Blondel a fait publier quelques années après par l'abbé Wehrlé[4] (et que nous avons cité plus haut).

---

1. *L'Action*, II (1937), p. 131.
2. *L'Action*, p. 489-490. C'est nous qui soulignons.
3. A. Cartier, *Existence et Vérité*, p. 229.
4. Voir *Études blondéliennes*, I, p. 82-83.

Il faut noter surtout que, dans *L'Action* elle-même, Blondel a fort bien marqué ailleurs que les exigences internes de la volonté voulante, malgré leur caractère inexorable, ne peuvent être que librement reconnues. Un passage du dernier chapitre est particulièrement net à cet égard, car il conjoint dans une même phrase les deux aspects complémentaires. De " toutes les conditions sensibles, scientifiques, intellectuelles, morales et religieuses de la vie humaine ", l'auteur affirme ceci : " Bien qu'elles soient impliquées spontanément en nous, *nous avons à les reconnaître par un libre effort* ; [...] bien que nous puissions nous révolter contre elles, elles ne cessent pas de se réaliser en nous[1]. "

On dira peut-être que cette affirmation est globale, qu'elle vise simplement la reprise du déterminisme total de l'action au sein de l'option religieuse, qu'elle ne signifie aucunement la liberté du processus par lequel on avance d'étape en étape au sein même de ce déterminisme. Une telle interprétation nous paraîtrait restreindre indûment sa portée. Sans doute, dans son ardeur à vouloir convaincre et entraîner le lecteur, Blondel insiste-t-il, tout au long du livre, sur le caractère scientifique de sa démarche et de ses conclusions, sur la nécessité rationnelle de dépasser chaque étape où l'on serait tenté de s'arrêter. Même quand il développe la dialectique de la liberté, il écrit : " Cet enchaînement rigoureux comporte une détermination scientifique : il y a une logique nécessaire de la liberté[2]. " Mais il n'oublie pas que cette logique nécessaire est celle d'une liberté, que par suite elle ne peut être enregistrée sans être reconnue. Un exemple. Lorsque la critique du pessimisme l'a amené à poser cette vague affirmation : " il y a quelque chose ", il déclare que cette proposition est " un aveu sincère de la volonté[3] ", une " donnée consentie[4] ". Et il insiste : " Il y a quelque chose. Cette donnée qu'accordent ceux mêmes qui concèdent le moins, cet aveu de la naïve expérience ne m'est point imposé malgré moi : j'ai voulu qu'il y ait quelque chose[5]. " Dira-t-on que l'auteur parle ici de la volonté voulante ? Assurément, mais il indique aussi qu'elle vient précisément d'être ratifiée sur ce point par la volonté voulue : " On a *opté* pour ce *quelque chose* qui est immédiatement senti, connu, désiré de tous ; [...] on l'a fait, en esprit de *défiance* contre l'autre alternative qu'on s'était suscitée, et dont l'inconnu a paru gros de troublantes superstitions. Je demeurerai fidèle à ce *dessein*...[6] "

1. *L'Action*, p. 464. Souligné par nous.
2. *L'Action*, p. 127.
3. *L'Action*, p. 40-41.
4. *L'Action*, p. 41.
5. *L'Action*, p. 43.
6. *Ibid.* Sauf " quelque chose ", les mots sont soulignés par nous.

Au jugement du P. Cartier, Blondel n'aurait pas assez remarqué " que sa science universelle et nécessaire [de l'action] ne peut être constituée que par un libre et personnel engagement, que ses lecteurs, pour le suivre, doivent assumer à leur tour[1] ". L'exemple précis que nous venons de citer, et les déclarations plus générales dont nous l'avons fait précéder, montrent qu'il en avait nettement conscience. Au lecteur de s'en souvenir, quand l'auteur omet de le répéter, ou lorsque certaines expressions un peu forcées laisseraient croire qu'il l'oublie.

Nous hésiterions donc à dire que Blondel, infidèle alors à son principe, sépare parfois pensée et action, liaison et affirmation[2]. S'il semble le faire dans la Lettre de 1894 à la *Revue de Métaphysique et de Morale* et dans la *Lettre* de 1896 aux *Annales*, c'est que son propos l'amène à envisager la philosophie comme un bloc, en vue de montrer que l'option chrétienne n'intervient pas dans son déploiement rationnel. Mais, dans *L'Action*, ce bloc est différencié; la démarche philosophique procède d'étape en étape. Il apparaît alors qu'elle avance de l'une à l'autre moyennant le consentement de la volonté voulue à la volonté voulante (consentement qui n'est pas l'option religieuse, quoiqu'il y prépare et puisse, dans certaines conditions, en devenir le succédané). " La liberté devient ainsi intérieure à l'œuvre même de pensée[3]. " C'est en plein accord avec les déclarations de Blondel qu'on peut énoncer cette excellente formule.

En revanche, on risque peut-être d'amener une confusion dans l'esprit du lecteur, en ajoutant que la dialectique blondélienne est " une avance de la pensée de libre option en libre option[4] ". Le mot option, en effet, désigne le plus souvent, chez l'auteur de *L'Action* et ses interprètes, l'option suprême en face de l'unique nécessaire. Même dans *La Pensée*, où l'on voit intervenir l'idée d'une " option de la pensée ", distincte de l'option pratique, il s'agit encore d'une attitude en face de l'infini[5]. Bientôt d'ailleurs, Blondel a écarté le terme d'option intellectuelle, à la fois parce que des lecteurs la confondaient avec l'option pratique et parce que le mot lui a paru peu propre à désigner l'initiative par laquelle l'intelligence, tout au long de sa démarche, reconnaît activement la vérité[6]. Pour signifier cette initiative, il a créé alors le terme d'*agnition*. " L'agnition, dit-il, c'est la reconnaissance qu'à travers les progrès de sa croissance mentale l'esprit humain aura à faire de toutes les vérités

---

1. A. CARTIER, *Existence et Vérité*, p. 233.
2. *Existence et Vérité* p. 223-224.
3. *Existence et Vérité*, p. 231.
4. *Existence et Vérité*, p. 231.
5. *La Pensée*, II, p. 89-109.
6. *L'Action*, I (1936), excursus 12 et 16 (p. 261 et 271 dans la réédition de 1949).

qui sont la lumière, la nourriture et la fin de l'intelligence[1]. " Ailleurs, il la définit comme un " assentiment spirituel " et un " consentement personnel[2] ". Ces divers termes : reconnaissance, agnition, assentiment, consentement, nous paraissent plus aptes que celui d'option à désigner ce dont il s'agit ici.

Nous éviterions pareillement de dire que, pour percevoir les nécessités rationnelles et établir les liaisons, la pensée doit " s'engager[3] "; car ce mot, juste en lui-même, s'est chargé de plus en plus ces dernières années de significations qui ne conviennent pas ici. Nous ne dirions pas non plus que la dialectique blondélienne présuppose, comme sa force motrice, " la bonne volonté[4] ". Ce terme nous paraît à la fois trop vague et trop moralisant. Blondel dit : " fidélité de la conscience à sa norme intime[5] ".

Mais ce sont là questions de nuances ou querelles de mots. L'interprète que nous citons caractérise par ailleurs de façon très juste la démarche de Blondel : " De la vérité nécessaire de l'action il n'y a jamais passif enregistrement, mais toujours libre reconnaissance[6]. " Blondel constate ce qui est, " parce qu'il consent à ce que cela soit[7] ". " Sa dialectique est une œuvre de raison, mais de raison en marche[8]. " Peut-on ajouter qu'il découvre la vérité, " parce qu'il la vérifie en la vivant ", à travers ces expériences métaphysiques que sont l'abnégation, la souffrance et la charité[9] ? Oui, assurément; mais à condition de préciser, comme l'a fait expressément la Trilogie, qu'une certaine reconnaissance de la vérité peut précéder, dans le sujet individuel, sa vérification pratique. Moyennant cette précision, on admettra volontiers que la dialectique de *L'Action* est " une dialectique concrète, existentielle[10] ".

Nous ferions la même remarque à propos d'un paragraphe où le P. Cartier explique comment l'affirmation de Dieu est l'acte à la fois le plus rationnel et le plus libre[11]. L'auteur nous semble omettre dans son langage la distinction importante, très nette dans *L'Action*, entre " l'aveu nécessaire " de l'existence de Dieu et " l'option " que cet aveu consenti

---

1. *L'Action*, I (1936), excursus 16 (p. 271 dans la réédition de 1949).
2. *L'Action*, II (1937), p. 410-411.
3. A. Cartier, *Existence et Vérité*, p. 231.
4. *Loc. cit.*, p. 229.
5. *L'Action*, II (1937), p. 14. Le P. Cartier emploie aussi ce terme de fidélité.
6. A. Cartier, *Existence et Vérité*, p. 228.
7. *Loc. cit.*, p. 233.
8. *Loc. cit.*, p. 233.
9. *Loc. cit.*, p. 233.
10. *Loc. cit.*, p. 233.
11. *Loc. cit.*, p. 173-180.

impose ensuite à l'homme (s'ouvrir ou se fermer à l'action divine). Si l'on substitue, dans le commentaire qui nous est offert, le terme d'aveu ou de reconnaissance ou de consentement, à celui d'option, on y trouve alors une excellente réponse à ceux qui jugent que la position blondélienne est anti-intellectualiste. Parce que " toute pensée est à la fois acte et connaissance[1] ", il y a, dit fort bien le P. Cartier, " un enveloppement réciproque de la raison et de la liberté[2] ", et cela tout au long de la dialectique concrète qui enchaîne des liaisons nécessaires. C'est en vertu de cette immanence réciproque que le libre passage d'une attitude à l'autre porte en soi sa propre justification[3]. Il la porte si bien, ajouterions-nous avec Blondel, que ce que l'homme refuse ne cesse pas de se réaliser en lui, malgré lui et contre lui. S'il est des vérités nécessaires qui ne sont pas nécessitantes pour notre intelligence, elles n'en sont pas moins nécessaires en soi et en nous[4].

A ceux qui resteraient tentés de croire que l'intervention de la libre reconnaissance au cours d'une dialectique l'empêche d'être rationnelle, nous ferions remarquer que cette même intervention est relevée par un philosophe peu suspect d'irrationalisme et bien éloigné par ailleurs de la pensée blondélienne. Dans sa *Logique de la Philosophie*, enchaînant les attitudes pures, définies par leurs catégories, Eric Weil remarque que " le passage d'une catégorie à la suivante est libre " et même qu'il est, en un sens, " incompréhensible[5] ". Ceci veut dire qu'on ne peut pas forcer l'homme à dépasser une position. Mais on peut montrer qu'il l'a déjà dépassée sans le remarquer[6]. Et c'est ainsi qu'on dégage la " logique de la philosophie ".

C'est d'une façon analogue, quoique dans une perspective bien différente, que Blondel dégage la " logique de l'action ". Il n'y a pas plus d'irrationalisme d'un côté que de l'autre, mais simplement aperception réelle de ce qu'est la pensée humaine.

4. *Dialectique de la conversion.*

L'enveloppement réciproque de la raison et de la liberté atteint, chez Blondel, son point culminant, lorsque la critique de la vie fait appa-

---

1. L'*Illusion idéaliste*, dans *Les Premiers Écrits de Maurice Blondel*, t. II, p. 115.
2. *Existence et Vérité*, p. 178.
3. *Loc. cit.*, p. 179-180.
4. *L'Action*, II (1937), p. 411.
5. Eric WEIL, *Logique de la philosophie*, p. 345.
6. *Loc. cit.*, p. 50.

raître que l'homme doit s'ouvrir par le sacrifice à l'action divine. L'auteur l'indique en des termes émouvants où palpite l'expérience d'une lutte intime. " Quand pour justifier [nos obligations intellectuelles, morales et religieuses] nous usons d'une méthode indirecte et contraignante qui en manifeste la nécessité onéreuse; quand nous avouons que l'ordre naturel ne suffit pas à notre nature qui répugne pourtant au surnaturel [...]; quand nous cherchons toutes les échappatoires pour montrer qu'en fin de compte nous ne pouvons nous soustraire à ce qui nous pèse le plus, eh bien, ne donnons pas à croire que nous le disons pour le plaisir d'imposer aux autres des fardeaux dont nous ne portons point le poids, [...] qu'il ne nous en coûte pas à nous d'abord, que cette histoire d'une âme en fuite et en quête d'elle-même n'est qu'une feinte, que nous n'avons point lutté contre notre raison et notre cœur pour éviter ce qu'on nous reproche de donner comme inévitable, [...] que nous avons pu embrasser la foi sans trouver la couronne d'épines, et qu'enfin nous ne comprenons pas à quel point l'apologétique vraiment philosophique, c'est l'œuvre rendue visible, l'œuvre permanente et personnelle de la conversion intérieure. Bref, comme il a fallu condamner ce faux séparatisme qui isole le problème religieux des problèmes philosophiques, il faut condamner ce faux séparatisme qui isole le travail spéculatif de la pensée des efforts ascétiques et de l'enseignement laborieux de la vie[1]. "

Il est clair que Blondel n'abandonne pas ici la voie du discours rationnel pour glisser sur celle de l'exhortation ou de la confidence édifiante. Il entend toujours manifester une nécessité, par la vanité des arguments qu'on invente pour s'y soustraire. Mais, parce qu'il s'agit d'une " nécessité onéreuse ", on ne peut la reconnaître sérieusement sans en accepter le poids. Au moment où la science de l'action fait apparaître l'obligation de s'ouvrir à un surnaturel meurtrissant, la reconnaissance de la vérité du discours rationnel devient consentement au sacrifice. La logique de l'action devient ainsi dialectique de la conversion.

A la dernière page de L'Action, on s'en souvient, l'auteur invite le lecteur à faire l'expérience chrétienne, et l'assure, d'après sa propre expérience, qu'il n'y trouvera que des raisons d'affirmer la réalité de l'ordre surnaturel annoncé par le christianisme. En terminant, Blondel prononce lui-même ce mot qui " dépasse la compétence de la philosophie ", " l'unique mot capable, en face du christianisme, d'exprimer cette part, la meilleure, de la certitude qui ne peut être communiquée parce qu'elle ne surgit que de l'intimité de l'action toute personnelle ", le mot qui est lui-même une action : " C'est ". Supposons que le lecteur ne

1. *Lettre*, p. 83-84.

fasse pas l'expérience qu'on lui recommande et ne soit pas amené à prononcer ce mot, il devra, sous peine d'inconséquence, revenir en arrière, pour contester l'argumentation rationnelle qui établissait la nécessité d'envisager sérieusement le christianisme. Peut-être contestera-t-il seulement la correspondance du dogme chrétien aux aspirations humaines. Peut-être contestera-t-il aussi la nécessité d'une attitude religieuse. Peut-être rejettera-t-il l'idée même de Dieu. Peut-être, portant sa contestation au point de départ, s'efforcera-t-il de montrer que le problème de la destinée humaine est un faux problème. Toujours est-il qu'il lui faudra trouver quelque part une faille dans la chaîne des liaisons nécessaires établies par la philosophie de *L'Action*. Blondel sait fort bien que pareille contestation est toujours possible : il l'a éprouvé lui-même. Mais il sait aussi que, si la vérité ne peut être connue sans être reconnue, elle n'en juge pas moins ceux qui la méconnaissent. La nécessité d'un consentement à la dialectique de la vie réelle ne supprime pas la nécessité immanente à cette dialectique.

IV. PHILOSOPHIE ET THÉOLOGIE

1. *Distinction et relation.*

Nous croyons avoir suffisamment montré que la " philosophie de l'action " est une philosophie, au sens propre du mot, que sa démarche est autonome et rationnelle, même quand elle reconnaît la nécessité d'accueillir le surnaturel, même quand elle découvre dans le dogme chrétien une réponse appropriée à l'attente du vouloir humain. Il est manifeste, cependant, qu'une telle philosophie touche à ce qui fait l'objet de la théologie. Il y a donc lieu de se demander quel rapport elle soutient avec cette discipline, d'autant plus que la théologie veut être elle-même scientifique et rationnelle.

Blondel a toujours déclaré que sa réflexion philosophique n'empiétait nullement, et même ne pouvait pas empiéter sur le domaine de la théologie. Il l'a brièvement indiqué dans *L'Action*[1] et longuement expliqué dans la *Lettre*. " La philosophie, dit-il[2], ne considère le surnaturel qu'au-

1. *L'Action*, p. 389.
2. *Lettre*, p. 86-87.

tant que la notion en est immanente en nous "; elle ne le saisit que " sous son aspect naturel[1] ". Elle montre qu' " il ne restera conforme à l'idée que nous en concevons qu'autant qu'il demeurera, de notre aveu, hors de nos prises humaines[2] ". Elle se refuse ainsi le pouvoir d'en atteindre la réalité; elle établit que seule la foi en la révélation divine peut nous faire connaître l'existence et l'essence de cet ordre surnaturel dont parle la prédication chrétienne. Par le fait même, elle réserve, en dehors d'elle, le rôle irremplaçable de la foi. Elle le réserve, même quand elle détermine la genèse de l'idée de révélation et indique la nécessité de dogmes ou de préceptes révélés; car alors, nous l'avons déjà noté, elle ne fait " autre chose que tracer des cadres vides, dont rien de nôtre ne saurait fixer la réalité ou remplir le dessin abstrait[3] ". Ce que la foi " nous impose comme réel ", la philosophie " le conçoit comme nécessaire encore qu'impraticable pour nous ". " Elles coïncident donc en ce qu'elles ne font nulle part double emploi, et en ce que l'une est vide où l'autre est pleine. Même lorsque leurs affirmations semblent se recouvrir au moins partiellement *sub specie materiae seu objecti*, elles demeurent foncièrement hétérogènes *vi formae*[4] ". Science de la foi, la théologie est par là même entièrement distincte de la philosophie.

Blondel ne se lasse pas de fonder et de souligner cette distinction : " Puisque même dans le domaine qui lui est propre la philosophie ne peut prétendre à se substituer au réel, le champ reste donc libre pour un dogme qui, à de tout autres titres, gouverne la pensée et la vie, et parle dans l'absolu. En ce sens, les doctrines théologiques, même en ce qui touche l'ordre naturel, ont une portée et une signification entièrement différentes des thèses philosophiques auxquelles elles sembleraient exactement se superposer[5]. " *Duplex cognitionis ordo, non solum principio, sed objecto*[6].

Assurément, dit encore l'auteur, la théologie veut être, elle aussi, une science; elle fait usage de la raison. Mais, sous peine de tout brouiller, il importe de " discerner le rationnel théologique du rationnel philosophique (comme aussi du rationnel scientifique qui est encore d'un tout autre ordre)[7] ". La raison élabore la science positive en s'appliquant aux données des sens. Elle constitue la science sacrée en travaillant " sur les dogmes et les données révélées qui sont comme une expérience du

1. Lettre à la R. *M. M.*, reproduite dans les *Études Blondéliennes*, I, p. 103.
2. *Lettre*, p. 41.
3. *Lettre*, p. 41.
4. *Lettre*, p. 42.
5. *Lettre*, p. 70.
6. **Concile du Vatican**, cité ici même par Blondel.
7. *Lettre*, p. 71.

divin et un empirisme surnaturel, *argumentum non apparentium*[1] ". " La théologie suppose justement cette organisation rationnelle d'éléments qui ne sont plus dus à la raison; et, en ce sens, elle applique une forme si l'on veut philosophique à des éléments étrangers à la philosophie[2]. " Celle-ci, en revanche, pure de tout alliage, consiste " non plus dans l'application hétéronome de la raison à une matière ou à un objet, qu'il soit donné par les sens ou par la révélation, mais dans l'application autonome de la raison à elle-même[3] ". Voilà pourquoi ses résultats ne sont point composables avec les enseignements de la théologie. Voilà pourquoi aussi ils n'ont pas la même fixité et supposent une plus grande liberté. " L'usage de la raison dans l'enceinte du dogme et sous la discipline de la foi consiste à pénétrer sans fin les infinies profondeurs d'une vérité fixe, qu'elle ne cherche pas à renouveler, mais à comprendre[4]. " La philosophie, elle, ne cherche point " ailleurs qu'en elle-même le principe et la garantie toujours à contrôler de ses propres conclusions[5] ".

On aperçoit ici le motif qui conduit l'auteur à tant insister sur la distinction entre l'usage théologique et l'usage philosophique de la raison. Il s'agit de revendiquer pour le second cette autonomie, cette liberté sans laquelle il n'y aurait pas de philosophie. C'est seulement quand elle s'applique à comprendre le sens du dogme que la raison est *ancilla theologiae*[6]. Quand elle s'applique à elle-même, elle ne dépend que d'elle-même. " Les théologiens, écrit Blondel, ne permettent pas aux philosophes d'empiéter sur leur domaine; ils ont raison [...] : eh bien (c'en est la suite, et il faut qu'on le sache), les philosophes, s'ils restent vraiment chez eux, ne doivent ni ne peuvent permettre aux théologiens de pénétrer chez eux; le bénéfice de la distinction est réciproque, et le domaine de chaque science reste inviolable[7]. " La philosophie " n'est féconde et ne remplit pleinement son rôle précurseur [à l'égard de la

1. *Lettre*, p. 70-71.
2. *Lettre*, p. 71.
3. *Ibid.* Dans la Lettre à la *Revue de Métaphysique et de Morale* (1894), Blondel avait caractérisé la philosophie, telle qu'il la conçoit, comme une application de la raison, non pas simplement à elle-même, mais à l'action humaine. " En s'appliquant à l'action, disait-il, la raison découvre plus qu'en s'appliquant à la raison même, sans cesser d'être rationnelle. " (*Études blondéliennes*, I, p. 102.) Cette définition coïncide avec celle de 1896, en ce que l'une et l'autre placent l'essence de la philosophie dans la méthode d'immanence, qui assure son autonomie rationnelle. Mais la définition de 1894, parce qu'elle introduit l'action, est plus spécifiquement blondélienne; et elle indique l'élément médiateur entre philosophie et théologie, tandis que celle de 1896 indique seulement ce qui les distingue.
4. *Lettre*, p. 77.
5. *Lettre*, p. 78.
6. *Lettre*, p. 71.
7. *Lettre*, p. 49.

foi] que si elle est impartiale et libre. Elle représente toute la part et rien que la part de l'homme; mais cette part est essentielle[1] ". " S'il est vrai qu'elle ne peut développer sa complète autonomie qu'à la condition d'aborder tout le problème religieux, elle ne peut non plus le toucher utilement qu'au prix d'une intransigeante et jalouse discrétion qui est l'aveu de son incompétence et la sauvegarde de sa dignité. *Non libera nisi adjutrix, non adjutrix nisi libera philosophia[2].* "

Soucieux avant tout de revendiquer la liberté nécessaire à son œuvre philosophique, en montrant que les résultats de ce libre exercice s'accordent avec les exigences du dogme et ne menacent pas sa stabilité, Blondel n'a pas creusé le concept de théologie comme il a fait celui de philosophie : il s'est borné à recueillir sommairement l'idée que lui présentait l'enseignement commun. H. Duméry a remarqué très justement qu'en ce qui concerne les rapports de la philosophie et de la théologie, son opinion est " plutôt classique, presque scolaire, mise à part l'originalité de la méthode d'immanence[3] ". La réserve qui termine ce propos indique que l'élément classique du rapport réside dans la conception même de la théologie. C'est vrai. Lorsque Blondel invite les théologiens à rester " pleinement théologiens ", à nous parler " de ce qu'ils peuvent seuls nous donner ", il rappelle que leur mission est de développer à nos yeux " le système rationnel de la foi ", c'est-à-dire de montrer " que la suite du dogme considéré comme dogme forme une synthèse organique, et que la science sacrée est une science[4] ". Même quand ils veulent se faire apologistes, ajoute-t-il, leur première tâche, en ce temps d'ignorance religieuse, est " d'exposer, dans son unité définie et sa riche simplicité, la synthèse logique du dogme catholique[5] ". Il exalte le " rationalisme théologique " de saint Thomas[6]. On peut assurément se demander s'il a bien saisi à cette époque le mouvement propre de la pensée thomiste : lui-même reconnaîtra plus tard qu'il s'en était fait d'abord une idée inadéquate. On peut se demander surtout si sa notion de la théologie est complète : nous le ferons bientôt. Mais on ne peut contester qu'elle reflète fidèlement la notion classique et qu'elle désigne ce qui doit faire l'objet premier de l'enseignement du théologien.

Dans cette perspective, Blondel a raison : la philosophie qu'il développe, même quand elle aborde le problème religieux et considère le

1. *Lettre*, p. 50.
2. *Lettre*, p. 50-51.
3. *Blondel et la Religion*, p. 106.
4. *Lettre*, p. 75.
5. *Lettre*, p. 75.
6. *Lettre*, p. 77.

dogme chrétien, reste radicalement distincte de la théologie. Car elle ne vise pas à exposer " ce qui est de foi ou conséquent à la foi à partir de la foi ", mais à déployer " ce qui est de raison ou antécédent et consonnant à la foi à partir de la raison[1] ". Elle n'est pas *fides quaerens intellectum*, mais *intellectus quaerens fidem*[2].

En même temps qu'il s'applique plus que d'autres à préciser la distinction radicale entre le point de vue philosophique et le point de vue théologique, l'auteur, on l'aura remarqué, veut établir une " connexion plus étroite que jamais " entre le problème philosophique et le problème religieux, mieux encore leur " unité " ; il condamne ce qu'il appelle " un faux séparatisme[3] ". " Au lieu d'écarter le problème religieux, dit-il, tout notre effort est de prouver qu'on ne peut l'éliminer, et que la philosophie n'est pas libre, n'est pas complète, n'est pas elle-même, si elle ne l'envisage en son point le plus aigu[4]. " Et ceci " consonne à la théologie, laquelle ne permet ni qu'on y touche à fond, ni qu'on s'en détache ou s'en exempte ; car, s'il y a là " le surnaturel " humainement inaccessible, il y a là aussi " l'unique nécessaire ", tel que [...] nous ne pouvons ni en droit, ni même en fait nous en désintéresser[5] ". En suivant le déterminisme de l'action, et grâce à la réserve que s'impose la méthode d'immanence, " la philosophie devient capable d'aborder, sans se dénaturer et sans les dénaturer, toutes les questions les plus précises de la conscience chrétienne[6] ".

Or il résulte de là, outre l'élargissement des perspectives philosophiques, " un progrès humain de la conscience religieuse ou de l'intelligence même du christianisme[7] ". Blondel le montre par divers exemples, qu'il suffit de rappeler brièvement, puisque nous les avons déjà rencontrés. La philosophie de l'action aide à comprendre que le salut soit accessible à tous, même en l'ignorance du christianisme, mais que nous n'ayons pas à dire sous quelle forme *in concreto* : c'est la beauté de la méthode d'immanence " de placer en chacun ce qui juge chacun[8] ". La même philosophie éclaire la question du dam, la doctrine de la " satisfaction vicaire [9] ". Plus encore : il semble qu' " en requérant, pour concevoir la réalisation effective de l'ordre intégral des choses, un élément distinct à la fois de la nature et de Dieu même son auteur, [elle] éclair-

1. *Lettre*, p. 74.
2. *Lettre*, p. 79.
3. *Lettre*, p. 73.
4. *Lettre*, p. 49.
5. *Lettre*, p. 73.
6. *Lettre*, p. 72.
7. *Lettre*, p. 53.
8. *Lettre*, p. 80.
9. *Lettre*, p. 87-88.

cirait et justifierait à son point de vue ce qui est peut-être un dogme implicite, l'Emmanuel, cause finale du dessein créateur[1] ". Rappelons-nous aussi que l'auteur de *L'Action* et de la *Lettre* a été amené ensuite à éclairer, au nom même de ses principes, la nature de la foi, la méthode de l'apologétique, le rapport entre histoire et dogme, la notion théologique de tradition, etc.

Dans sa pensée, tout cet effort en vue d'une meilleure " intelligence du christianisme " reste proprement philosophique. Nous avons montré qu'il l'est en effet[2] et comment il l'est. Nous n'avons pas l'intention de rétracter ou d'affaiblir ce qui a été dit plus haut. Mais nous nous demandons si cette intelligence philosophique du christianisme ne serait pas *en même temps* intelligence théologique. En d'autres termes, sans contester l'idée que Blondel s'est faite de la compétence de la philosophie, nous nous demandons s'il n'a pas restreint celle de la théologie.

2. " Intelligence de la foi ".

Avant de l'établir par l'examen du concept lui-même, nous voudrions le suggérer par une comparaison. Blondel montre, nous venons de le voir, que la philosophie, normalement développée, contribue à " l'intelligence même du christianisme[3] ". Ce terme, qui est de lui, évoque irrésistiblement celui d' " intelligence de la foi ", si fréquent dans les écrits des Pères de l'Église et des théologiens médiévaux. Comme vocable, il en est synonyme, chaque fois que dans *intellectus fidei* le second mot est un génitif objectif, désignant le contenu de la foi chrétienne (et non l'acte de foi). De plus, ce que les anciens pratiquaient sous le nom d'intelligence de la foi impliquait (outre le retour quasi constant à l'histoire du salut, où le dogme a pris sa source) une réflexion visant à montrer que le christianisme révèle l'homme à lui-même. La pensée blondélienne n'est pas sans analogie avec cette réflexion. Cependant, les différences sont si grandes, et la démarche des anciens est elle-même si diverse d'un auteur à l'autre, qu'il serait difficile et vain de vouloir préciser, sans équivoque possible, les ressemblances réelles. Mais il est un cas où la comparaison est plus facile et l'analogie plus frappante : celui de saint Anselme.

1. *Lettre*, p. 90.
2. Sauf peut-être en quelques écrits que Blondel n'a pas publiés sous son nom, et qui relèvent davantage de la théologie.
3. *Lettre*, p. 53.

Reprenant le programme de saint Augustin, *fides quaerens intellectum*, Anselme veut comprendre ce qu'il croit, explorer la *ratio fidei*. Les lecteurs auxquels il s'adresse sont des chrétiens, plus précisément des moines : ses frères bénédictins. Son œuvre est donc la méditation d'un croyant, écrite pour des croyants. A cet égard, elle paraît différer totalement de l'œuvre blondélienne, qui s'adresse aux incroyants et se place au point de vue de l'incroyant.

Cependant, à la demande des moines eux-mêmes, Anselme entreprend de prouver ce qu'il croit, et cela sans recourir à l'autorité de l'Écriture, par la seule nécessité de la raison[1]. Il veut montrer comment un homme qui n'aurait pas entendu la Parole divine ou qui n'y croirait pas pourrait se persuader, par la seule raison, des vérités qui font l'objet de la foi[2]. En d'autres termes, il entend prouver ces vérités par des raisons nécessaires, valables pour tout esprit, même incroyant; par là, il espère montrer à tout homme qu'il faut y croire[3]. Raisonnant du point de vue d'un incroyant hypothétique, la *fides quaerens intellectum* devient *intellectus quaerens fidem*[4].

C'est ici qu'apparaît l'analogie entre la pensée d'Anselme et celle de Blondel. Tous deux sont des croyants qui, sans mettre leur foi en doute, veulent comprendre et faire comprendre sa rationalité, de telle manière que l'incroyant lui-même soit amené à croire[5]. Tous deux acceptent au départ de leur démarche intellectuelle la mise en question de leur foi par l'incroyant; ils suspendent leur affirmation de croyant, et se placent au point de vue du négateur; et c'est à partir de là qu'ils développent une argumentation rationnelle, laquelle, n'impliquant aucune prémisse de foi, doit valoir en principe pour tout esprit[6].

Cette analogie globale s'étend assez loin dans le détail de la démonstration, encore que les arguments donnés ne soient pas les mêmes. Tous deux croient pouvoir non seulement prouver l'existence de Dieu,

1. *Monologion*, Prologue; *Epistola de incarnatione Verbi*, éd. Schmitt (Florilegium patristicum, fasc. 28), Bonn, 1931, p. 16.
2. *Monologion*, chap. I.
3. *Monologion*, chap. LXXIX.
4. Voir, sur la pensée de saint Anselme, les pages que lui a consacrées Paul Vignaux dans *Philosophie au Moyen Age*, Paris, A. Colin, 1958; du même auteur, *Structure et sens du Monologion*, dans *Rev. des Sciences phil. et théol.*, 1947. Nous nous permettons de renvoyer aussi à l'interprétation que nous avons donnée de la preuve de Dieu du *Proslogion*, dans *Karl Barth*, t. III, p. 143-170, et dans *Spicilegium Beccense*, I (Paris, Vrin, 1959), p. 191-207.
5. Tandis que l'incroyant visé par Blondel est un personnage réel, celui que vise Anselme semble être un personnage hypothétique : l'*insipiens* dont parle l'Écriture.
6. C'est ainsi que procède en particulier la célèbre preuve de Dieu donnée dans le *Proslogion*. Nous l'avons montré, après d'autres, dans les deux études mentionnées ci-dessus.

mais encore faire valoir des raisons plus ou moins nécessaires en faveur des dogmes spécifiquement chrétiens : Trinité, Incarnation, Rédemption. Saint Anselme offre, dans son *Monologion*, une sorte de déduction rationnelle de la Trinité : " *Ecce patet omni homini expedire ut credat in quamdam ineffabilem trinam unitatem et unam trinitatem*[1]. " Il y met plus de précautions qu'on ne le dit d'ordinaire. Paul Vignaux le montre fort bien : en composant un *de Trinitate* sur le plan de la dialectique, il " suppose simplement qu'abstraction faite de la valeur qu'ils ont par l'autorité divine, les termes trinitaires peuvent être à quelque degré validés *en tant qu'*expressions du mouvement de la pensée humaine vers un *optimum et maximum* posé comme l'Absolu[2] ". Or Blondel, s'interrogeant sur la possibilité d'une " Pensée absolument subsistante " qui fonderait la nôtre dans l'absolu, montre à son tour qu'une telle Pensée n'est concevable que comme trinitaire[3]. — D'autre part, saint Anselme, dans le *Cur Deus homo*, veut établir par des raisons nécessaires, abstraction faite de ce que le croyant sait du Christ, que l'homme ne peut être sauvé et parvenir à l'immortalité bienheureuse que par un homme-Dieu[4]. Comme lui, quoique par une argumentation différente, Blondel montre pourquoi il fallait qu'un homme-Dieu souffrît et mourût[5].

Chez les deux penseurs, la *ratio* ainsi dégagée reste *ratio fidei*, en ce sens qu'elle requiert la confirmation d'une autorité supérieure, et qu'elle ne dispense pas de croire. " Quand un raisonnement fait apparaître à l'auteur du *Monologion* sa conclusion comme nécessaire, *quasi necessarium*, il faut considérer cette nécessité non pas comme absolue, *omnino necessarium*, mais seulement comme provisoire, *interim necessarium*, tant que cette même conclusion n'est point confirmée par une *major auctoritas*. Cette autorité supérieure se trouve évidemment dans l'Écriture et la Tradition[6]. " Voilà qui caractérise tout autant le dessein de Blondel dans la cinquième partie de *L'Action*. Et l'on peut lui appliquer aussi la suite du même commentaire de la pensée anselmienne : " Si, quand s'achève la dialectique, la foi paraît répondre à une exigence rationnelle, cette exigence ne se situe pas *plus haut* que la foi, comme un principe qui la fonderait; elle se développe, au contraire, sur un plan expressément inférieur, se réfère, pour ainsi dire, à la foi *d'en bas* : [...] dans les derniers chapitres [du *Monologion*] cette exigence [s'exprime] en une nécessité de croire, qui est de l'ordre de l'obligation, du *debere*, d'un

1. *Monologion*, chap. LXXIX.
2. *Structure et sens du Monologion*, dans *Rev. des Sciences phil. et théol.*, 1947, p. 211-212.
3. *La Pensée*, II, p. 274-276; *La Philosophie et l'Esprit chrétien*, I, p. 1-31.
4. *Cur Deus homo*, Préface.
5. *Lettre*, p. 87-88.
6. P. VIGNAUX, *Structure et sens du Monologion*, loc. cit., p. 197.

intérêt suprême et besoin radical de l'esprit créé. [...] Par sa méthode, saint Anselme n'espère pas " communiquer sa foi "; si quelque incrédule suit son raisonnement jusqu'au bout, la persuasion rationnelle qu'il acquerra restera en deçà, au-dessous si l'on veut, de l'état du croyant[1]. "

A vrai dire même, cette persuasion rationnelle restera purement formelle, vide en quelque sorte, tant qu'elle n'aura pas été emplie par l'expérience de la foi. " *Quantum enim rei auditum superat experientia, tantum vincit audientis cognitionem experientis scientia*[2]. " Anselme prétend bien que son discours a une structure logique, valable pour tout esprit, même incrédule. Mais il sait aussi que ce discours ne suffit pas à communiquer une connaissance emplie des réalités divines. Seule l'expérience de la foi actualise l'intelligence de la foi. C'est en ce sens qu'il faut croire pour comprendre. — Or, nous l'avons vu, Blondel enseigne, lui aussi, la nécessité de l'expérience chrétienne pour parvenir à affirmer ce dont la dialectique rationnelle montre la nécessité.

Cette longue suite d'analogies entre la pensée anselmienne et la pensée blondélienne ne doit évidemment pas masquer leur évidente diversité. Ce qui fait l'originalité de la philosophie blondélienne en tant que logique de l'action est étranger à la méditation anselmienne. D'autre part, Blondel a profité de bien des précisions que la théologie s'est données après saint Anselme; en particulier, il distingue plus nettement, comme l'a fait saint Thomas, les nécessités absolues et les nécessités intérieures aux événements contingents (celles qui fondent les arguments de convenance). On doit évidemment veiller à ne pas méconnaître ces différences. Mais l'analogie qui subsiste à travers elles nous aide à comprendre comment la pensée blondélienne, sans cesser un instant d'être philosophique, a néanmoins un caractère théologique, de même que la pensée anselmienne, sans cesser d'être théologique, a aussi un caractère philosophique.

On a souvent discuté, il est vrai, la question de savoir si la méditation d'Anselme doit être classée sous la rubrique Théologie, ou sous celle de Philosophie, ou dans une catégorie intermédiaire[3]. L'auteur lui-même ne lui ayant donné aucune des deux étiquettes, l'interprète la qualifie sous sa propre responsabilité, au moyen de termes qu'Anselme n'a pas utilisés et dont la signification est beaucoup plus circonscrite qu'elle n'aurait pu l'être de son temps. Or, si l'on entend par théologie une science qui argumente exclusivement par l'autorité de l'Écriture,

1. P. VIGNAUX, *loc. cit.*, p. 198.
2. *Epistola de incarnatione Verbi*, éd. Schmitt, 1931, p. 9.
3. Voir notre ouvrage sur *Karl Barth*, III, p. 146-167, en particulier, p. 151-153.

de la Tradition, du Magistère, et qui relie entre eux les dogmes ainsi établis, il faut reconnaître que les principaux ouvrages d'Anselme ne relèvent pas de la théologie. Mais peut-être cette notion est-elle incomplète. Où ranger, sinon dans la théologie, la méditation rationnelle d'un croyant sur ce qui fait l'objet de sa foi, méditation offerte à des moines pour soutenir leur prière contemplative ?

Cette méditation, toutefois, fait surgir en son sein l'ébauche d'une philosophie autonome. Par le fait qu'elle introduit au point de départ le personnage hypothétique de l'incroyant et s'engage à satisfaire ses exigences, elle vise à développer un système de raisons universellement valables. Après avoir découvert la preuve de Dieu que présente le *Proslogion*, Anselme s'écrie : " Merci, Seigneur, car ce que j'ai cru d'abord par ton don, je le comprends maintenant par ta lumière, de telle façon que, si je ne voulais pas croire que tu existes, je ne pourrais pas ne pas le comprendre[1]. " Il indique ainsi que la preuve, découverte et comprise dans la foi et la prière, présente, indépendamment d'elles, sens et rigueur. On peut donc soutenir qu'il est, " pour l'historien de la philosophie, le premier scolastique qui ait vraiment insinué l'existence d'une philosophie autonome, c'est-à-dire indépendante de la théologie[2] ". A condition toutefois d'ajouter que, pour l'historien de la théologie, cette philosophie autonome reste intérieure à une théologie, qui ne veut pas argumenter autrement que par cette voie rationnelle à laquelle on donne ici le nom de philosophie.

Ce sont les mêmes arguments qu'Anselme présente à ceux de l'intérieur et à ceux de l'extérieur. " S'il y a un *insipiens*, écrit l'interprète déjà cité, le *Proslogion* a deux sens de lecture : il peut être présenté du dedans aux croyants et du dehors à l'incroyant[3]. " Remarque fort juste. Mais celle qui la suit ne nous paraît pas entièrement compatible avec elle. " Le caractère confessionnel de l'œuvre, dit-on, est aussitôt neutralisé : elle n'appartient plus à la spiritualité ni à la théologie mais, sous un biais au moins, à une raison qui ne relève que de ses propres normes et de ses propres exigences[4]. " L'expression trahit sans doute ici la pensée du commentateur. Car une œuvre ne cesse pas d'être confessionnelle par le seul fait qu'elle justifie rationnellement la crédibilité de ce qu'elle confesse; et si l'on admet que l'œuvre d'Anselme n'appartient plus à la spiritualité ni à la théologie dès qu'elle fait intervenir des nécessités

---

1. *Proslogion*, chap. IV.
2. M. NÉDONCELLE, *Existe-t-il une philosophie chrétienne ?* (Collection " Je sais, je crois "), Paris, 1956, p. 35. Au lieu de : " indépendante de la théologie ", nous préférerions dire : " indépendante de la foi ".
3. *Loc. cit.*, p. 36.
4. *Loc cit.*, p. 36-37.

rationnelles universellement valables, on l'exclut du champ de la théologie, car le *Monologion*, le *Proslogion*, le *Cur Deus homo*, etc., ne font rien intervenir que de telles nécessités.

S'il est vrai que l' " intelligence de la foi ", chez saint Anselme, est une méditation théologique qui engendre en son sein l'ébauche d'une philosophie autonome, on doit admettre aussi que l' " intelligence du christianisme " procurée par la philosophie blondélienne constitue l'ébauche d'une théologie spéculative. L'œuvre de Blondel, certes, est essentiellement philosophique, parce qu'elle s'adresse aux incroyants, à ceux de l'extérieur; et l'œuvre d'Anselme est essentiellement théologique, parce qu'elle s'adresse aux croyants, à ceux de l'intérieur. Mais, de même qu'Anselme présente à ceux de l'intérieur une rationalité valable pour ceux de l'extérieur, de même Blondel expose à ceux de l'extérieur " l'élément rationnel " contenu dans ce que professent ceux de l'intérieur. Orienté vers un but différent, le processus, on l'a vu, est néanmoins analogue. On ne peut contester son caractère philosophique; mais on ne peut non plus méconnaître son caractère théologique, dès lors qu'on reconnaît ce caractère au processus anselmien[1].

Nous avons choisi la comparaison avec saint Anselme, parce qu'elle est particulièrement topique. Mais beaucoup d'autres seraient possibles. Parmi les grands théologiens du Moyen Age, nombreux sont ceux qui ont développé, au sein même de la théologie, une philosophie qui prétendait à la fois relever des seules normes de la raison et exprimer les implications rationnelles de la foi chrétienne. M. Gilson a montré, avec une netteté croissante, que, même chez saint Thomas, qui a insisté plus que d'autres sur l'autonomie de la raison dans la démarche philosophique, celle-ci reste intérieure à la théologie. Or c'est là un fait que Blondel n'a pas remarqué, même après avoir acquis une connaissance plus sérieuse du thomisme qu'au temps de la *Lettre*. Sur la foi de quelques interprètes, il a admis que la démonstration du désir naturel de voir Dieu, exposée au troisième livre du *Contra Gentiles*, a un caractère purement philosophique. Certes, saint Thomas la veut rationnelle et philosophique; mais il estime qu'elle est en même temps théologique. Le *Contra Gentiles* se présente en effet dès le début comme un ouvrage de

---

1. Au sujet de cette comparaison, que nous avions déjà esquissée dans notre article sur Blondel (*Recherches de Science religieuse*, 1949, p. 390-391), Jacques Paliard a bien voulu nous écrire : " Votre ébauche de solution par un rapprochement avec Anselme (que je n'osais faire explicitement) me ravit. " (Lettre du 9 janvier 1950). Cette approbation est d'autant plus précieuse que Paliard, disciple et ami de Blondel, a d'autre part saisi admirablement le caractère propre de la pensée anselmienne, comme on peut le voir par son article : *Prière et dialectique. Méditation sur le Proslogion de saint Anselme*, dans *Dieu vivant*, n° 6 (1946).

théologie : " Propositum nostrae intentionis est veritatem *quam fides catholica profitetur* pro nostro modulo manifestare[1]. " Et quand l'auteur annonce la partie spécialement consacrée aux vérités chrétiennes que la raison peut atteindre par elle-même, il écrit : " Primum nitemur ad manifestationem illius veritatis quam *fides profitetur* ET *ratio investigat*[2]. " Peut-on dire plus clairement que la manifestation de la vérité sera à la fois une théologie et une philosophie, la seconde intérieure à la première ?

Cet exemple, entre beaucoup d'autres qu'on pourrait encore alléguer, montre que la notion médiévale de la théologie était notablement plus ample que la façade scolaire où les définitions des manuels ont arrêté le regard de Blondel. On dira peut-être que cette notion était encore trop peu différenciée. Une remarque de Blondel pourrait être interprétée en ce sens : " Peut-être, écrit-il, faut-il estimer que les vérités même rationnelles que ratifie ou consacre la Révélation ont, sous leur aspect théologique, une portée tout autre que sous leur aspect philosophique, parce qu'enfin on ne peut sans doute réaliser absolument l'ordre intégral des choses même naturelles sans passer au moins implicitement par Celui dont saint Paul enseigne qu'il est le *primogenitus omnis creaturae in quo constant omnia*, et dont il est dit que sans lui tout ce qui a été fait par lui redevient néant[3]. " Nous remarquerons d'abord que les théologiens du Moyen Age savaient cela, et que Duns Scot l'a mis tout particulièrement en relief. D'autre part, le même Blondel montre quelques pages plus loin (ce que nous avons déjà noté) que la philosophie requiert peut-être, pour concevoir l'ordre intégral des choses, l'Emmanuel, cause finale du dessein créateur[4]. Il prend ainsi parti, *en philosophe*, pour une " opinion *théologique* " qui a illustré le nom de Duns Scot. Ici, comme souvent chez les théologiens du Moyen Age, une même *ratio* est à la fois philosophique et théologique[5].

---

1. *Contra Gentiles*, I, 2.
2. *Contra Gentiles*, I, 9. Cf. II, 2 et 4.
3. *Lettre*, p. 42.
4. *Lettre*, p. 90.
5. Bien avant nous, Paul Vignaux avait lui-même comparé ce que Blondel croit pouvoir dire, en philosophe, de la Trinité (dans *La Pensée*) avec ce qu'en disaient divers théologiens du Moyen Age (Richard de Saint-Victor, Duns Scot). " Philosophie et non théologie, M. Blondel le maintient avec force, lors même qu'il parle Trinité. [...] Je vois bien que M. Blondel raisonne avec un évident souci de rigueur ; mais la théologie spéculative nous offre sur la Trinité même des raisonnements qui veulent être rigoureux ; je m'interroge donc sur le mode de pensée : mode philosophique ou mode théologique. " Et l'auteur ajoute que le mode de pensée théologique " paraît, aujourd'hui, ne pas appartenir tout entier au passé ". (*Quelques tendances de la philosophie de Maurice Blondel*, dans *Recherches philosophiques*, VI (1936-37), p. 371-372.)

3. *Théologie fondamentale.*

Cependant, les comparaisons que nous venons d'esquisser ne suffisent pas à établir entièrement ce qu'elles suggèrent. Car, depuis le Moyen Age, la conception de la théologie a évolué, comme celle de la philosophie, quoique à un moindre degré. Il nous faut donc partir de la notion devenue la plus commune, sous la forme qu'a retenue Blondel, et voir ce qu'elle implique.

Nous l'avons reconnu avec lui, on doit " discerner ce qui est de foi ou conséquent à la foi à partir de la foi, d'avec ce qui est de raison ou antécédent et consonnant à la foi à partir de la raison[1] ". Le premier élément fait l'objet de ce qu'on appelle aujourd'hui la théologie dogmatique, laquelle est considérée comme la part essentielle de la théologie. Acceptons cela.

La question est maintenant de savoir si cette théologie dogmatique ne présuppose pas, dans l'acte même par lequel elle s'instaure et se développe, une théologie fondamentale dont l'objet propre serait précisément de déployer ce qui est " antécédent et consonnant à la foi à partir de la raison ". Alors que la dogmatique, procédant à partir de la foi, montre, suivant une méthode hypothético-déductive, que " la suite du dogme considéré comme dogme forme une synthèse organique[2] ", la seconde chercherait, suivant une méthode régressive, ce qui est condition *transcendantale* et ce qui est condition *historique* de la foi. Cette théologie fondamentale ne serait pas simplement un traité précédant la dogmatique et que celle-ci pourrait ensuite négliger; elle exprimerait le fondement auquel la dogmatique doit toujours retourner, parce que c'est là que s'instaure le dogme comme sens. En tant que recherche des conditions transcendantales de la foi, c'est-à-dire de l'*intrastructure* rationnelle impliquée dans l'acte de foi, elle coïnciderait avec la démarche de la philosophie, lorsque celle-ci s'applique à analyser la genèse de l'idée de surnaturel et à extraire du christianisme " tout l'élément rationnel qu'il contient[3] ". Ainsi la philosophie blondélienne, sans cesser d'être une philosophie, se trouverait accomplir encore une tâche théologique.

Pour établir à la fois que la dogmatique présuppose une théologie fondamentale et que la philosophie blondélienne apporte avec soi au

---

1. *Lettre*, p. 74.
2. *Lettre*, p. 75.
3. Lettre de Blondel à la *Rev. de Mét. et de Mor.*, dans *Études blondéliennes*, I, p. 101.

moins une ébauche de cette théologie, il nous suffit presque de recopier quelques lignes d'un développement où H. Duméry explique comment Blondel, même traitant du surnaturel chrétien, est " philosophe, rien que philosophe ". " A moins de supposer la foi absurde, dénuée de fondement et de signification, il faut qu'il y ait en quelque sorte, par-dessous les états de pure raison et les états de foi, un même squelette notionnel, un même tissu intelligible, grâce auquel ce qu'on croit reste cohérent ou compatible avec ce qu'on sait[1]. " " L'ordre des notions, sous-jacent à l'acte de foi, n'est autre que le nécessaire fondement rationnel qu'exige la démarche religieuse pour n'être pas arbitraire; sans cet " ordre ", elle serait d'ailleurs évanescente : ni structurée, ni structurable[2]. " " Supposons cet ordre absent, non seulement le théologien ne peut plus ni penser ni exprimer sa foi, mais encore et surtout il retire à celle-ci toutes ses substructures rationnelles, c'est-à-dire ce qui constitue ses *conditions même de possibilité*. Ainsi, l'ordre idéal, en sa rigueur formelle, [...] est *ce par quoi* la foi a pu se donner une intelligibilité humaine, c'est-à-dire se développer en raison théologique. Et il est *ce sans quoi* la foi n'aurait eu dans l'esprit de l'homme aucune prise, aucun fondement raisonnable[3]. "

Après cette analyse, qui exprime en termes parfois discutables une idée fort juste, Duméry poursuit ainsi : " Or, l'examen des conditions de possibilité d'un objet est toujours du ressort de la philosophie, quel que soit l'objet en question. En proclamant que l'ordre des notions immanentes relève de la critique philosophique, Blondel ne fait donc que rendre à la philosophie ce qui lui revient en propre[4]. " Cette prémisse et cette conclusion nous paraissent incontestables. Seule nous paraît inadmissible l'exclusion qu'on semble y impliquer. Nous pensons en effet que l'examen rationnel des conditions de possibilité *de la foi* appartient *aussi* et *en propre* à la théologie, et qu'il s'y déploie par une critique philosophique[5]. Pour refuser cela, il faudrait admettre que la théologie est une science *aveugle*, procédant sans savoir ce qu'elle fait. Il faudrait accorder qu'elle ignore " ce par quoi la foi a pu se donner une intelligibilité humaine, c'est-à-dire se développer en raison théologique ", " ce sans quoi la foi n'aurait eu dans l'esprit de l'homme aucune prise, aucun fondement raisonnable ", ce sans quoi la démarche religieuse serait " arbitraire " et " évanescente : ni structurée, ni structurable ".

1. *Blondel et la Religion*, p. 68.
2. *Loc. cit.*, p. 69.
3. *Loc. cit.*, p. 70.
4. *Ibid.*
5. La critique historique y joue aussi un rôle important; mais nous n'avons pas à l'envisager ici.

Les formules de Duméry, qui expriment si justement les conditions d'une foi raisonnable et structurée, indiquent par le fait même la fonction de la théologie, en tant qu'elle a conscience réfléchie de son objet, en tant qu'elle pense sa propre pensée, c'est-à-dire en tant qu'elle est théologie fondamentale et spéculative.

On retrouvera la même implication en toute formule analogue du même interprète. " Sans doute, dit-il encore, dans la conscience du croyant on doit tenir l'ordre idéal pour du *rationnel théologique*, car il sert alors à médiatiser une expérience de foi; mais cela n'exclut pas, bien plutôt cela requiert que la série notionnelle soit d'un autre point de vue du *logico-rationnel philosophique*. En d'autres termes, avant même que le théologien intervienne et pour qu'il puisse intervenir, il faut présupposer une armature intelligible, sans laquelle l'expérience religieuse serait comme déliée complètement de la raison[1]. " Cela est juste; mais cela veut dire aussi que le théologien, sous peine d'être aveugle à ce qu'il présuppose, doit faire précéder la dogmatique d'une théologie fondamentale et la faire accompagner d'une théologie spéculative. — On écrit encore : " S'il est prouvé [...] que l'ordre idéal, dont l'hypothèse du surnaturel est un nœud, se trouve être à la fois la logique inhérente à la pratique chrétienne et le tissu même du déterminisme notionnel qui préside à la dialectique de l'action, alors le philosophe devra assimiler ou récupérer cette hypothèse, sous peine de faire de l'action concrète une description inexacte[2]. " Nous l'accordons; et nous reconnaissons que Blondel, en assumant cette tâche, a fait œuvre de philosophe. Mais nous ajoutons qu'il a effectué, *en même temps et par le fait même*, une œuvre de théologien, — non encore une fois de théologie dogmatique, mais de théologie fondamentale, — puisque la philosophie de l'action, quand elle décrit la genèse de l'idée de surnaturel, dégage *du même coup* les conditions d'achèvement de l'action *et* la logique immanente à la foi.

N'oublions pas que, si Blondel a tant insisté sur la distinction des domaines, c'était pour légitimer aux yeux des théologiens et revendiquer devant les philosophes l'autonomie de sa recherche en matière religieuse. Les besoins de sa défense lui eussent rendu difficile d'affirmer le caractère théologique de son œuvre. Au reste, la théologie scolaire du XIXe siècle ne lui offrait guère le moyen de le désigner en termes précis. Ce que nous appelons aujourd'hui théologie fondamentale existait à peine alors. Le mot, quand il était employé, désignait autre chose. Blondel ne connaissait, sous le nom de théologie, que " la synthèse logique du dogme ", telle qu'on la présentait dans les écoles.

1. *Blondel et la Religion*, p. 69.
2. *Loc. cit.*, p. 72.

A vrai dire, il a été sur le point d'apercevoir que cette notion était incomplète. Dans la *Lettre*, aussitôt après avoir rappelé aux théologiens que leur mission est d'exposer, avec l'autorité qui leur est propre, la synthèse logique du dogme, et qu'ils ne gagnent rien " à humaniser leur enseignement " en rapportant tout à des arguments philosophiques, il ajoute ces lignes remarquables : " Il faut que, avec un respect de plus en plus intelligent des susceptibilités de la conscience, le croyant, l'apologiste, le *théologien* en qui tout l'homme doit subsister avec ses exigences et ses aspirations d'homme, peine comme les autres et pour les autres, afin de ne parler qu'en savant des problèmes de science, qu'en historien des problèmes du passé, *qu'en philosophe* des inquiétudes de la pensée, qu'en vivant des choses de la vie. Qu'il ne supprime, qu'il n'ignore pas le naturel du surnaturel même. Autant donc il est nécessaire de ne pas mêler les rôles et les compétences, autant il est urgent de briser les prétendues cloisons étanches qui sépareraient faussement le chrétien, de l'homme et du citoyen, et l'homme de Dieu, des progrès du monde [1]. " Cela tend à signifier, si on le prend au sérieux, que l'humain doit entrer en quelque manière dans l'étoffe même de l'œuvre théologique, que la science, l'histoire, la philosophie, l'expérience de la vie, ont un rôle à y jouer; et en particulier, que le théologien doit faire siennes les exigences humaines manifestées par la philosophie de l'action. Blondel est donc sur le point de remarquer que le mouvement même de sa philosophie oblige à dépasser la conception qu'il a retenue par ailleurs de la théologie.

S'il n'a pas effectué lui-même ce dépassement, il a amené des théologiens à le faire. C'est en partie sous son influence que s'est progressivement constituée, à partir de 1900, la théologie fondamentale telle que nous la concevons aujourd'hui. Ici encore se vérifie le mot de Heidegger : " Qu'une pensée reste en arrière de ce qu'elle pense caractérise ce qu'elle a de créateur [2]. "

Si nous avons pu montrer le caractère théologique de la pensée blondélienne avec les arguments mêmes que Duméry avance pour le nier, c'est évidemment que la divergence entre nous, sur ce point, réside beaucoup moins dans l'interprétation de cette pensée que dans la conception de la théologie. D'après Duméry, " le théologien, à la différence du philosophe, s'impose une limite de recherche dès son point de départ. Il

1. *Lettre*, p. 75-76. Souligné par nous.
2. M. HEIDEGGER, *Essais et conférences*, trad. A. Préau, Paris, Gallimard, 1958, p. 142.

n'opère pas une reprise radicale de ses fondements. Par l'acte de foi, il décide du sens global du donné qu'il reçoit; puis il exploite ce donné, il en cherche la signification de détail en stricte conformité avec le sens général[1]. " " Le philosophe est le seul à connaître le dessous des cartes[2]. " S'il est vrai que le théologien s'impose de ne pas opérer une reprise radicale de ses fondements, nous devons accorder à Duméry que la philosophie blondélienne, opérant précisément cette reprise, se situe par le fait même hors de toute sphère théologique. Mais nous refusons cette conception de la théologie, et nous considérons comme essentielle à l'œuvre du théologien une part au moins de ce que Duméry voudrait réserver au " philosophe de la religion ".

Certes, on pourrait citer un nombre considérable d'écrits théologiques d'où est totalement absente l'idée d'une reprise des fondements. Le mérite d'une œuvre comme celle de Duméry est précisément de rappeler aux théologiens un devoir de réflexion dont ils se dispensent trop souvent. Mais aucun théologien sérieux n'admettra en droit que son rôle soit simplement d'exploiter le donné de foi, sans jamais prendre garde au conditionnement humain de ce donné, sans jamais se retourner vers les présupposés historiques et rationnels de la foi. Le théologien qui renoncerait à " connaître le dessous des cartes " ne ferait que déployer en bavardage plus ou moins savant la " foi du charbonnier ". Duméry a précisé récemment qu'en dispensant le théologien d'avoir à faire de la critique rationnelle, il ne lui refusait pas toute activité réflexive[3]. Dès le premier exposé, c'était clair pour le lecteur attentif. Mais nous contestons précisément ce que maintient le second exposé, savoir que la critique philosophique des conditions de possibilité de la foi soit une tâche dont le théologien pourrait se dispenser[4]. Il ne suffit pas de concéder qu' " un théologien peut à l'occasion en faire autant[5] ". Il *doit* en faire autant, sous peine de ne pas comprendre la portée exacte de ce qu'il dit, et de ne pouvoir le situer comme jugement de vérité.

On revendique cette tâche critique pour le philosophe, au nom du principe que Lachelier formulait ainsi : " C'est l'office de la philosophie de tout *comprendre*, même la religion[6]. " Nous n'entendons nullement contester ce droit au philosophe. Mais nous remarquerons que comprendre la religion appartient aussi à l'office propre de la théologie réflexive

1. *Critique et Religion*, p. 278.
2. *Loc. cit.*, p. 279.
3. *La Foi n'est pas un cri, suivi de Foi et institution*, Paris, Ed. du Seuil, 1959, p. 324.
4. *Ibid.*
5. *Loc. cit.*, p. 202, note.
6. Dans le *Vocabulaire de la Philosophie*, publié par A. Lalande, au mot " Philosophie ".

et spéculative. La question se pose donc de savoir quel rapport il y a entre les deux compréhensions. Lorsque le croyant peut reconnaître dans telle " philosophie de la religion " une intelligence exacte des présupposés rationnels de sa foi, elle se trouve alors accomplir, au moins en partie, la tâche même de la théologie fondamentale. Philosophie et théologie, si distinctes soient-elles, se recouvrent l'une l'autre, en pareil cas, au point précis où elles dégagent par une même réflexion les mêmes fondements de la religion. — Mais on sait que maintes philosophies de la religion ont abouti à réduire le christianisme, ou à le naturaliser, ou ont prétendu le dépasser[1]. On peut se demander si pareil résultat peut être évité autrement que par la méthode définie par Blondel : partir du christianisme (plus précisément du catholicisme), supposé vrai par ailleurs, et vérifier rationnellement l'hypothèse de cette vérité, dans toute la mesure où elle comporte d'être vérifiée. Or c'est là précisément la première démarche d'une théologie fondamentale bien comprise. Ainsi apparaît-il qu'une philosophie de la religion ne s'accordera à coup sûr avec la foi chrétienne que si elle se conçoit d'emblée comme théologie fondamentale, au sens que nous avons défini.

4. *Réponse à quelques critiques.*

C'est pour une large part à cause d'une conception trop étroite de la théologie, qu'on s'est mépris parfois sur le sens de notre première étude relative à Blondel. Nous disions là que la pensée blondélienne n'est ni de la philosophie pure, ni de la théologie au sens étroit du mot, qu'elle a ressuscité une réflexion analogue à ce que les anciens appelaient l' " intelligence de la foi "[2]. H. Duméry, par exemple, a cru que nous voulions

---

1. C'est la raison pour laquelle nous avons manifesté autrefois quelque inquiétude devant la formule de Lachelier (*Recherches de Science religieuse*, 1949, p. 384). Elle vient en effet, chez lui, aussitôt après cette déclaration : " Quant aux rapports de la philosophie et de la religion, c'est dans Schelling (non dans Voltaire) qu'il faut aller les chercher. " H. Duméry nous a fait la remarque suivante : " Il [Lachelier] oppose Schelling à Voltaire, non pour provoquer à une naturalisation du dogme, mais pour souligner la supériorité d'une réflexion, qui prend pour objet la religion positive, sur toute tentative de construire une religion naturelle. Lachelier respecte parfaitement le mystère... " (*Critique et Religion*, p. 9, note 3.) Nous savons que Lachelier respectait le mystère; il le respectait tant qu'il en était fidéiste. Nous n'avons pas contesté non plus la supériorité de Schelling sur Voltaire, en matière de philosophie de la religion. Il nous a seulement semblé que Schelling naturalisait le christianisme. C'était aussi l'avis de Blondel. Il a précisément voulu faire une œuvre analogue à celle de Schelling, mais qui respecterait le surnaturel.

2. *L'Intention fondamentale de Maurice Blondel et la théologie*, dans *Recherches de Science religieuse*, 1949, p. 386-387.

ainsi définir et assigner à Blondel une voie moyenne entre philosophie et théologie[1], que nous contestions par là le caractère proprement philosophique de son étude du problème religieux, et lui prêtions un " concordisme philosophico-théologique " formellement exclu par lui[2]. Nous reconnaissons que notre développement, un peu rapide (mais nous ne pouvions l'étendre davantage au cours d'un simple article), ne contenait pas toutes les explications utiles pour qu'il soit aisément compris des lecteurs non familiarisés avec la pratique de la théologie. Cependant, comme nous avions maintes fois répété que l'œuvre de Blondel était proprement philosophique, on eût dû se tenir en garde contre une interprétation qui nous faisait dire le contraire. Quand nous écrivions que cette œuvre n'était pas de la philosophie pure, nous précisions : " si l'on entend par là une philosophie séparée[3] ". Nous utilisions ainsi un vocable blondélien[4] pour désigner une intention blondélienne : celle de développer une philosophie autonome *dans l'hypothèse de la vérité du christianisme*. Nous disions exactement ce que Duméry a lui-même, plus tard, formulé ainsi : Blondel " savait pertinemment qu'il partait du christianisme, supposé vrai par ailleurs...[5] "; il " tente une *transposition* " du théologique au philosophique et " cherche à constituer une philosophie autonome à partir du christianisme[6] ". Quand nous écrivions qu'il ne fait pas de la théologie au sens étroit que ce mot revêt souvent dans le langage ordinaire, nous entendions qu'il ne s'est pas donné pour rôle d'exposer " la connaissance positive des vérités révélées, à la lumière des sources chrétiennes[7] "; autrement dit, il ne fait pas de la théologie dogmatique. Enfin, lorsque nous disions qu'il cherche l' " intelligence de la foi ", qu'il analyse la *ratio fidei*, nous précisions qu'il fallait l'entendre au sens anselmien, plutôt qu'au sens augustinien[8]. Par là, nous signifiions expressément ce qu'on nous reproche d'avoir méconnu : que Blondel " a cherché à forger une méthode qui pût valoir pour l'incrédule

1. *Blondel et la Religion*, p. 73 note 3.
2. *Loc. cit.*, p. 72-73.
3. *Recherches de Science religieuse*, 1949, p. 386.
4. A vrai dire, Blondel n'emploie pas toujours dans le même sens le terme de " philosophie pure ". Il lui a fait désigner la philosophie qui prétend procurer elle-même l'être et l'absolu (*Lettre*, p. 57), ou encore la philosophie qui s'abstient de toute référence aux données positives du christianisme (*Le Problème de la philosophie catholique*, p. 167). Mais il lui est arrivé aussi d'écrire (dans ce même livre, p. 6) que son œuvre à lui est de " philosophie pure ", pour signifier qu'elle n'est pas une apologétique irrationnelle, comme le disait Bréhier. A cause de l'ambiguïté créée par ces divers emplois, nous préférons maintenant nous abstenir de ce terme.
5. *Critique et Religion*, p. 100.
6. *Loc. cit.*, p. 101.
7. *Recherches de Science religieuse*, 1949, p. 387.
8. *Loc. cit.*, p. 389-390.

comme pour le croyant[1] ". Nous indiquions donc que sa pensée, vraiment philosophique, a *en même temps et du même mouvement* un caractère théologique; ce qui est tout autre chose que de lui assigner une *voie moyenne* entre philosophie et théologie. " Je ne me reconnais pas le droit, nous dit Duméry, de ne pas prendre au sérieux la volonté de Blondel, maintes fois exprimée dans la *Lettre*, d'élaborer une philosophie qui soit une science universelle et apodictique[2]. " Mais où aurions-nous revendiqué ce droit ? Si l'on a cru que nous ne prenions pas au sérieux l'intention de Blondel, c'est parce qu'on n'a pas compris ce que nous entendions par " intelligence de la foi ". Où a-t-on lu qu'elle consisterait " à fabriquer de la raison à partir du contenu réel de la foi[3] " ? Quel rapport y a-t-il entre cette étrange idée et la démarche anselmienne ?

Emporté par le souci, très légitime en soi, d'écarter toute interprétation qui tendrait à ravir à Blondel son titre de philosophe, Duméry en vient à susciter un fantôme pour l'exorciser. Au cours de la note où il discute notre étude, il ajoute ceci : " Dans un article particulièrement pénétrant, le R. P. de Lubac avait déjà dit son embarras de choisir entre les termes de *philosophie* et de *théologie* appliqués à la philosophie chrétienne selon Blondel[4]. " Or, précisément dans cet article figure la déclaration si nette que nous avons déjà relevée plus haut : " Quant à la philosophie chrétienne selon M. Blondel, elle n'est *pas encore* chrétienne. Car elle est la philosophie constatant d'elle-même, dans une démarche dernière qui est encore une œuvre de *pure réflexion rationnelle*, qu'elle ne " boucle " pas. C'est donc une philosophie qui sera ouverte au christianisme, mais qui *en droit ne procède aucunement de lui...*[5] " Peut-on voir ici le moindre embarras à reconnaître le caractère proprement philosophique de l'intention blondélienne ? Un peu plus loin, il est vrai, à la page même qu'indique la référence de Duméry, le P. de Lubac avoue qu'on peut hésiter sur le choix du mot : philosophie ou théologie[6]. Mais qu'on y prenne garde : il ne s'agit plus de Blondel, il s'agit d'une autre conception de la philosophie chrétienne, celle qui fut familière aux Pères de l'Église; l'auteur indique même expressément en quoi elle se distingue de l'idée blondélienne[7].

Il n'est donc pas surprenant que Blondel lui-même ait chaudement

---

1. *Blondel et la Religion*, p. 73, note 3.
2. *Blondel et la Religion*, p. 73, note 3.
3. *Loc. cit.*, p. 71.
4. *Loc. cit.*, p. 73, note 3. Voici la référence donnée par Duméry : *Sur la philosophie chrétienne. Réflexions à la suite d'un débat*, dans *Nouvelle Revue théologique*, mars 1936, p. 247.
5. Dans *Nouv. Revue théol.*, mars 1936, p. 245. Les soulignements sont de nous, sauf le premier.
6. *Loc. cit.*, p. 247.
7. *Loc. cit.*, p. 245-247.

loué cet article, et sans aucune réserve. " Il y est fortement montré, écrit-il, que, dans son autonomie la plus rationnelle, la philosophie couvre le champ total de l'expérience humaine et de la vie universelle. Bien des confusions et des timidités sont éliminées par cette vigoureuse et savante étude[1]. " Ainsi, Blondel reconnaissait sa pensée, là où Duméry ne la croit pas exactement interprétée.

Celui-ci, toutefois, renvoie encore à un autre article, où le P. de Lubac aurait exprimé, au sujet de Blondel, la " même hésitation[2] ". Était-il opportun, aussitôt après avoir rappelé qu'on considère la pensée blondélienne telle qu'elle s'est présentée dans la *Lettre*[3], d'alléguer un article concernant *L'Être et les êtres*, ouvrage paru quarante ans plus tard, et traitant d'un tout autre problème ? Quoi qu'il en soit, nous ne trouvons dans cet article aucune trace de l'hésitation qu'on nous signale. L'objectif principal est d'écarter le grief qu'un critique avait formulé au sujet de *L'Être et les êtres* : Blondel, dans sa théorie du motif de la création, aurait amalgamé deux conceptions incompatibles, l'une grecque, l'autre évangélique. A l'endroit qu'indique Duméry, le P. de Lubac écrit : " Nous n'examinons pas ici, répétons-le, si l'effort d'intelligence de M. Blondel sur ce point précis est strictement philosophique, ni si le résultat qu'il cherche est pleinement obtenu : nous prétendons qu'en principe il est intégralement chrétien[4]. " Remarquons d'abord que réserver une question ne signifie pas que la réponse serait négative ou hésitante. En outre, à supposer qu'elle le soit en effet, elle ne concernerait ici qu'un point nettement circonscrit (le motif de la création), et non l'ensemble de la pensée blondélienne. Enfin, puisque l'auteur déclare répéter une chose déjà dite, reportons-nous au premier énoncé : il va précisément en sens inverse de ce que Duméry a cru lire. Signalant qu'aux yeux de certains critiques *L'Être et les êtres* n'est pas un ouvrage philosophique, parce qu'il tente une organisation apparemment rationnelle de données reçues de la foi et suppose ainsi dès le début les conclusions où il paraît s'acheminer, le P. de Lubac annonce qu'il n'examinera pas ce reproche[5]. Mais il renvoie aussitôt à une étude de Jeanne Mercier qui, dit-il, " en apporte implicitement la réfutation par la longue analyse qu'elle fait de l'ouvrage, [...] en expliquant le principe interne de mouvement sans avoir besoin d'évoquer aucune des consonances théologiques dont tant de

---

1. *L'Action*, I, réédition de 1949, p. 311, note.
2. *Blondel et la Religion*, p. 73, note 3. Voici la référence donnée par Duméry : *Le motif de la création dans " L'Être et les êtres " de M. Blondel*, in *Nouvelle Revue théologique*, février 1938, p. 222-223, 224 et 225.
3. *Blondel et la Religion*, p. 71.
4. *Nouvelle Revue théologique*, février 1938, p. 222-223.
5. *Loc. cit.*, p. 220.

pages pourtant sont pleines ". Et il ajoute cette remarque : " Le succès, vraiment imprévu dans son allure de triomphe, rencontré par M. Blondel au Congrès de Philosophie de Paris, s'expliquerait assez mal si les philosophes avaient eu le sentiment que celui qu'ils acclamaient trahissait par des voies obliques ce à quoi, dans leurs divergences, ils tiennent le plus : l'autonomie de la recherche rationnelle[1]. " Est-ce assez net ?

Voici maintenant que, sur la foi de lectures trop rapides, on juge l'idée que nous nous ferions de la philosophie : " Si les PP. de Lubac et Bouillard croient que l'agrandissement de la philosophie par Blondel introduit dans celle-ci un patron de rationalité différent de celui de la philosophie pure, ou séparée, c'est à mon sens parce qu'ils sous-entendent que la philosophie laissée à elle-même est à sa façon un dogmatisme particulier, non une réflexion analytique dont la vie sous toutes ses formes est le terrain d'application[2]. " Malchance encore : justement dans le dernier article mentionné par Duméry, le P. de Lubac écrit : " Le vrai philosophe [...] sait que la philosophie consiste moins dans un système de connaissances définies, dans un énoncé de thèses, que dans le mode même de leur systématisation...[3] " Ce qui revient à dire que la philosophie n'est pas un dogmatisme, ni particulier ni général. Nous partageons nous-même cette pensée de notre ami. Nous avons lu assez tôt les *Dialogues* de Platon et la *Critique de la Raison pure* pour savoir que la philosophie, même quand elle se déploie en système, n'est pas un dogmatisme. A la fin de notre article sur Blondel, pour situer très précisément le caractère philosophique de sa pensée au moment où elle rencontre la foi chrétienne, nous avions insisté sur le caractère *négatif* de sa méthode[4], mettant par là en relief que la philosophie est tout autre chose qu'un dogmatisme. Quant à savoir si la philosophie blondélienne est une analyse réflexive au sens où l'entend Duméry, nous avons suffisamment exprimé notre avis au cours de la présente étude.

Arrivons enfin à la conclusion de la même note : " Que des théologiens écrivent que Blondel n'est pas philosophe à la manière dont les autres le sont, c'est là de quoi fortifier par choc en retour le vieux grief rationaliste, qu'on cherche pourtant à détruire[5]. " Dans la mesure où cette remarque s'appuie sur la conviction que nous aurions assigné à Blondel " une voie moyenne entre philosophie et théologie[6] ", elle porte

1. *Loc. cit.*, p. 220.
2. *Blondel et la Religion*, p. 74, note.
3. *Nouv. Rev. théol.*, février 1938, p. 221.
4. *Recherches de Science religieuse*, 1949, p. 400.
5. *Blondel et la Religion*, p. 74, note.
6. *Blondel et la Religion*, p. 74, note.

à faux. Reste cependant que nous avons reconnu et reconnaissons encore à sa pensée un caractère théologique. Mais, tel que nous l'avons précisé, ce qualificatif ne signifie rien d'autre ici que l'intention maintes fois exprimée par Blondel : reprendre tout le problème philosophique en fonction de l'idée même que le christianisme nous donne de la destinée humaine, donc ne pas mettre ses croyances à l'écart de sa pensée, mais considérer que la doctrine évangélique doit pénétrer et faire fermenter la pâte philosophique, enfin attendre de cet effort une meilleure intelligence du christianisme. Nous avons suffisamment montré comment cet effort restait pleinement rationnel et proprement philosophique.

Par le fait que la pensée blondélienne s'est développée en référence au christianisme, elle se distingue évidemment des philosophies qui ont ignoré le christianisme ou l'ont maintenu à l'écart. Mais elle s'apparente à toutes les philosophies qui ont adopté d'une manière ou d'une autre la même référence. Rappelons-nous que les grandes philosophies médiévales se sont développées non seulement en fonction de l'idée chrétienne, mais au sein d'une théologie. Il est vrai que depuis lors la philosophie s'est voulue plus indépendante. Mais nombreux sont encore les philosophes dont on a pu dire qu'ils étaient théologiens, sans contester le moins du monde l'autonomie rationnelle de leur démarche. Par exemple, Malebranche. Dans l'étude remarquable qu'il lui a consacrée, M. Gueroult relève que, d'après lui, " la métaphysique proprement rationnelle ne peut se passer des données de la foi, se contenter, comme les mathématiques et la physique, de la raison et de l'expérience. Ainsi, les dogmes du péché originel et de l'incarnation s'avéreront absolument indispensables pour permettre à la raison de résoudre les " contradictions " que l'expérience lui fait découvrir dans l'univers[1]. " Malebranche peut donc faire sien non seulement le *Fides quaerens intellectum* de saint Anselme mais le *Crede ut intelligas* de saint Augustin[2]. Ces simples observations suffisent à indiquer que, chez lui, les données de la foi s'intègrent plus profondément à la philosophie que chez Blondel, comme celui-ci l'avait noté lui-même[3]. Cela n'empêche pas M. Gueroult de saluer en Malebranche " un des plus grands philosophes de tous les temps[4] ". Lors-

---

1. M. GUEROULT, *Malebranche*, I (Paris, 1955), p. 17.
2. M. GUEROULT, *Malebranche*, I, p. 17.
3. M. BLONDEL, *L'Anti-cartésianisme de Malebranche*, dans *Rev. de Métaph. et de Mor.*, 1916, p. 1-26. Blondel signale les difficultés que soulève la pensée de Malebranche, du point de vue de l'orthodoxie comme de la philosophie, en raison de la continuité qu'elle marque entre les deux ordres, naturel et surnaturel (p. 24). Mais il dit aussi : " On peut savoir gré à Malebranche d'avoir, contre les limitations artificielles d'une philosophie sans horizons religieux, maintenu ou étendu les prises de la spéculation intégrale " (p. 25).
4. M. GUEROULT, *Malebranche*, III (Paris, 1959), p. 374.

qu'un autre historien, M. Gouhier, écrit que cette philosophie est une " philosophie de théologien[1] ", il n'entend nullement signifier par là que ce ne serait pas une authentique philosophie.

Autre exemple. On a souvent dit de Hegel qu'il était à certains égards un théologien. Toutes les histoires de la théologie protestante lui accordent une place, soit à cause de l'influence qu'il a exercée sur la pensée théologique, soit à titre même de théologien. Dans sa vaste *Histoire de la Théologie évangélique moderne*, Emmanuel Hirsch lui consacre une étude attentive et déclare expressément qu'" il est à sa place ", plus que beaucoup d'autres, " dans une histoire de la théologie[2] ". Il n'y a aucune apparence qu'on veuille ainsi lui retirer son titre de philosophe.

Ces exemples, et l'on en pourrait citer d'autres, suffisent à montrer qu'on ne ravit pas ce titre à Blondel en signalant le caractère théologique de sa pensée. Sous prétexte de ne pas " fortifier par choc en retour le vieux grief rationaliste ", ne prêtons pas à l'auteur de *L'Action* ce rationalisme qu'il a justement voulu dépasser. Ne croyons pas qu'on risque de discréditer comme philosophe celui qu'on fait valoir comme penseur chrétien. C'est ici le lieu de se rappeler le mot savoureux de M. Gilson : " La principale raison qui détourne tant d'historiens, de philosophes et de théologiens de nommer théologie ce qu'ils préfèrent nommer philosophie, est que, dans leur esprit, la notion de théologie exclut celle de philosophie[3]. "

Dans son excellent ouvrage sur *Hegel et Blondel*[4], le P. Pierre Henrici a fort bien montré que la dialectique blondélienne est " purement philosophique ", en ce sens qu'elle ne s'appuie jamais sur des présupposés théologiques, qu'elle n'introduit dans ses fondements aucune prémisse empruntée aux données de la foi[5]. Mais il lui a semblé, à lui aussi, que nous l'aurions contesté en écrivant dans notre article que la pensée blon-

---

1. H. Gouhier, *Philosophie chrétienne et théologie. A propos de la seconde polémique de Malebranche*, dans la *Revue philosophique*, 1938, p. 65.
2. Emanuel Hirsch, *Geschichte der neuern evangelischen Theologie*, tome V (Gütersloh, 1954), p. 268 : " Wenn einer, so gehört er in eine Geschichte der Theologie. "
3. Etienne Gilson, *Le philosophe et la théologie*, Paris, 1959, p. 106. Ce mot nous paraît juste, même si l'on fait des réserves sur l'idée que propose M. Gilson de la philosophie chrétienne.
4. Peter Henrici, *Hegel und Blondel*. Eine Untersuchung über Form und Sinn der Dialektik in der " Phaenomenologie des Geistes " und in der ersten " Action ". Pullach bei München, Verlag Berchmanskolleg, 1958. Nous avons rendu compte de cet ouvrage dans les *Archives de Philosophie*, avril-juin 1960, p. 309-312.
5. *Hegel und Blondel*, p. 181-185.

délienne n'est pas de la " philosophie pure ", qu'elle s'insère dans la tradition de la *fides quaerens intellectum*[1]. Nous avons suffisamment expliqué que nous donnions alors un autre sens au terme de " philosophie pure ", et que nous entendions par analyse de la *ratio fidei* une démarche sans présupposé, puisque son point de départ est une radicale mise en question des affirmations de la foi. Nous écrivions dans cet article : " La conception évangélique de la destinée humaine est, non certes le postulat, mais l'idée directrice et organisatrice de la recherche philosophique [de Blondel][2]. " Citant cette phrase[3], le P. Henrici a omis, sans avertir, les mots : " non certes le postulat "; dès lors le lecteur ne peut plus voir les limites de notre assertion. Autant que quiconque, nous avons écarté l'idée que la conception évangélique serait la prémisse ou le présupposé sur lequel se fonderait la dialectique blondélienne.

En revanche, il nous semble que le P. Henrici n'a pas accordé assez d'attention au fait qu'elle est, d'après les déclarations mêmes de l'auteur, l'hypothèse directrice de la recherche. Cette omission s'explique d'ailleurs assez bien dans sa perspective. Il estime en effet qu'à la fin de la quatrième partie de *L'Action*, " la marche de la dialectique de Blondel est proprement à son terme[4] ". Les réflexions sur l'idée de révélation et de pratique religieuse, sur l'être des phénomènes, qui composent la cinquième partie, sont pour lui des adjonctions qui conduisent au delà de cette dialectique[5]. Or, si l'on peut à certains égards, avant cette dernière partie, faire abstraction du fait que Blondel se laisse guider dans son analyse philosophique par la conception chrétienne, cela devient impossible à partir du moment où il introduit l'idée de révélation positive. Le P. Henrici relève lui-même que Blondel prend alors le dogme chrétien comme guide (*Richtweiser*) de son analyse transcendantale[6]. Et quand le dernier chapitre de *L'Action* introduit (avec plus de précautions qu'il ne le dit) l'idée de l'Incarnation, il y voit une conclusion qui dépasse la portée de la méthode blondélienne et qui constitue un reflet de connaissances théologiques[7]. Ainsi donc, il reconnaîtrait lui-même le rôle du christianisme comme idée directrice, s'il ne plaçait pas la cinquième partie de *L'Action* au delà du terme propre de la dialectique blondélienne. Or, nous l'avons vu en étudiant la genèse de l'idée de surnaturel, cette partie, quoique moins fondamentale que la précédente, est un élément essentiel de la dialectique de *L'Action*.

1. *Loc. cit.*, p. 181-182, 197.
2. *Recherches de Science religieuse*, 1949, p. 386.
3. *Hegel und Blondel*, p. 181. Il cite d'après la traduction allemande, qui est exacte.
4. *Loc. cit.*, p. 155.
5. *Loc. cit.*, p. 155.
6. *Loc. cit.*, p. 155.
7. *Loc. cit.*, p. 158.

Par le fait qu'il néglige la fonction directrice de l'idée chrétienne dans la démarche de Blondel, le P. Henrici se trouve amené à une conclusion paradoxale dans son ultime parallèle entre *L'Action* et la *Phénoménologie de l'Esprit*. La dialectique blondélienne, laisse-t-il entendre, parce qu'elle est purement philosophique, ne peut pas être située dans la tradition de la *fides quaerens intellectum*[1]; mais la dialectique hégélienne, elle aussi purement philosophique[2], se laisse cependant fort bien ranger dans cette même tradition[3]. La raison en est, explique-t-il, que cette dialectique récupère une vision théologique[4]. Sur quoi nous remarquerons qu'elle ne la recueille pas sans la " dialectiser ", et que Blondel, par une autre voie, en fait tout autant. La véritable différence nous paraît être ailleurs : tandis que Hegel pratique " l'intelligence de la foi " de telle manière que " l'intelligence ", c'est-à-dire la philosophie, dépasse " la foi ", Blondel la pratique de telle manière que " la foi ", en tant qu'adhésion surnaturelle, dépasse toujours la philosophie. En conséquence, la philosophie hégélienne absorbe la théologie dogmatique, en la supprimant comme dogmatique; la philosophie blondélienne s'arrête au seuil de la dogmatique, elle n'absorbe (et en partie seulement) que la théologie fondamentale, en la posant comme fondamentale. La première est une théologie rationalisée, la seconde, une apologétique rationnelle[5].

5. " Sainteté de la raison ".

Nous posions au début de ce chapitre la question de savoir si la pensée blondélienne était une philosophie, une apologétique ou une théologie. Nous tenons maintenant les divers éléments de la réponse, qui reste inéluctablement complexe. En tant que cette pensée procure l'intelligence de la foi, elle a un caractère théologique. En tant qu'elle veut amener les esprits au seuil de la foi, elle a un caractère apologétique. A ce double titre, elle est philosophie *chrétienne*. Mais rien de tout cela ne doit faire oublier qu'elle est d'abord *philosophie*, au sens propre du

1. *Loc. cit.*, p. 181-182.
2. *Loc. cit.*, p. 187.
3. *Loc. cit.*, p. 188. Hegel lui-même cite avec éloge le principe de saint Anselme (*Encyclopédie*, § 77, note).
4. *Loc. cit.*, p. 187.
5. Les remarques que nous venons de faire sur l'interprétation du P. Henrici n'ont plus guère qu'un intérêt rétrospectif. Elles vont en effet dans le sens des modifications qu'il apporterait spontanément à son ouvrage, s'il le récrivait maintenant. Cet ouvrage d'ailleurs, même sous sa forme présente, est un précieux instrument de travail.

mot, démarche rationnelle et autonome. On dira donc avec H. Duméry qu'elle est " une philosophie chrétienne obtenue de façon autonome par une reprise en sous-œuvre des exigences de la foi[1] ". Si l'on veut souligner ce que *L'Action* apporte de plus original au sein de la philosophie moderne et de plus précieux au regard du croyant, on mettra en évidence la définition qu'en a donnée Blondel lui-même : " apologie philosophique du christianisme ". Ou encore la belle formule par laquelle le P. Auguste Valensin a caractérisé le livre : " commentaire philosophique de l'Évangile[2] ". Mais on n'oubliera pas que l'épithète de " philosophique ", loin de désigner un trait accessoire et en quelque sorte accidentel, qualifie la structure même de la pensée.

Si l'on nous demande maintenant comment la pensée blondélienne, essentiellement philosophique, peut avoir en outre et par le fait même une visée apologétique et une portée théologique, nous répondrons : c'est parce qu'elle est philosophie de l'action. L'auteur, nous l'avons vu, en a eu conscience dès le moment où il fixait le sujet de sa thèse : c'est l'étude de l'action qui permet de relier la philosophie à l'Évangile. Il s'est donc installé, pour ainsi dire, dans l'action commune à tout homme, en vue d'assister à la dialectique de la vie réelle. Cette dialectique lui a paru aboutir inévitablement à une option, par laquelle l'homme se perd ou se sauve. Pour que l'action s'achève, il faut que l'option devant l'unique nécessaire soit positive, c'est-à-dire qu'elle accueille un Absolu qui dépasse ce que la philosophie peut procurer. C'est donc en tant que réflexion de l'action sur soi-même, que la philosophie reste elle-même au moment où elle perçoit la nécessité de se dépasser dans une option religieuse. Le P. Henrici l'a fort bien exprimé dans son propre langage. Après avoir montré que la dialectique philosophique de Blondel est " une phase intermédiaire dans l'accomplissement existentiel de l'être total de l'homme ", il conclut en ces termes : " Elle est une dialectique purement philosophique, qui ne s'appuie sur aucun présupposé théologique, aucune décision théologique préalable; mais elle ne peut être cela

---

1. *Critique et Religion*, p. 111. Cette formule est en elle-même très juste. Mais Duméry déclare qu'elle exprime seulement une des deux orientations qu'il discerne dans l'entreprise blondélienne. La seconde serait " une volonté de pénétrer jusqu'au cœur de la religion et de porter l'instrument critique au sein de l'expressivité religieuse " (*ibid.*). Quoique cette intention n'ait été réalisée qu'en partie, ajoute-t-il, c'est pour elle et pour la méthode créée en vue de la réaliser, que Blondel doit être loué d'abord (p. 112). Nous avons déjà montré qu'il n'y a pas lieu de présenter ainsi l'intention critique comme une orientation différente du projet de philosophie chrétienne.

2. *Regards sur Platon..., Blondel*, Paris, 1955, p. 311 : " C'est dans ce livre, commentaire philosophique de l'Évangile, que j'ai trouvé mes raisons dernières d'être Jésuite — dans le même temps où tels de mes camarades y puisaient leurs raisons de rester chrétiens. "

que dans la mesure où, simple élément dans l'accomplissement total de l'existence, elle a toujours déjà dépassé la sphère du " pur " philosopher[1]. "

Seule une telle philosophie de l'action peut, sans contradiction, affirmer l'insuffisance de la philosophie. Car ce qu'elle énonce ainsi n'est pas une insuffisance propre à la philosophie, mais l'insuffisance de toute activité humaine, y compris l'*exercice* de la philosophie. Quand la philosophie se fait pure analyse de la forme du sens, c'est-à-dire du sens formel qui fonde tous les sens concrets, il faut le dire, elle se suffit pleinement à elle-même. Elle achève son cercle sans rupture. (Ou si elle croit aboutir finalement à un échec et prononce sa propre précarité, parce que tout sens lui paraît hanté de non-sens, cet aveu, en soi, ne conduit pas plus qu'un déploiement heureux du sens formel, à une option religieuse négative ou positive.) L'analyse de la forme du sens nous paraît être la tâche essentielle de la philosophie. Blondel ne l'a peut-être pas entièrement remplie, même dans la Trilogie où il s'y est efforcé davantage. (C'est pourquoi celle-ci ne nous paraît pas aussi adéquate à son objet que *L'Action* l'était au sien.) Mais la tâche qu'il s'est assignée, de déterminer le rôle propre de la philosophie au sein de l'activité *humaine*, est pareillement nécessaire et encore proprement philosophique. Car il revient encore au philosophe d'indiquer le rapport du formel au concret; et il importe de montrer comment et pourquoi le sujet concret et agissant, l'homme en un mot, ne s'épuise pas dans le sujet formel qui se donne pour objet la forme du sens. C'est ici que la philosophie de l'action trouve son rôle et peut prononcer l'insuffisance de la philosophie, sans contester ni sa cohérence ni sa nécessité.

C'est uniquement dans la perspective d'une philosophie de l'action que Blondel a pu écrire ce paradoxe : " Ce n'est pas seulement l'homme vivant en tout philosophe, c'est la philosophie elle-même qui est et sera toujours naturellement, normalement une orante[2]. " Ou cet autre encore qui lui était si cher : " Le sacrifice est la solution du problème métaphysique par la méthode expérimentale. Et si l'action, dans tout le cours de son développement, a semblé une source nouvelle de clarté, il faut aussi qu'au terme même la connaissance qui suit l'acte parfait d'abnégation contienne une connaissance plus pleine de l'être. Elle ne le voit plus du dehors, elle l'a saisi, elle le possède, elle le trouve en elle : *la véritable philosophie est la sainteté de la raison*[3]. "

---

1. *Hegel und Blondel*, p. 185.
2. *La Pensée*, II, p. 370.
3. *L'Action*, p. 442. Nous soulignons la dernière proposition, parce que Blondel l'a souvent répétée dans ses Cahiers intimes et dans les notes préparatoires à son livre.

EN GUISE DE CONCLUSION

Nous avons étudié chez Blondel, et surtout dans ses premiers écrits, la genèse de l'idée de surnaturel, le rôle de l'option religieuse dans l'affirmation ontologique, les caractères propres d'une philosophie chrétienne. Trois aspects d'un même rapport : l'ouverture de la philosophie au christianisme.

Notre travail, on l'aura remarqué, a été d'analyse plus que de synthèse. Il était indispensable de procéder d'abord ainsi. La pensée blondélienne, en effet, quoiqu'elle unisse toujours prospection et rétrospection, donne spontanément le pas à la première sur la seconde. Elle ne définit pas toujours avec une parfaite clarté ses concepts et sa démarche. Ainsi s'explique la divergence des interprétations. Il nous fallait donc, en une matière particulièrement délicate, analyser avec soin le sens des termes, le cheminement des genèses, la nature des liaisons logiques, la portée exacte des affirmations. C'était le seul moyen de recueillir fidèlement une pensée qui est plus distincte et plus fidèle à ses distinctions que ne le laisseraient croire au premier abord certaines de ses expressions.

A cause même de son caractère obligatoirement analytique, notre travail n'appelle pas de conclusion. Celle-ci, en effet, ne pourrait consister qu'en un résumé ou en une critique d'ensemble, à moins qu'elle ne présente l'un et l'autre successivement. Or, un résumé ferait disparaître ce qu'il y avait de démonstratif et d'utile dans l'analyse; et le lecteur qui s'en contenterait ne retiendrait que des affirmations dépourvues de contexte et de fondement. Une critique d'ensemble serait tout aussi inopportune. Nous avons signalé en cours de route quelques points obscurs, quelques éléments qui peuvent sembler problématiques, ou la possibilité de perspectives différentes. Rassembler tout cela de façon systématique nous amènerait à esquisser peut-être une autre philosophie. Ce n'est pas ici notre propos.

Mais si notre étude n'appelle pas de conclusion, elle exigerait un complément. Après avoir démonté les rouages, pour les examiner un à un, il faudrait les remonter, pour les voir en fonction. Ayant analysé la démarche philosophique de Blondel, il conviendrait d'en recomposer le mouvement. L'exposé que nous avons fait ressemble à ces séquences de films qui montrent au ralenti les plongeons d'un nageur, une course à pied, une course de chevaux. Le ralenti permet de saisir jusqu'au moindre détail la courbe des formes en mouvement. Mais à lui seul, il donnerait une vue inexacte, parce qu'il ôte à la figure mobile l'élan qui la jette. C'est pourquoi le film rétablit ensuite la vitesse réelle. Pour la même raison, le lecteur pourrait attendre de nous une nouvelle séquence, qui laisserait voir au naturel le mouvement que nous avons décomposé.

Mais à quoi bon offrir pareille séquence à qui se trouve à la porte du stade ? Si vous voulez non seulement contempler l'élan de la pensée blondélienne, mais encore éprouver sa force, il vous suffit de lire *L'Action*.

APPENDICES

NOTICE BIOGRAPHIQUE

Nous donnons ou rappelons ici quelques dates, destinées à servir de repères.

Maurice Blondel est né le 2 novembre 1861, à Dijon.

Élève de l'école primaire : 1867-1870.

Études au lycée de Dijon : d'octobre 1870 à juillet 1879.

Licencié ès lettres (philosophie) : 14 juillet 1880. — Bachelier ès sciences : 28 juillet 1880. — Bachelier en droit : novembre 1883.

Élève de l'École Normale Supérieure : août 1881 à novembre 1884.

Suppléances au lycée de Chaumont (à partir du 14 septembre 1885) et au lycée de Montauban (à partir du 15 avril 1836).

Agrégé de l'Université (philosophie) : 1886.

Professeur au lycée de Montauban : à partir du 1er octobre 1886.

Professeur au lycée d'Aix-en-Provence : du 21 octobre 1886 au 14 juillet 1889.

Demande d'inscription de ses sujets de thèses à la Sorbonne : 22 mars 1887.

En congé pour rédiger ses thèses : à partir du 2 octobre 1889. — De décembre 1891 à avril 1892 : suppléance au Collège Stanislas, alors collège d'État.

Soutenance de ses thèses de doctorat à la Sorbonne : 7 juin 1893. — Sortie de *L'Action* en librairie : novembre 1893.

Blondel épouse, le 12 décembre 1894, Mlle Rose Royer. (Il en aura trois enfants. Elle mourra le 7 mars 1919).

Nommé maître de conférences de philosophie à la Faculté des Lettres de Lille : 30 avril 1895. Renommé le 27 juillet pour l'année scolaire 1895-96.

Chargé de cours à la Faculté des Lettres d'Aix-Marseille : le 28 décembre 1896. — Professeur adjoint par décret du 4 décembre 1897. — Professeur titulaire, le 8 janvier 1899. Il exercera cette fonction jusqu'à sa retraite anticipée, en 1927.

En 1896, *Lettre* sur l'Apologétique; violente attaque du P. Schwalm et de l'abbé Gayraud. Début des controverses. En 1897, début des relations avec Laberthonnière.

De 1902 à 1905 : correspondance de Blondel avec Loisy, Hügel, Batiffol, etc., autour des thèses de Loisy.

De 1905 à 1913, Blondel dirige, avec Laberthonnière, les *Annales de Philosophie chrétienne.*

Élu membre correspondant de l'Académie des Sciences morales et politiques : 4 juillet 1914.

En 1927, perdant l'usage de la vue, il quitte l'enseignement : le 18 juin, il est admis à la retraite, sur sa demande. Il se consacre désormais à la rédaction de son " testament philosophique ".

De 1931 à 1934, il prend part à la querelle de la " philosophie chrétienne ".

En 1939, il dénonce le péril nazi dans *Lutte pour la civilisation et philosophie de la paix.*

Sous l'occupation allemande, Léon Brunschvicg, persécuté, se réfugie à Aix pour y trouver l'amitié de Blondel.

Blondel a encore l'esprit plein de projets, quand il meurt, en son hôtel d'Aix-en-Provence, le 4 juin 1949, âgé de quatre-vingt-huit ans.

BIBLIOGRAPHIE

Nous donnons ici la liste des principaux ouvrages et articles de Maurice Blondel, suivant l'ordre chronologique (sauf que, pour la période antérieure à 1920, nous avons distingué les écrits apologétiques des écrits proprement philosophiques). Nous divisons la liste selon les grandes étapes de l'œuvre blondélienne.

On trouvera une documentation beaucoup plus riche dans la *Bibliographie blondélienne* publiée par le P. André Hayen dans la collection " Museum Lessianum " (Desclée de Brouwer, 1953) : liste quasi exhaustive des publications de Blondel et sur Blondel entre 1888 et 1951.

Voir aussi, moins abondante, mais analytique, la précieuse bibliographie publiée par Henry Duméry à la fin de son ouvrage *La Philosophie de l'Action*, Paris, Aubier, 1948, p. 177-220.

I. PHILOSOPHIE DE L'ACTION

L'Action. Essai d'une critique de la vie et d'une science de la pratique. Paris, Alcan, 1893. Les exemplaires de thèse contiennent XXV-433 pages. L'édition commerciale en contient XXV-495 : le texte a été remanié à partir de la page 401, et augmenté d'un chapitre de 42 pages. Cette édition a été réimprimée en offset en 1950, Paris, Presses Universitaires de France.

De Vinculo substantiali et de Substantia composita apud Leibnitium. Lutetiae Parisiorum, Alcan, 1893, 79 pages. Thèse latine, hors commerce.

Lettre à la *Revue de Métaphysique et de Morale*, parue en janvier 1894, p. 5-8 du supplément; reproduite dans *Études blondéliennes*, P. U. F., I, 1951, p. 100-104.

Une des sources de la pensée moderne: l'évolution du Spinozisme (articles publiés sous le pseudonyme de Bernard Aimant), dans *Annales de Philosophie chrétienne*, juin et juillet 1894, t. 128, p. 260-275, 324-341.

Lettre sur les exigences de la pensée contemporaine en matière d'apologétique et sur la méthode de la philosophie dans l'étude du problème religieux, dans *Annales de Phil. chrét.*, janvier, février, mars, mai, juin, juillet 1896 :

279

t. 131, p. 337-347, 467-482, 599-616; t. 132, p. 131-147, 255-267, 337-350. Tiré à part de 86 pages. Texte reproduit dans *Les premiers écrits de Maurice Blondel*, [II], Paris, P. U. F., 1956, p. 5-95. (Nous renvoyons à cette dernière édition, par l'abréviation : *Lettre* ou *Lettre de 1896* ou *Lettre sur l'Apologétique*.)

Le christianisme de Descartes, dans *Revue de Métaphysique et de Morale*, juillet 1896, p. 551-567.

L'illusion idéaliste, dans *Rev. de Méta. et de Mor.*, novembre 1898, p. 727-746; article reproduit dans *Les premiers écrits...*, II, p. 97-122. (Nous renvoyons à cette dernière édition.)

Principe élémentaire d'une logique de la vie morale, dans Bibliothèque du Congrès international de Philosophie de 1900, Paris, Colin, 1903, t. II, p. 51-85. Texte reproduit dans *Les premiers écrits...*, II, p. 123-147.

Le point de départ de la recherche philosophique, dans *Annales de Phil. chrét.*, janvier et juin 1906 : t. 151, p. 337-360; t. 152, p. 225-250.

Une soutenance de thèse, dans *Annales de Phil. chrét.*, mai 1907, t. 154, p. 113-143; reproduit dans *Études blondéliennes*, I, p. 79-98. Ce texte, publié par l'abbé J. Wehrlé, est presque entièrement de la main de Blondel. Il a été rédigé, pour l'essentiel, la nuit qui suivit la soutenance; remanié et complété au moment de la publication.

L'anticartésianisme de Malebranche, dans *Revue de Méta. et de Mor.*, janvier 1916, p. 1-26.

II. ÉCRITS APOLOGÉTIQUES

A propos de la certitude religieuse. Réponse à l'abbé Pêchegut, dans *Revue du Clergé français*, 15 février 1902, p. 643-659.

Histoire et Dogme. Les lacunes philosophiques de l'exégèse moderne, dans *La Quinzaine*, 16 janvier, 1er et 16 février 1904, t. 56, p. 145-167, 349-373, 433-458. Texte reproduit, ainsi que le suivant, dans *Les premiers écrits...*, II, p. 149 sqq.

De la valeur historique du dogme. Lettre à la rédaction du *Bulletin de Littérature ecclésiastique* de Toulouse, 1905, p. 61-77.

Série d'articles, publiés sous la signature de l'abbé Mallet, concernant l'œuvre apologétique du cardinal Dechamps. Dans *Annales de Phil. chrét.*, octobre 1905 (p. 68-91), février 1906 (p. 449-472), mars 1906 (p. 625-645), mars 1907 (p. 561-591). Reproduit, avec des modifications, dans *Le Problème de la Philosophie catholique* (1932), p. 58-123.

La notion et le rôle du miracle (sous le pseudonyme de Bernard de Sailly), dans *Annales de Phil. chrét.*, juillet 1907, t. 154, p. 337-362.

Qu'est-ce que la Foi ? (sous la signature de l'abbé Mallet), Paris, Bloud, 1908.

La Semaine sociale de Bordeaux et le Monophorisme (sous le pseudonyme de Testis), Paris, Bloud, 1910. (Recueil d'articles parus en 1909-1910 dans les *Annales de Phil. chrét.*)

Lettre concernant le rapport de M. Le Roy : *Le problème du miracle.* Dans *Bulletin de la Soc. fr. de Philosophie*, 1912, p. 152-162, 165-166.

Comment réaliser l'apologétique intégrale : thèses de rechange ou points d'accords ? (sous le pseudonyme de Bernard de Sailly), Paris, Bloud, 1913. (Recueil d'articles publiés dans les *Annales de Phil. chrét.* en octobre et novembre 1912, janvier et avril-mai 1913).

III. TRANSITION

Le Procès de l'intelligence (en collaboration avec P. Archambault), Paris, Bloud et Gay, 1922, p. 217-306. (Reproduction de trois articles parus l'année précédente dans *La Nouvelle Journée.*)

Léon Ollé-Laprune. L'achèvement et l'avenir de son œuvre. Paris, Bloud et Gay, 1923.

Le jansénisme et l'anti-jansénisme de Pascal, dans *Revue de Méta. et de Mor.*, 1923, p. 131-163.

Le problème de la mystique, dans *Qu'est-ce que la Mystique ?* Cahiers de la Nouvelle Journée, n° 3, Paris, Bloud et Gay, 1925, p. 1-63.

L'Itinéraire philosophique de Maurice Blondel. Propos recueillis par Frédéric Lefèvre. Paris, Spes, 1928, 285 pages. Le texte (questions et réponses) a été rédigé par Blondel lui-même, sauf les pages concernant les théories du P. Jousse.

Une énigme historique : le " Vinculum substantiale " d'après Leibniz et l'ébauche d'un réalisme supérieur. Paris, Beauchesne, 1930, XXIV-146 pages.

La fécondité toujours renouvelée de la pensée augustinienne, dans Cahiers de la Nouvelle Journée, n° 17, 1930, p. 3-20.

Le quinzième centenaire de la mort de saint Augustin (28 août 430). L'unité originale et la vie permanente de sa doctrine philosophique, dans *Revue de Méta. et de Mor.*, 1930, p. 423-469.

Y a-t-il une philosophie chrétienne ? dans *Rev. de Méta. et de Mor.*, 1931, p. 599-606. Réponse à Émile Bréhier.

Lettre concernant le rapport de M. Gilson : *La notion de philosophie chrétienne.* Dans *Bulletin de la Soc. fr. de Philo.*, 1931, p. 82-86.

Le Problème de la Philosophie catholique. Cahiers de la Nouvelle Journée, n° 20. Paris, Bloud et Gay, 1932, 117 pages.

BIBLIOGRAPHIE

IV. LA TRIOLOGIE ET L'ESPRIT CHRÉTIEN

La Pensée. I. La genèse de la pensée et les paliers de son ascension spontanée. Paris, Alcan, 1934, XLI-421 pages.

La Pensée. II. Les responsabilités de la pensée et la possibilité de son achèvement. Paris, Alcan, 1934, 558 pages.

L'Être et les êtres. Essai d'ontologie concrète et intégrale. Paris, Alcan, 1935, 548 pages.

L'Action. I. Le problème des causes secondes et le pur Agir. Paris, Alcan, 1936, 496 pages.

L'Action. II. L'action humaine et les conditions de son aboutissement. Paris, Alcan, 1937, 560 pages.

La Philosophie et l'Esprit chrétien. I. Autonomie essentielle et connexion indéclinable. Paris, P. U. F., 1944, XVI-340 pages.

La Philosophie et l'Esprit chrétien. II. Conditions de la symbiose seule normale et salutaire. Paris, P. U. F., 1946, XI-380 pages.

Exigences philosophiques du christianisme. Paris, P. U. F., 1950, 308 pages.

V. PUBLICATIONS POSTHUMES

Les premiers écrits de Maurice Blondel. L'Action (1893). *Essai d'une critique de la vie et d'une science de la pratique.* Paris, P. U. F. 1950. Reproduction de l'édition de 1893, même pagination.

Les premiers écrits de Maurice Blondel. Lettre sur les exigences de la pensée contemporaine en matière d'apologétique (1896). *Histoire et Dogme* (etc.). Paris, P. U. F., 1956.

Études blondéliennes, I, Paris, P. U. F., 1951, p. 7-77. Textes préparés par Maurice Blondel en vue de la réédition de " L'Action " de 1893.

Études blondéliennes, II, Paris, P. U. F., 1952, p. 7-46. Inédits de Maurice Blondel: Notes et Projet pour la seconde édition de " L'Action ".

Études blondéliennes, III, Paris, P. U. F. 1954, p. 5-132. Un texte inédit de Maurice Blondel : Dialogues sur la Pensée.

Maurice Blondel et Auguste Valensin, *Correspondance* (1899-1912), 2 vol., Paris, Aubier, 1957.

Au cœur de la crise moderniste. Le dossier inédit d'une controverse. Lettres de Maurice Blondel, Henri Bremond, Fr. von Hügel, Alfred Loisy, etc., présentées par René Marlé. Paris, Aubier, 1960.

Lettres philosophiques de Maurice Blondel. Paris, Aubier, 1961. (La plupart des lettres dont nous avons cité des extraits au cours de notre ouvrage figurent *in extenso* dans ce recueil.)

TABLE DES MATIÈRES

IMP. BUSSIÈRE SAINT-AMAND (CHER) D. L. 2ᵉ TR. 1961 : Nᵒ 1182.

BLONDEL
ET LE CHRISTIANISME

Peu de philosophes, peu de chrétiens, ont depuis quelques siècles abordé aussi directement que Maurice Blondel les rapports de la pensée rationnelle et des données de la foi.

Toute l'œuvre de Blondel, depuis sa célèbre thèse sur "l'Action", a pour centre cette profonde unité, en lui, du chrétien et du philosophe, si souvent mal comprise des uns et des autres, et dont il ne cessa de scruter les exigences.

Le Père Henri Bouillard présente d'abord une vue d'ensemble de la vie et des écrits de Blondel ; il étudie ensuite d'une manière approfondie les textes majeurs, " l'Action " de 1893, la " Lettre sur l'Apologétique " de 1896, et il en dégage les traits essentiels, tels la genèse de l'idée de surnaturel et le rôle de l'option religieuse dans l'affirmation ontologique, qui permettent de comprendre le caractère propre de cette philosophie par rapport à une théologie.

AUX ÉDITIONS DU SEUIL

Le Bastidon de Blondel à Aix-en-Provence, et la montagne Sainte-Victoire (photo Henry Ely, Aix). (p. 1 de couv.)

La maison de campagne où Blondel écrivit " l'Action ", à Saint-Seine-sur-Vingeanne, Côte-d'Or (photo Combier). (p. 4 de couv.)

Imprimé en France 4-61